#내신 대비서
#고득점 예약하기

영어전략

Chunjae
Makes
Chunjae

▼

[영어전략] 중학 2 문법·쓰기

편집개발 신현검, 김채원, 박효정
영문 교열 Matthew D. Gunderman
제작 황성진, 조규영
디자인총괄 김희정
표지디자인 윤순미, 한은비
내지디자인 디자인 톡톡

발행일 2022년 1월 15일 초판 2022년 1월 15일 1쇄
발행인 (주)천재교육
주소 서울시 금천구 가산로9길 54
신고번호 제2001-000018호
고객센터 1577-0902
교재 내용문의 (02)3282-8870

문법·쓰기

영어전략
중학 2

시험에 잘 나오는
개념BOOK 1

차례

개념 01	감각동사 + 형용사	04
개념 02	수여동사	05
개념 03	수여동사에 쓰이는 전치사 (1)	06
개념 04	수여동사에 쓰이는 전치사 (2)	07
개념 05	수여동사에 쓰이는 전치사 (3)	08
개념 06	5형식: 목적격보어가 명사	09
개념 07	5형식: 목적격보어가 형용사	10
개념 08	5형식: 목적격보어가 to부정사	11
개념 09	5형식: 지각동사	12
개념 10	5형식: 사역동사	13
개념 11	5형식: 준사역동사	14
개념 12	현재완료의 의미와 형태	15
개념 13	현재완료 부정문	16
개념 14	현재완료 의문문	17
개념 15	현재완료 계속 용법	18
개념 16	현재완료 경험 용법	19
개념 17	현재완료 완료 용법	20
개념 18	현재완료 결과 용법	21

개념BOOK 하나면
영어 공부 끝!

개념 19	to부정사	22
개념 20	It ~ to부정사	23
개념 21	「It ~ to부정사」의 의미상 주어	24
개념 22	의문사+to부정사	25
개념 23	to부정사의 형용사적 용법	26
개념 24	too ~ to 부정사	27
개념 25	so ~ that+주어+can't+동사원형	28
개념 26	enough+to부정사	29
개념 27	so ~ that+주어+can+동사원형	30
개념 28	to부정사와 동명사를 모두 목적어로 취하는 동사 (1)	31
개념 29	to부정사와 동명사를 모두 목적어로 취하는 동사 (2)	32
개념 30	to부정사만을 목적어로 취하는 동사	33
개념 31	동명사만을 목적어로 취하는 동사	34
개념 32	현재분사	35
개념 33	현재분사와 동명사의 차이점	36
개념 34	과거분사	37
개념 35	명사를 수식하는 현재분사	38
개념 36	명사를 수식하는 과거분사	39
개념 37	감정을 나타내는 분사 (1)	40
개념 38	감정을 나타내는 분사 (2)	41
정답		42~46

01 감각동사+형용사

>> 정답 p. 42

- 감각동사에는 look(~해 보이다), sound(~하게 들리다), smell(~한 냄새가 나다), taste(~한 맛이 나다), feel(~한 느낌이 들다) 등이 있다.
- 감각동사는 「주어+감각동사+주격보어」의 **❶** ⬜ 형식 문장에서 쓴다. 이때 주격보어 자리에는 **❷** ⬜ 가 온다.

Your idea **sounds great**.
　　　　감각동사+형용사

It **sounds like a great idea**.
　　감각동사+like+명사(구)

I feel good today.

답 ❶ 2 ❷ 형용사

바로 확인

다음 괄호 안에서 알맞은 것을 고르시오.

❶ You look (beauty / beautiful).

❷ That sounds (exciting / excitingly).

❸ The soup smells (well / good).

❹ The milk tastes (sour / sourly).

❺ I felt (lone / lonely).

수여동사

>> 정답 p. 42

- 수여동사란 '~에게 …을 (해)주다'라는 의미를 가진 동사를 말한다.
- 수여동사는 동사의 성격상 두 개의 **❶ [   ]**를 취하며, 「주어+수여동사+간접목적어(~에게)+**❷ [   ]**(~을)」의 어순으로 쓰인다.

The boy asked his dad an interesting question.

수여동사   간접목적어   직접목적어
       (~에게)   (~을) ·

- 수여동사가 쓰인 4형식 문장은 3형식 문장으로 전환할 수 있다.

4형식	주어+수여동사+간접목적어+직접목적어
3형식	주어+동사+직접목적어+전치사+간접목적어

He showed me some pictures. → 4형식

수여동사   간접목적어   직접목적어

He showed some pictures to me. → 3형식

4형식을 만드는 동사를 수여동사라고 하고, 3형식으로 바꾼 문장의 동사는 수여동사라고 하지 않아!

답 ❶ 목적어 ❷ 직접목적어

바로 확인

다음 문장을 보고 몇 형식인지 쓰시오.

❶ I gave a book to Sujin. _____

❷ Tom sent me a letter. _____

❸ Mia asked her teacher some questions. _____

03 수여동사에 쓰이는 전치사 (1)

>> 정답 p. 42

- 4형식 문장을 3형식 문장으로 바꿀 때 간접목적어를 문장 뒤로 보내고 간접목적어 앞에 **❶** [   ]를 쓴다.
- 이때 동사의 종류에 따라 쓰이는 전치사가 다르며, **❷** [   ]를 쓰는 동사는 다음과 같다.

전치사 to를 쓰는 동사	give(주다), send(보내다), tell(말하다), show(보여주다), bring(가져오다, 가져다 주다), lend(빌려주다), teach(가르치다), pass(지나가다), write(쓰다) 등

My father **sent me a postcard**.
간접목적어 직접목적어

My father sent a postcard **to** me.

My grandmother tells interesting stories to me.

답 ❶ 전치사 ❷ to

바로 확인

다음 빈칸에 알맞은 전치사를 쓰시오.

❶ Mom showed her skirt _____ me.

❷ Jessie brought some food _____ her friends.

❸ I gave my notebook _____ her.

● 4형식 문장을 3형식 문장으로 바꿀 때 간접목적어를 문장 뒤로 보내고 간접목적어 앞에 전치사 **❶ [   ]** 를 쓰는 동사는 다음과 같다.

전치사 for를 쓰는 동사	**❷ [ ]** (사다), make(만들다), get(얻다), cook(요리하다), find(발견하다), build(짓다) 등

My mom **cooked us *bulgogi*** for dinner.
　　　　　　간접목적어　직접목적어

My mom cooked *bulgogi* **for** us for dinner.

Jiho bought a gift for Sora.

답 **❶** for **❷** buy

바로 확인

다음 괄호 안에서 알맞은 것을 고르시오.

❶ Tom made cookies (to / for) his brother.

❷ The men built a bridge (for / of) people.

❸ I found a nice ring (to / for) her.

05 수여동사에 쓰이는 전치사 (3)

>> 정답 p. 42

- 4형식 문장에서 주로 부탁과 요구를 나타내는 수여동사가 쓰이면, 4형식 문장을 3형식 문장으로 바꿨을 때 간접목적어 앞에 전치사 ❶ [   ]를 쓴다.

전치사 of를 쓰는 동사	❷ [ ](부탁하다), beg(간청하다), require(요구하다) 등

I **beg you a favor**.
　　　간접목적어　직접목적어

I beg a favor **of** you.

Some reporters asked a lot of questions of him.

답 ❶ of ❷ ask

바로 확인

다음 괄호 안의 어구를 바르게 배열하시오. (단, 필요 없는 한 단어는 생략할 것)

① (require / us / for / a lot of / dogs / care / of)

➡ _____

② (for / asked / his / many / of / friend / questions / he)

➡ _____

06 5형식: 목적격보어가 명사

>> 정답 p. 42

- 5형식 문장은 「주어+동사+목적어+❶ [   ]」의 어순으로 쓴다.

- 목적격보어는 ❷ [   ]를 보충 설명하는 말로, 목적격보어로 명사가 오는 경우는 목적어와 동격의 관계이며, 목적어의 직위, 직업, 이름 등을 주로 나타낸다.

	동사
목적격보어로 명사가 오는 경우	make(만들다), find(발견하다), call(부르다), think(생각하다), consider(고려하다), name(이름을 지어주다), elect(선출하다) 등

He **made** his son **a doctor**.
I **think** her **a good teacher**.
We **named** the baby **Sarang**.

❶ 목적어보어 ❷ 목적어

바로 확인

다음 문장에서 목적격보어를 찾아 쓰시오.

❶ We called the dog "Coco". _____

❷ I found him a famous scientist. _____

❸ We considered John a great writer. _____

• 5형식 문장에서 목적격보어로 ❶ [   ]가 오는 경우는 ❷ [   ]의 상태, 기분 등을 주로 나타낸다.

목적격보어로 형용사가 오는 경우	동사
	make(만들다), keep(유지하다), find(알게 되다), call(부르다), think(생각하다), consider(고려하다), turn(바꾸다) 등

We should **keep** the food **warm**.
Getting enough sleep **makes** you **healthy**.

Chocolate always makes me happy.

답 ❶ 형용사 ❷ 목적어

바로 확인

다음 밑줄 친 부분을 알맞은 형태로 고쳐 쓰시오.

❶ He made his father so <u>anger</u>. ➡ _____

❷ I found the game <u>interestingly</u>. ➡ _____

❸ We thought his speech more <u>importance</u>. ➡ _____

08 5형식: 목적격보어가 to부정사

>> 정답 p. 43

- 5형식 문장에서 목적격보어가 ❶ □□□□의 행위를 나타내는 경우 목적격보어로 ❷ □□□□가 온다.

	동사
목적격보어로 to부정사가 오는 경우	want(원하다), tell(말하다), order(명령·주문하다), ask(요청하다), get(~하게 하다), allow(허락하다), advise(조언하다), teach(가르치다) 등

My parents **told** me **to study** harder.

The doctor **advised** him **to drink** enough water.

My parents want me to make good friends.

답 ❶목적어 ❷to부정사

바로 확인

다음 괄호 안의 단어를 빈칸에 알맞은 형태로 쓰시오.

❶ The woman ordered him _____ here. (leave)

❷ The man asked me _____ there. (go)

❸ You should get her _____ up early in the morning. (wake)

- 지각동사란 우리의 감각기관을 통해 어떤 상황을 이해하고 인식하는 데 사용되는 동사로, 5형식 문장에서 쓴다.

- 지각동사의 종류에는 see, watch, look at(보다), hear, listen to(듣다), **❶**[_____](느끼다) 등이 있다.

- 지각동사가 쓰인 5형식 문장의 어순: 주어＋지각동사＋목적어＋목적격보어 (**❷**[_____] / 현재분사)
  - 진행의 의미를 강조할 때는 목적격보어로 현재분사를 쓴다.

  I **heard** someone **call** my name.
      목적격보어 (동사원형)

  We **saw** them **dancing** on the street.
      목적격보어 (현재분사: 진행 중인 동작)

We watched Sora playing the violin on the stage.

답 ❶ feel ❷ 동사원형

바로 확인

다음 괄호 안에서 알맞은 것을 고르시오.

❶ I saw you (study / to study) at the library.

❷ Minji heard a baby (cried / crying) loudly.

❸ Harry felt someone (tap / tapped) his shoulder.

10 5형식: 사역동사

>> 정답 p. 43

- 사역동사란 '(…로 하여금) ~하게 하다, ~하게 만들다'라는 의미의 동사로, 5형식 문장에서 쓴다. 이때 목적격보어로 ❶ [   ]이 온다.

- 사역동사의 종류에는 make, have, let 등이 있다.
    - ❷ [   ]+목적어+목적격보어(동사원형): 강요 (~하게 만들다)
    - have+목적어+목적격보어(동사원형): 요청 (~하게 하다)
    - let+목적어+목적격보어(동사원형): 허락 (~하는 것을 허락하다)

    My boss **made** me **work** on Sunday.
    Peter **had** the vet **examine** his dog.
    My parents **let** me **play** with my friends.

- *cf.* 사역동사의 목적어와 목적격보어가 수동의 관계일 때는 과거분사를 목적격보어로 취한다.

    He made the door repaired.
    ┗━ 수동 관계 ━┛

The guard made us leave the building.

답 ❶ 동사원형 ❷ make

바로 확인

다음 괄호 안에서 알맞은 것을 고르시오.

❶ She had her son (wash / washed) the car.

❷ The teacher made me (do / to do) my homework.

개념 11 · 5형식: 준사역동사

>> 정답 p. 43

- 준사역동사: '~하는 것을 도와주다'라는 의미의 ❶ [＿＿＿＿＿]와 '~하게 하다'라는 의미의 get이 있다.

  - help+목적어+목적격보어(동사원형 / to부정사): ~가 …하는 것을 도와주다
  - get+목적어+목적격보어(❷ [＿＿＿＿＿]): ~가 …하게 하다

  I **helped** him **(to) finish** the work.
  I **got** her **to carry** the books.

cf. 준사역동사의 목적어와 목적격보어가 수동의 관계일 때는 과거분사를 목적격보어로 취한다.

He got his car fixed.
└ 수동 관계 ┘

My mom got me to clean the room.

답 ❶ help ❷ to부정사

바로 확인

다음 괄호 안의 단어를 빈칸에 알맞은 형태로 쓰시오.

❶ She helped me ＿＿＿＿＿＿＿ dinner. (make)

❷ I got my sister ＿＿＿＿＿＿＿ the plant. (water)

- 현재완료는 과거에 일어난 일이 현재까지 영향을 미칠 때 사용하는 시제로 「have (has)+❶ □□□□□」의 형태로 쓴다.

- 과거 시제와 현재완료의 차이: 과거 시제는 '~ 했다(, 하지만 그 이후 일은 모른다)' 라는 의미이고, 현재완료는 '(과거부터 현재까지) ~해 오고 있다'라는 의미를 가진다.

  I lost my keys. (찾았는지 못 찾았는지 모름)
  I **have lost** my keys. (아직도 찾지 못했음)

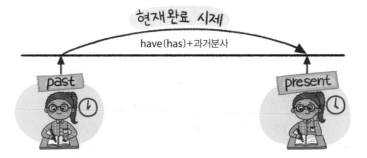

현재완료 시제
have (has)+과거분사
past   present

- 현재완료는 명백한 ❷ □□□□□를 나타내는 부사(구)인 yesterday(어제), last year(작년), ~ ago(~ 전에), when(언제) 등과 함께 쓸 수 없다.

답 ❶ 과거분사 ❷ 과거

바로 확인

다음 우리말과 같도록 괄호 안의 단어를 빈칸에 알맞은 형태로 쓰시오.

❶ 나는 그녀를 5년 동안 알고 지낸다.

　➡ I ＿＿＿＿＿＿＿ her for 5 years. (know)

❷ 나는 어제 축구 경기를 보았다.

　➡ I ＿＿＿＿＿＿＿ a soccer game yesterday. (watch)

13 현재완료 부정문

>> 정답 p. 43

- 현재완료의 부정문은 have나 has 뒤에 not이나 never를 쓴다. 즉 「주어+have [has]+❶[　　　　]+과거분사 ~.」의 형태로 쓰고, '~하지 않았다, ~해본 적이 없다'라는 의미를 가진다.

  I **have not eaten** anything all day.
  Juha **has never traveled** around the world.

- have not과 has not은 줄여서 haven't, ❷[　　　　]로 나타낼 수 있다.

  I **haven't lost** my bag.
  She **hasn't worked** since last year.

two hours ago　　　　now

I haven't finished my art homework yet.

답 ❶ not(never) ❷ hasn't

바로 확인

다음 우리말과 같도록 괄호 안의 어구를 바르게 배열하시오.

❶ 나는 이전에 영화배우를 만나본 적이 없다. (met / I / never / a movie star / before / have)

　➡ _____

❷ Jane은 아직 그녀의 엄마에게 말하지 않았다. (not / Jane / her mom / yet / has / to / talked)

　➡ _____

개념 14 현재완료 의문문

>> 정답 p. 44

- 현재완료의 의문문은 have나 has를 문장 맨 [**❶**]에 써서 나타낸다. 즉 「Have (Has)+주어(+ever)+과거분사 ~?」의 형태로 쓰고, '~해본 적이 있니?' 라는 의미를 가진다.

Have you ever traveled around the world?

Has she visited her grandparents recently?

- 현재완료 의문문에 대한 대답이 긍정이면 「 **❷** 」, 주어+have (has).」로, [**❸**]이면 「No, 주어+haven't (hasn't).」로 답한다.

A: Have you ever been **to Egypt?**
B: Yes, I have.

답 **❶** 앞 **❷** Yes **❸** 부정

바로 확인

다음 빈칸에 알맞은 말을 쓰시오.

❶ _____ he seen the movie before?

❷ A: _____ you liked her for a long time?

　B: No, I _____.

개념 15 · 현재완료 계속 용법

>> 정답 p. 44

- 현재완료 용법 중 **❶ [   ]** 은 과거 특정 시점부터 현재까지 지속되고 있는 동작이나 상태를 나타내며, '계속 ~해 왔다'라는 의미를 가진다.

- 주로 함께 쓰이는 표현: for(~ 동안), **❷ [   ]** (~ 이래로), how long(얼마나 오래) 등

My parents **have been** married **for** 16 years. (결혼이 16년 동안 지속됨)

This building **has been** empty **since** 2019. (건물이 비기 시작한 시점이 2019년)

- for+기간: 동작이나 상태가 지속된 기간
- since+시점: 동작이나 상태가 시작된 시점

Mina has learned Chinese for three years.

답 ❶ 계속 ❷ since

바로 확인

다음 빈칸에 알맞은 말을 쓰시오.

❶ I have lived in Daejeon _____ 5 years.

❷ Hamin has been sick _____ last Friday.

❸ _____ long have you been married?

- 현재완료 용법 중 **❶** [ ]은 과거부터 현재까지 경험한 일을 나타내며, '〜 한 적이 있다'라는 의미를 가진다.

- 주로 함께 쓰이는 표현: ever(한 번이라도), **❷** [ ](결코 〜않다), once(한 번), twice(두 번), before(이전에) 등

I **have never kept** a pet.
I **have traveled** alone **before**.
Have you ever been to Paris?

> 주의 「have (has) never+과거분사」는 '(결코) 〜한 적이 없다'라는 의미로 경험해 본 적이 없을 때 자주 쓰이는 표현이다.

I have seen the fireworks once.

답 **❶** 경험 **❷** never

바로 확인

다음 우리말과 같도록 빈칸에 알맞은 말을 쓰시오.

❶ 너는 이전에 한 번이라도 판다를 본 적이 있니?
➡ Have you _____ seen a panda before?

❷ 나는 두 번 그 귀신의 집에 가본 적이 있다.
➡ I have been to the ghost house _____.

개념 17 현재완료 완료 용법

>> 정답 p. 44

- 현재완료 용법 중 **①[   ]**는 과거에 일어난 일이 현재에 다 되었음을 나타내며, '벌써(이미 / 지금 막) ~했다'라는 의미를 가진다.

- 주로 함께 쓰이는 표현: just(막, 방금), **②[   ]**(이미), yet(아직) 등

  I **have just had** lunch.

  Have you **already finished** the work?

  I **haven't done** my homework **yet**.

  주의 just와 already는 주로 have와 과거분사 사이에 쓰고, yet은 문장 끝에 쓴다.

> 긍정문에는 just나 already를, 부정문과 의문문에는 yet을 주로 써.

답 ❶ 완료 ❷ already

바로 확인

다음 괄호 안에서 알맞은 것을 고르시오.

❶ They have (yet / just) arrived here.

❷ Sora has (already / yet) gone to bed.

❸ I have never seen shooting stars (yet / just).

현재완료 결과 용법

>> 정답 p. 44

● 현재완료 용법 중 ❶[ ]는 과거의 동작이나 행위가 현재에 어떤 ❷[ ]를 일으켰을 때 사용하며, '~했다, ~해 버렸다'라는 의미를 가진다. 과거 시제는 현재 상황을 알 수 없지만, 현재완료 결과 용법은 '과거에 ~했다, 그래서 현재 …하다'라는 의미가 내포되어 있다.

Jiho **has gone** to Busan.

(= Jiho went to Busan, so he isn't here now.)

She has lost her scarf.

답 ❶ 결과 ❷ 결과

바로 확인

다음 주어진 문장과 의미가 같도록 빈칸에 알맞은 말을 쓰시오.

❶ I left my purse on the bus, so I don't have it now.

➡ I _____ _____ my purse on the bus.

❷ He went to Japan, so he is still there.

➡ He _____ _____ to Japan.

개념 19 to부정사

>> 정답 p. 44

- to부정사란 「to+❶⬚⬚⬚⬚⬚⬚」의 형태로 문장에서 명사, 형용사, 부사로 쓰인 것을 말한다.

- to부정사의 용법

  (1) 명사적 용법: to부정사가 명사처럼 쓰여 문장에서 ❷⬚⬚⬚⬚⬚⬚, 보어, 목적어로 쓰인다.

  To read comic books is interesting. (주어)

  (2) 형용사적 용법: to부정사가 명사나 대명사 뒤에서 앞의 명사나 대명사를 수식한다.

  I have a lot of homework **to do**. (명사 수식)

  (3) 부사적 용법: to부정사가 문장에서 목적, ❸⬚⬚⬚⬚⬚⬚의 원인, 판단의 근거, 결과, 형용사 수식, 조건 등을 나타낸다.

  He went to the market **to buy** some eggs. (목적)

  I'm so happy **to see** you again. (감정의 원인)

to부정사가 문장에서 주어로 쓰일 때 동사는 단수로 쓴다는 것을 기억해!

☑ ❶ 동사원형 ❷ 주어 ❸ 감정

바로 확인

다음 문장의 밑줄 친 to부정사의 용법을 쓰시오.

❶ I want to go to the shoppig mall. _____

❷ Yeosu is a good place to visit. _____

❸ He grew up to be a teacher. _____

개념 20 It ~ to부정사

>> 정답 p. 44

• 문장에서 주어로 쓰인 to부정사가 길어질 경우 it을 문장 맨 앞에 두고, to부정사 이하 부분을 문장 뒤로 보낼 수 있다. 이때 **❶** [   ]을 가주어, **❷** [   ] 이하 부분을 진주어라고 한다. 즉 「It is〔was〕+형용사+to부정사 ~.」의 어순으로 쓴다.

To learn English is easy.

It is easy **to learn** English.
가주어   진주어

📝 **❶** it **❷** to부정사

바로 확인

다음 문장을 가주어, 진주어가 있는 문장으로 바꿔 쓰시오.

❶ To teach math is difficult.

➡ _____

❷ To watch soccer games is exciting.

➡ _____

- 가주어 it, 진주어 to부정사가 쓰인 문장에서 to부정사의 행위나 상태의 주체인 의미상 주어는 일반적으로 to부정사 앞에 「❶ [   ]+목적격」으로 나타낸다.

It is important **for us to sleep** well.

- 사람의 성품이나 태도를 나타내는 형용사 다음에는 to부정사의 의미상 주어를 「❷ [   ]+목적격」으로 나타낸다.

It is kind **of you to help** me.

 – 사람의 성품이나 태도를 나타내는 형용사: kind/nice(친절한), smart/wise (똑똑한, 현명한), rude(무례한), honest(정직한), brave(용감한), foolish/ stupid(어리석은), careful(주의 깊은), careless(조심성 없는) 등

It is easy for him to make pizza.

답 ❶ for ❷ of

바로 확인

다음 빈칸에 알맞은 말을 쓰시오.

❶ It is impossible _____ us to breathe underwater.

❷ It was foolish _____ him to think so.

❸ It was careless _____ you to leave your cellphone on the bus.

❹ It is not easy _____ children to sit quietly.

- 「의문사+to부정사」는 to부정사의 **①** [＿＿＿] 용법으로 문장에서 주어, 보어, 목적어 역할을 한다.

- 「의문사+to부정사」의 종류와 의미

how+to부정사	어떻게 ~할지, ~하는 방법
what+to부정사	무엇을 ~할지
② [＿＿＿]+to부정사	언제 ~할지
where+to부정사	어디를(서) ~할지
who+to부정사	누구를 ~할지
which+to부정사	어느 것을 ~할지

주의 「의문사+to부정사」는 「의문사+주어+should+동사원형」과 바꿔 쓸 수 있다.

why는
「의문사+to부정사」
형태로 쓸 수 없어!

답 **①** 명사적 **②** when

바로 확인

다음 우리말과 같도록 빈칸에 알맞은 말을 쓰시오.

① 나는 어디로 가야할지 모르겠다.

➡ I don't know ＿＿＿＿ ＿＿＿＿ go.

② 그는 그 기계를 작동하는 법을 잘 안다.

➡ He knows well ＿＿＿＿ ＿＿＿＿ work the machine.

개념 23 to부정사의 형용사적 용법

>> 정답 p. 45

- to부정사가 **❶ [　　　　]** 역할을 할 때 앞에 있는 명사(구)를 수식하며, '~하는, ~할'이라는 의미를 가진다. 이때 수식을 받는 명사(구)가 전치사의 목적어일 경우 to부정사 뒤에 전치사를 쓴다.

  I need a chair to sit. (×)
  I need **a chair to sit on**. (○)

- -thing, -body, -one 등으로 끝나는 대명사를 형용사와 to부정사가 동시에 꾸며줄 때, to부정사는 형용사 **❷ [　　　]** 에 온다.

  Please give me **something cold to drink**.
  　　　　　　　　대명사　　형용사　to부정사

> -thing, -body, -one으로 끝나는 단어에는 something, nothing, everything, anything, somebody, nobody, everybody, anybody, someone, everyone, anyone 등이 있어.

답 ❶ 형용사 ❷ 뒤

바로 확인

다음 우리말과 같도록 괄호 안의 단어들을 바르게 배열하시오.

❶ 나는 이야기를 나눌 친구가 필요하다. (a / to / need / to / I / friend / talk)

　➡ _____

❷ 그녀는 먹을 맛있는 것을 원한다. (something / to / she / eat / delicious / wants)

　➡ _____

too ~ to부정사

≫ 정답 p. 45

- 「too+형용사〔부사〕+❶[　　　　　]」는 '~하기에는 너무 …한'이라는 의미이다. 이때 문장 전체의 주어와 의미상의 주어가 다르면 형용사〔부사〕 뒤에 「for+목적격」을 쓴다.

  I am **too** busy **to go** shopping.
  It was **too** cold for us **to go** outside.

- too(너무)가 들어가면 부정적인 의미일 경우가 많다.

주의 이때 to부정사는 ❷[　　　　] 용법으로 쓰였음에 유의한다.

The tea is too hot to drink.

답 ❶to부정사 ❷부사적

바로 확인

다음 우리말과 같도록 빈칸에 알맞은 말을 쓰시오.

❶ 나는 공부에 집중하기에는 너무 배가 고프다.

→ I'm _____ hungry _____ concentrate on studying.

❷ 지금 멈추기에는 너무 늦었다.

→ It is _____ _____ _____ stop now.

개념 25 so ~ that+주어+can't+동사원형 >> 정답 p. 45

- '~하기에는 너무 …한'이라는 의미의 「too+형용사〔부사〕+to부정사」는 '너무 ~해서 …할 수 ❶[ ]'라는 의미의 「so+형용사〔부사〕+that+주어 +❷[ ]+동사원형」으로 바꿔 쓸 수 있다.

I am too busy to go shopping.

= I am **so** busy **that I can't go** shopping.

It was too cold for us to go outside.

= It was **so** cold **that we couldn't go** outside.

과거 시제이므로 couldn't를 씀

I'm so poor that I can't
buy this house.

답 ❶없다 ❷can't

바로 확인

다음 우리말과 같도록 빈칸에 알맞은 말을 쓰시오.

❶ 그는 너무 아파서 학교에 갈 수 없다.

➡ He is so sick _____ he _____ go to school.

❷ 그 개구리는 너무 빨라서 나는 그것을 잡을 수 없었다.

➡ The frog was _____ fast _____ I _____ catch it.

enough + to부정사

>> 정답 p. 45

- 「형용사(부사)+❶____+to부정사」는 '~할 만큼 충분히 …한(하게)'이라는 의미이다. 이때 문장 전체의 주어와 의미상의 주어가 다르면 enough 뒤에 「for+목적격」을 쓴다.

He is strong **enough to carry** the heavy box.

This book was easy **enough for me to read**.

- 이때 to부정사는 ❷____ 용법으로 쓰였음에 유의한다.

Tom is tall enough to be a basketball player.

답 ❶ enough ❷ 부사적

바로 확인

다음 문장에서 어법상 <u>어색한</u> 부분을 찾아 바르게 고치시오.

❶ She is enough old to go to school. _____ ➡ _____

❷ John is rich enough buying the car. _____ ➡ _____

❸ This box is light enough of you to carry. _____ ➡ _____

so ~ that+주어+can+동사원형   >> 정답 p. 45

- '~할 만큼 충분히 …한(하게)'이라는 의미의 「형용사(부사)+enough+to부정사」는 '매우 ~해서 …할 수 있다'라는 의미의 「❶ [ ]+형용사(부사)+that+주어+❷ [ ]+동사원형」으로 바꿔 쓸 수 있다.

He is strong enough to carry the heavy box.
= He is **so** strong **that he can carry** the heavy box.
This book was easy enough for me to read.
= This book was **so** easy **that I could read** it.

과거 시제이므로 could를 씀

I'm so rich that I can buy this house.

답 ❶ so ❷ can

바로 **확인**

다음 우리말과 같도록 빈칸에 알맞은 말을 쓰시오.

❶ 그는 매우 똑똑해서 그 문제를 쉽게 풀 수 있었다.
➡ He was _____ smart _____ he _____ solve the question.

❷ 그녀는 매우 키가 커서 롤러코스터를 탈 수 있다.
➡ She is _____ tall _____ she _____ ride the roller coaster.

개념 28 to부정사와 동명사를 모두 목적어로 취하는 동사 (1)

>> 정답 p. 45

- to부정사와 동명사를 모두 목적어로 취하는 동사 중 의미가 달라지지 않는 동사

| to부정사 & 동명사 | like(좋아하다), love(사랑하다), prefer(선호하다), hate(싫어하다), start(시작하다), begin(시작하다), continue(계속하다), intend(의도하다) 등
⇒ 의미 차이 없이 ❶ _____ 와 동명사를 모두 ❷ _____ 로 취한다. |

I **like to watch** movies.
= I **like watching** movies.
I **hate to exercise** outdoors in winter.
= I **hate exercising** outdoors in winter.

Sumi loves to play [playing] the piano and
to swim [swimming] in the pool.

🗒 ❶ to부정사 ❷ 목적어

바로 확인

다음 우리말과 같도록 괄호 안의 단어를 빈칸에 알맞은 형태로 쓰시오.

❶ 나는 채소 먹는 것을 아주 좋아한다.
➡ I love _____ vegetables. (eat)

❷ 오늘 아침에 눈이 내리기 시작했다.
➡ It began _____ this morning. (snow)

개념 29 to부정사와 동명사를 모두 목적어로 취하는 동사 (2)

>> 정답 p. 45

• to부정사와 동명사를 모두 목적어로 취하는 동사 중 의미가 달라지는 동사

to부정사 & 동명사	– try+to부정사: ~을 하려고 노력하다, 애쓰다 try+동명사: (시험 삼아) 한번 해보다 – remember+to부정사: (미래에) ~할 것을 기억하다 remember+동명사: (과거에) ~한 것을 기억하다 – forget+to부정사: (미래에) ~할 것을 잊다 forget+동명사: (과거에) ~한 것을 잊다 – regret+to부정사: (미래에) ~하게 되어 유감이다 regret+동명사: (과거에) ~한 것을 후회하다 ⇒to부정사와 동명사 둘 다 **❶** [ ]로 올 수 있지만 의미가 **❷** [ ] 에 유의한다.

I **remember to send** the letter.
I **remember sending** the letter.

to부정사를 목적어로 취하는
동사는 미래 지향적인 반면,
동명사를 목적어로 취하는 동사는
과거 지향적이야!

답 ❶ 목적어 ❷ 달라짐

바로 확인

다음 우리말과 같도록 괄호 안의 단어를 빈칸에 알맞은 형태로 쓰시오.

❶ 나는 살을 빼려고 노력 중이다.

➡ I'm trying _____ weight. (lose)

❷ 그는 그녀를 만난 것을 결코 잊지 못할 것이다.

➡ He will never forget _____ her. (meet)

2주 / 개념 30 to부정사만을 목적어로 취하는 동사 >> 정답 p. 45

- to부정사만을 목적어로 취하는 동사

to부정사	want(원하다), hope(희망하다), wish(바라다), plan(계획하다), need(~할 필요가 있다), expect(예상하다), promise(약속하다), decide(결정하다), learn(배우다), would love(like)(~을 하고 싶다) 등
	⇒ 어떤 상태나 동작이 **❶** 　　에 이루어질 것이라는 의미가 담긴 동사

I **hope to see** you again.

We **decided to go** on a picnic this weekend.

- to부정사의 부정은 to부정사 **❷** 　　에 not을 쓴다.

She **promised not to be** late again.

I want to go to Paris.

답 ❶ 미래 ❷ 앞

바로 확인

다음 괄호 안의 단어를 빈칸에 알맞은 형태로 쓰시오.

❶ I wish _____ all around the world. (travel)

❷ She wants _____ her favorite movie star. (meet)

❸ I would like _____ a cup of tea. (have)

- 동명사만을 목적어로 취하는 동사

| 동명사 | enjoy(즐기다), finish(끝내다), mind(꺼려하다), give up(포기하다), stop (멈추다), quit(그만두다), practice(연습하다), keep(유지하다), suggest (제안하다), consider(고려하다), avoid(피하다) 등
⇒ 어떤 상태나 동작이 ❶ [　　　　] 에 이미 시작되었다는 의미가 담긴 동사 |

She **enjoys playing** the piano in her free time.
He **suggested visiting** the museum.

- 동명사의 부정은 동명사 ❷ [　　　　] 에 not을 쓴다.

I don't **mind not opening** the window.

I finished reading the book, and then played soccer.

답 ❶ 과거 ❷ 앞

바로 확인

다음 괄호 안의 단어를 빈칸에 알맞은 형태로 쓰시오.

❶ Don't give up _____ other languages. (learn)

❷ Stop _____ in the park. (smoke)

현재분사

>> 정답 p. 46

- 현재분사는 동사 뒤에 [❶＿＿＿＿]가 붙은 형태로, 주로 진행형을 만들 때 사용하지만, 능동적인 의미일 경우 명사의 앞이나 뒤에 와서 명사를 꾸며주는 [❷＿＿＿＿]처럼 쓰이기도 한다.

	현재분사
형태	동사원형+-ing
의미	~하는(능동), ~하고 있는(진행)
역할	형용사 역할

I'm **playing** soccer with my friends.

Look at the dogs **running** on the street.

The shining stars are beautiful.

답 ❶ -ing ❷ 형용사

바로 확인

다음 괄호 안에서 알맞은 말을 고르시오.

❶ He is (take / taking) pictures now.

❷ The boy (stood / standing) over there is my best friend.

현재분사와 동명사의 차이점

>> 정답 p. 46

- 현재분사와 동명사는 둘 다 「동사원형+❶[   ]」의 형태를 갖지만, 성격이 다르므로 구분할 수 있어야 한다.

- 현재분사와 동명사의 차이점

	현재분사	동명사
의미	~하는, ~하고 있는	~하는 것, ~하기
역할	❷[ ] 역할	명사 역할(주어, 보어, 목적어)

I'm **reading** a book. (현재분사)
My hobby is **reading** books. (❸[   ])

She is playing a computer game. /
She likes playing computer games.

답 ❶ -ing ❷ 형용사 ❸ 동명사

바로 확인

다음 밑줄 친 부분의 쓰임을 바르게 쓰시오.

❶ She is <u>baking</u> some bread for me. _____

❷ I love <u>swimming</u> in the sea. _____

❸ My dream is <u>buying</u> a big camera. _____

과거분사

	과거분사
형태	동사원형+❶ ⬜ / 불규칙 변화
의미	~되는, 당하는(❷ ⬜), ~된(완료)
역할	형용사 역할
쓰임	– have+과거분사: 현재완료로 쓰임 – be동사+과거분사: 수동태로 쓰임 – 명사 수식
*불규칙 동사의 과거분사	*e.g.* see(보다)–saw–seen / cut(자르다)–cut–cut fly(날다)–flew–flown / draw(그리다)–drew–drawn 등

I have **lived** in Suwon for seven years. (현재완료)

The actor is **loved** by many people. (수동태)

Look at the **broken** window. (명사 수식)

The dog is called "Ben" by us.

答 ❶ -ed ❷ 수동

바로 확인

다음 괄호 안의 단어를 빈칸에 알맞은 형태로 쓰시오.

❶ She has ＿＿＿＿＿ the man before. (see)

❷ My bicycle was ＿＿＿＿＿ by someone. (steal)

❸ The cars ＿＿＿＿＿ in Germany are very expensive. (make)

35 명사를 수식하는 현재분사

>> 정답 p. 46

- 현재분사가 단독으로 명사를 수식할 때는 명사 ❶ [　　　]에 위치하고, 현재분사
가 구를 이루어 명사를 수식할 때는 명사 ❷ [　　　]에 위치한다.

Who is the **singing** girl?
현재분사 +명사

Who is the girl **singing** in front of many people?
^
(who is)
명사+현재분사구

The man playing the piano is my uncle.

답 ❶앞 ❷뒤

바로 확인

다음 괄호 안의 단어를 빈칸에 알맞은 형태로 쓰시오.

❶ Busan is an _____ city. (excite)

❷ The _____ girl looks like an angel. (smile)

❸ The man _____ a hat is my grandfather. (wear)

명사를 수식하는 과거분사

>> 정답 p. 46

- 과거분사 또한 현재분사와 마찬가지로 단독으로 명사를 수식할 때는 명사 ❶ _____ 에 위치하고, 과거분사가 구를 이루어 명사를 수식할 때는 명사 ❷ _____ 에 위치한다.

Did you pick up the **fallen** apples?
과거분사+명사

The story **written** by her was very interesting.
(which was)
명사+과거분사구

The pencil found under the desk is mine.

답 ❶ 앞 ❷ 뒤

바로 확인

다음 괄호 안에서 알맞은 것을 고르시오.

❶ I will buy a (using / used) car.

❷ There was a picture (paint / painted) by my sister.

❸ Look at the mountain (covered / covering) with snow.

37 감정을 나타내는 분사 (1)

>> 정답 p. 46

● 주어가 감정을 일으키는 주체일 때 감정동사의 **❶** ☐ 형태를 쓰고, '~한 감정을 느끼게 하는'이라는 **❷** ☐의 의미를 가진다.

amusing(재미있는) / boring(지루한) / surprising(놀라운) / amazing(놀라운) / shocking(충격적인) / disappointing(실망스러운) / annoying(짜증스러운) / interesting(흥미로운) / satisfying(만족감을 주는) / pleasing(만족스러운) / exciting(흥미진진한)

This book was very interesting to me.

답 ❶ 현재분사 ❷ 능동

바로 확인

다음 괄호 안의 단어를 빈칸에 알맞은 형태로 쓰시오.

❶ The news was _____. (shock)

❷ The game was very _____ to us. (excite)

❸ I didn't think the movie was _____. (interest)

개념 38 감정을 나타내는 분사 (2)

>> 정답 p. 46

- 주어가 감정을 느끼는 주체일 때 감정동사의 **❶** [ ] 형태를 쓰고, '~한 감정을 느끼게 되는'이라는 **❷** [ ] 의 의미를 가진다.

> amused(재미있어 하는) / bored(지루해하는) / surprised(놀란) / amazed(놀란) /
> shocked (충격을 받은) / disappointed(실망한) /annoyed(짜증이 난) /
> interested(흥미를 느끼는) / satisfied(만족하는) / pleased(만족한) / excited(흥분한)

We were satisfied with the food.

답 ❶ 과거분사 ❷ 수동

바로 확인

다음 괄호 안에서 알맞은 것을 고르시오.

① We were (surprised / surprising) to hear the news.

② I'm (please / pleased) about my new school.

③ I'm (tired / tiring) because my homework is (tired / tiring) me.

정답

p. 04
- 네 생각은 훌륭하게 들린다.
- 그것은 훌륭한 생각처럼 들린다.
- 나는 오늘 기분이 좋다.

📝 ① beautiful ② exciting ③ good ④ sour ⑤ lonely / ① 너는 아름다워보인다. ② 그것은 신 나게 들린다. ③ 그 국은 좋은 냄새가 난다. ④ 그 우유는 상한 맛이 난다. ⑤ 나는 외로움을 느꼈다.

p. 05
- 그 소년은 그의 아빠에게 재미있는 질문을 했다.
- 그는 나에게 사진을 좀 보여주었다.

📝 ① 3형식 ② 4형식 ③ 4형식 / ① 나는 수진이에게 책 한 권을 주었다. ② Tom은 나에게 편지를 보내주었다. ③ 미아는 그녀의 선생님에게 몇 가지 질문을 했다.

p. 06
- 나의 아버지는 나에게 우편엽서를 보내주셨다.
- 나의 할머니는 나에게 재미있는 이야기들을 해주신다.

📝 ① to ② to ③ to / ① 엄마는 나에게 그녀의 치마를 보여주셨다. ② Jessie는 그녀의 친구들에게 음식을 좀 가져다 주었다. ③ 나는 그녀에게 내 공책을 주었다.

p. 07
- 엄마는 저녁으로 우리에게 불고기를 요리해 주셨다.
- 지호는 소라에게 선물을 사주었다.

📝 ① for ② for ③ for / ① Tom은 그의 남동생을 위해 쿠키를 만들었다. ② 그 남자들은 사람들을 위해 다리를 지었다. ③ 나는 그녀에게 멋진 반지를 찾아주었다.

p. 08
- 부탁이 있습니다. ● 몇몇 기자들이 그에게 많은 질문들을 했다.

📝 ① Dogs require a lot of care of us. ② He asked many questions of his friend. / ① 개들은 우리에게 많은 관심을 요구한다. ② 그는 그의 친구에게 많은 질문들을 했다.

p. 09
- 그는 그의 아들을 의사로 만들었다. ● 나는 그녀가 좋은 교사라고 생각한다.
- 우리는 그 아기를 사랑이라고 이름 붙였다.
- 여: Tom이 저를 '돼지'라고 불렀어요. 남1 : Sally를 '돼지'라고 부르지 마라. 그녀를 Sally라고 불러야지. 남2: Sally!

📝 ① Coco ② a famous scientist ③ a great writer / ① 우리는 그 개를 '코코'라고 불렀다. ② 나는 그가 유명한 과학자라는 것을 알았다. ③ 우리는 John이 훌륭한 작가라고 여겼다.

p. 10
- 우리는 그 음식을 따뜻하게 유지해야 한다.
- 충분히 자는 것은 너를 건강하게 만든다. ● 초콜릿은 항상 나를 행복하게 만든다.

p. 11

📋 ❶ angry ❷ interesting ❸ important / ❶ 그는 그의 아버지를 매우 화나게 만들었다. ❷ 나는 그 게임이 재미있다는 것을 알게 되었다. ❸ 우리는 그의 연설이 더 중요하다고 생각했다.

● 나의 부모님은 나에게 더 열심히 공부하라고 말씀하셨다.

● 그 의사는 그에게 충분한 물을 마시라고 조언했다.

● 나의 부모님은 내가 좋은 친구들을 사귀기를 원하신다.

📋 ❶ to leave ❷ to go ❸ to wake / ❶ 그 여자는 그에게 여기를 떠나라고 명령했다. ❷ 그 남자는 나에게 거기로 가라고 요청했다. ❸ 너는 그녀가 아침에 일찍 일어나도록 해야 한다.

p. 12

● 나는 누군가가 내 이름을 부르는 것을 들었다.

● 우리는 그들이 길에서 춤추는 것을 보았다.

● 우리는 소라가 무대에서 바이올린을 연주하는 것을 보았다.

📋 ❶ study ❷ crying ❸ tap / ❶ 나는 네가 도서관에서 공부하는 것을 보았다. ❷ 민지는 아기가 큰 소리로 우는 것을 들었다. ❸ Harry는 누군가가 그의 어깨를 두드리는 것을 느꼈다.

p. 13

● 나의 상사는 내가 일요일에 일하도록 만들었다.

● Peter는 수의사에게 그의 개를 진찰하게 했다.

● 나의 부모님은 내가 친구들과 노는 것을 허락하셨다.

● 그는 그 문을 수리 받았다.

● 그 경비원은 우리가 그 건물을 떠나도록 했다.

📋 ❶ wash ❷ do / ❶ 그녀는 그녀의 아들이 세차하도록 했다. ❷ 선생님은 내가 숙제하도록 만드셨다.

p. 14

● 나는 그가 그 일을 끝내는 것을 도왔다. ● 나는 그녀에게 책을 옮기게 했다.

● 그는 그의 차를 수리 받았다. ● 우리 엄마는 내가 그 방을 청소하게 하셨다.

📋 ❶ (to) make ❷ to water / ❶ 그녀는 내가 저녁 준비하는 것을 도왔다. ❷ 나는 여동생이 화초에 물을 주도록 시켰다.

p. 15

● 나는 열쇠를 잃어버렸다.

📋 ❶ have known ❷ watched

p. 16

● 나는 하루 종일 아무것도 먹지 않았다.

● 주하는 세계 여행을 해본 적이 전혀 없다.

● 나는 내 가방을 잃어버리지 않았다.

● 그녀는 작년부터 일하지 않고 있다.

● 나는 아직 내 미술 숙제를 끝내지 못했다.

📋 ❶ I have never met a movie star before. ❷ Jane has not talked to her mom yet.

- 너는 세계 여행을 해 본 적이 있니? • 그녀는 최근에 그녀의 조부모님을 뵈었니?
- A: 너는 이집트에 가본 적이 있니? B: 응, 있어.

  🔟 ❶ Has ❷ Have / haven't / ❶ 그는 전에 그 영화를 본 적이 있니? ❷ A: 너는 오랫동안 그녀를 좋아해 왔니? B: 아니, 그렇지 않아.

- 나의 부모님은 16년 동안 결혼 생활을 하고 계신다.
- 이 건물은 2019년 이후로 비어 있다. 〈3년 전〉 나는 지금부터 중국어를 배울 거야.
- 미나는 3년 동안 중국어를 배우고 있다.

  🔟 ❶ for ❷ since ❸ How / ❶ 나는 5년 동안 대전에 살고 있다. ❷ 하민이는 지난 금요일부터 쭉 아프다. ❸ 당신은 결혼한지 얼마나 오래 되었나요?

- 나는 결코 애완동물을 길러 본 적이 없다. • 나는 전에 홀로 여행해 본 적이 있다.
- 너는 파리에 가본 적이 있니? • 나는 불꽃놀이를 한 번 본 적이 있다.

  🔟 ❶ ever ❷ twice

- 나는 방금 점심을 먹었다. • 너는 벌써 그 일을 끝냈니?
- 나는 아직 숙제를 하지 않았다.

  🔟 ❶ just ❷ already ❸ yet / ❶ 그들은 여기에 막 도착했다. ❷ 소라는 이미 자러 갔다. ❸ 나는 아직 별똥별을 한 번도 본 적이 없다.

- 지호는 부산으로 가버렸다. (= 지호는 부산으로 가서, 지금 여기에 없다.)
- 그녀는 그녀의 스카프를 잃어버렸다.

  🔟 ❶ have left ❷ has gone / ❶ 나는 버스에 지갑을 놓고 내려서, 지금 그것을 갖고 있지 않다. → 나는 버스에 지갑을 두고 내렸다. ❷ 그는 일본으로 가서 여전히 거기에 있다. → 그는 일본으로 가 버렸다.

- 만화책을 읽는 것은 재미있다. • 나는 해야 할 숙제가 많다.
- 그는 달걀을 좀 사기 위해 마트에 갔다. • 나는 너를 다시 만나서 매우 기쁘다.

  🔟 ❶ 명사적 용법 ❷ 형용사적 용법 ❸ 부사적 용법 / ❶ 나는 쇼핑몰에 가기를 원한다. ❷ 여수는 방문하기에 좋은 장소이다. ❸ 그는 자라서 교사가 되었다.

- 영어를 배우는 것은 쉽다.

  🔟 ❶ It is difficult to teach math. ❷ It is exciting to watch soccer games. / ❶ 수학을 가르치는 것은 어렵다. ❷ 축구 경기를 보는 것은 신이 난다.

- 잠을 잘 자는 것은 우리에게 중요하다. • 나를 돕다니 너는 친절하다.
- 그가 피자를 만드는 것은 쉽다.

  🔟 ❶ for ❷ of ❸ of ❹ for / ❶ 우리가 물속에서 숨을 쉬는 것은 불가능하다. ❷ 그렇게 생각하다니 그는 어리석었다. ❸ 버스에서 휴대전화를 두고 내리다니 너는 부주의했다. ❹ 조용히 앉아 있는 것은 아이들에게 쉽지 않다.

p. 25
답 ❶ where to ❷ how to

p. 26
● 나는 앉을 의자가 필요하다. ● 나에게 마실 차가운 것을 주세요.

답 ❶ I need a friend to talk to. ❷ She wants something delicious to eat.

p. 27
● 나는 쇼핑을 가기에는 너무 바쁘다. ● 우리가 밖에 나가기에는 너무 추웠다.

● 그 차는 마시기에 너무 뜨겁다.

답 ❶ too / to ❷ too late to

p. 28
● 나는 너무 바빠서 쇼핑을 갈 수 없다.

● 너무 추워서 우리는 밖에 나갈 수 없었다.

● 나는 너무 가난해서 이 집을 살 수 없다.

답 ❶ that / can't ❷ so / that / couldn't

p. 29
● 그는 그 무거운 상자를 옮길 만큼 충분히 힘이 세다.

● 이 책은 내가 읽기에 충분히 쉬웠다.

● Tom은 농구 선수가 될 만큼 충분히 키가 크다.

답 ❶ enough old → old enough ❷ buying → to buy ❸ of → for / ❶ 그녀는 학교에 갈 만큼 충분한 나이가 되었다. ❷ John은 그 차를 살 만큼 충분한 부자이다. ❸ 이 상자는 네가 옮길 만큼 충분히 가볍다.

p. 30
● 그는 매우 힘이 세서 그 무거운 상자를 옮길 수 있다.

● 이 책은 매우 쉬워서 나는 그것을 읽을 수 있었다.

● 나는 매우 부자라서 이 집을 살 수 있다.

답 ❶ so / that / could ❷ so / that / can

p. 31
● 나는 영화 보는 것을 좋아한다. ● 나는 겨울에 밖에서 운동하는 것을 싫어한다.

● 수미는 피아노 치는 것과 수영장에서 수영하는 것을 아주 좋아한다.

답 ❶ to eat〔eating〕 ❷ to snow〔snowing〕

p. 32
● 나는 그 편지를 보내야 할 것을 기억한다. ● 나는 그 편지를 보낸 것을 기억한다.

답 ❶ to lose ❷ meeting

p. 33
● 나는 너를 다시 만나길 희망한다.

● 우리는 이번 주말에 소풍을 가기로 결정했다.

● 그녀는 다시는 늦지 않겠다고 약속했다.

● 나는 파리에 가기를 원한다.

답 ❶ to travel ❷ to meet ❸ to have / ❶ 나는 전세계를 여행하기를 바란다. ❷ 그녀는 그녀가 가장 좋아하는 영화 배우를 만나기를 원한다. ❸ 나는 차 한 잔을 마시고 싶다.

p. 34
● 그녀는 여가 시간에 피아노 치는 것을 즐긴다. ● 그는 박물관을 방문하는 것을 제안했다. ● 나는 창문을 열지 않아도 괜찮다. ● 나는 그 책 읽는 것을 끝내고 나서 축구를 했다.

답 ❶ learning ❷ smoking / ❶ 다른 언어들을 배우는 것을 포기하지 마라. ❷ 공원에서 담배 피는 것을 멈춰라.

p. 35
● 나는 친구들과 축구를 하고 있다. ● 길에서 달리고 있는 개들을 봐.
● 빛나는 별들은 아름답다.

답 ❶ taking ❷ standing / ❶ 그는 지금 사진을 찍고 있다. ❷ 저기에 서 있는 소년은 나의 단짝이다.

p. 36
● 나는 책을 읽고 있다. ● 내 취미는 책을 읽는 것이다.
● 그녀는 컴퓨터 게임을 하고 있다. ● 그녀는 컴퓨터 게임하는 것을 좋아한다.

답 ❶ 현재분사 ❷ 동명사 ❸ 동명사 / ❶ 그녀는 나를 위해 빵을 좀 굽고 있다. ❷ 나는 바다에서 수영하는 것을 아주 좋아한다. ❸ 내 꿈은 큰 카메라를 사는 것이다.

p. 37
● 나는 7년 동안 수원에서 살고 있다. ● 그 배우는 많은 사람들에게 사랑받는다.
● 깨진 창문을 봐. ● 그 개는 우리에 의해 'Ben'이라고 불린다.

답 ❶ seen ❷ stolen ❸ made / ❶ 그녀는 이전에 그 남자를 본 적이 있다. ❷ 나의 자전거는 누군가에 의해 도둑 맞았다. ❸ 독일에서 만들어진 차들은 매우 비싸다.

p. 38
● 노래하는 소녀는 누구니? ● 많은 사람들 앞에서 노래하는 그 소녀는 누구니?
● 피아노를 치고 있는 남자는 나의 삼촌이다.

답 ❶ exciting ❷ smiling ❸ wearing / ❶ 부산은 흥미로운 도시이다. ❷ 웃고 있는 소녀는 천사를 닮았다. ❸ 모자를 쓰고 있는 남자는 나의 할아버지이다.

p. 39
● 너는 떨어진 사과들을 주웠니? ● 그녀에 의해 쓰여진 이야기는 매우 재미있었다.
● 책상 아래에서 발견된 연필은 내 것이다.

답 ❶ used ❷ painted ❸ covered / ❶ 나는 중고차를 살 것이다. ❷ 나의 여동생에 의해 그려진 그림이 있었다. ❸ 눈으로 덮인 산을 보아라.

p. 40
● 이 책은 나에게 매우 재미있었다.

답 ❶ shocking ❷ exciting ❸ interesting / ❶ 그 소식은 충격적이었다. ❷ 그 게임은 우리에게 매우 흥미진진했다. ❸ 나는 그 영화가 재미있다고 생각하지 않았다.

p. 41
● 우리는 그 음식이 만족스러웠다.

답 ❶ surprised ❷ pleased ❸ tired / tiring / ❶ 우리는 그 소식을 듣고 충격을 받았다. ❷ 나는 나의 새로운 학교가 만족스럽다. ❸ 숙제가 나를 지치게 해서 나는 피곤함을 느낀다.

문법·쓰기

영어전략

중학 2

BOOK 1

이 책의 구성과 활용

이 책은 3권으로 이루어져 있는데
본책인 BOOK1, 2의 구성은 아래와 같아.

주 도입

만화를 읽은 후 간단한 퀴즈를 풀며 한 주 동안 학습할 문법 사항을 익혀 봅니다.

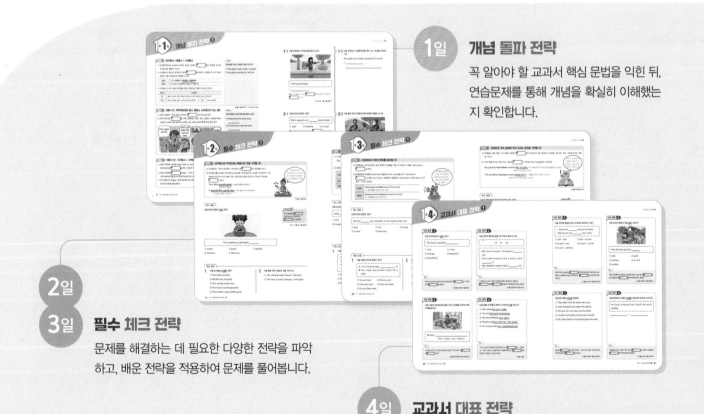

1일 **개념 돌파 전략**
꼭 알아야 할 교과서 핵심 문법을 익힌 뒤, 연습문제를 통해 개념을 확실히 이해했는지 확인합니다.

2일 3일 **필수 체크 전략**
문제를 해결하는 데 필요한 다양한 전략을 파악하고, 배운 전략을 적용하여 문제를 풀어봅니다.

4일 **교과서 대표 전략**
내신 기출 문제의 대표 유형을 풀어 보며 실제 학교 시험 유형을 익힙니다.

주 마무리와 권 마무리의 특별 코너들로
영어 실력이 더 탄탄해질 거야!

주 마무리 코너

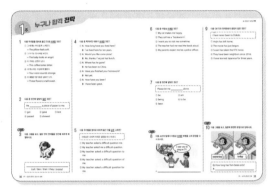

누구나 합격 전략

난이도가 낮은 문제들을 통해 앞서 학습한 내용에 대한 기초 이해력을 점검합니다.

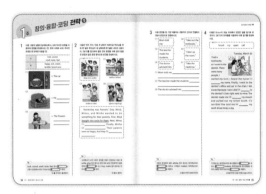

창의·융합·코딩 전략

융복합적 사고력과 문제 해결력을 키울 수 있는 재미있는 문제들을 풀어 봅니다.

권 마무리 코너

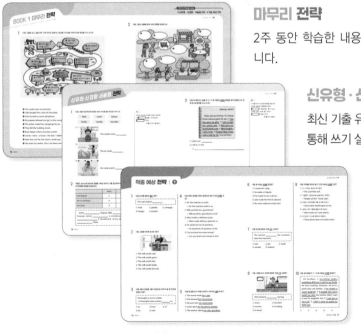

마무리 전략

2주 동안 학습한 내용을 이미지나 만화를 통해 총정리합니다.

신유형·신경향·서술형 전략

최신 기출 유형을 반영한 다양한 서술형 문제들을 통해 쓰기 실력을 키웁니다.

적중 예상 전략

실제 학교 시험 유형의 예상 문제를 풀며 실전에 대비합니다.

이 책의 차례

BOOK ❶

1주 문장의 형식 / 동사의 시제

1일 개념 돌파 전략 ❶, ❷ ·········· 08

2일 필수 체크 전략 ❶, ❷ ·········· 14

3일 필수 체크 전략 ❶, ❷ ·········· 20

4일 교과서 대표 전략 ❶, ❷ ·········· 26

▶ 누구나 합격 전략 ·········· 32

▶ 창의 · 융합 · 코딩 전략 ❶, ❷ ·········· 34

2주 to부정사 / 동명사 / 분사

1일 개념 돌파 전략 ❶, ❷ ·········· 40

2일 필수 체크 전략 ❶, ❷ ·········· 46

3일 필수 체크 전략 ❶, ❷ ·········· 52

4일 교과서 대표 전략 ❶, ❷ ·········· 58

▶ 누구나 합격 전략 ·········· 64

▶ 창의 · 융합 · 코딩 전략 ❶, ❷ ·········· 66

• 마무리 전략 ·········· 70
• 신유형 · 신경향 · 서술형 전략 ·········· 72
• 적중 예상 전략 ❶ ·········· 76
• 적중 예상 전략 ❷ ·········· 80

BOOK ❷

1주 관계사 / 접속사

1일	개념 돌파 전략 ❶, ❷	06
2일	필수 체크 전략 ❶, ❷	12
3일	필수 체크 전략 ❶, ❷	18
4일	교과서 대표 전략 ❶, ❷	24
	▶ 누구나 합격 전략	30
	▶ 창의·융합·코딩 전략 ❶, ❷	32

2주 비교 / 수동태 / 가정법

1일	개념 돌파 전략 ❶, ❷	38
2일	필수 체크 전략 ❶, ❷	44
3일	필수 체크 전략 ❶, ❷	50
4일	교과서 대표 전략 ❶, ❷	56
	▶ 누구나 합격 전략	62
	▶ 창의·융합·코딩 전략 ❶, ❷	64

• 마무리 전략	68
• 신유형·신경향·서술형 전략	70
• 적중 예상 전략 ❶	74
• 적중 예상 전략 ❷	78

1주

문장의 형식 /
동사의 시제

1 감각동사, 수여동사, 5형식

Sam, you look upset. What's wrong?

Jake

Jake sent me a text message last night, and I texted him back.

But he said he didn't get my message and called me a liar. It made me angry.

Sam이 화가 난 이유는?
a. Jake가 거짓말쟁이라고 해서
b. Jake가 문자에 답하지 않아서

2 5형식, 현재완료

I want you to pay attention to me. Now I put this hat over the rabbit, ...

짠~

Tada!

Oh, the rabbit has disappeared.

그림의 상황을 바르게 나타낸 문장은?
a. The magician made the rabbit disappear.
b. The magician made himself disappear.

3   현재완료

대화에서 알 수 있는 사실은?
a. Leo는 에펠탑을 본 적이 없다.
b. Leo는 에펠탑에 가고 싶지 않다.

4   현재완료

Mike의 대답이 의미하는 바는?
a. Emma는 중국에 간 적이 있다.
b. Emma는 중국에 가고 없다.

개념 1 감각동사＋형용사 / 수여동사

- 감각동사(look, sound, smell, taste, feel)는 [❶ □□□] 형식 문장에 쓰이며, 주격보어로 형용사가 온다.
- 수여동사는 동사의 성격상 두 개의 [❷ □□□] 를 취하며, 수여동사가 쓰인 4형식 문장은 3형식 문장으로 전환할 수 있다.

4형식	주어＋**수여동사**＋간접목적어＋직접목적어
3형식	주어＋동사＋직접목적어＋**전치사**＋간접목적어

- 수여동사가 쓰인 4형식 문장을 3형식 문장으로 전환시 쓰이는 전치사

전치사	수여동사		
to	give, send, tell, show, bring, lend, teach, pass, write 등		
for	buy, make, get, cook, find, build 등	of	ask, beg 등

개념 2 5형식 (1): 목적격보어로 명사, 형용사, to부정사가 오는 경우

- 5형식 문장은 「주어＋동사＋목적어＋[❶ □□□□□]」의 어순으로 쓴다.
- 목적격보어는 [❷ □□□] 를 보충 설명하는 말로, 명사, 형용사, to부정사(동사 expect, want, tell, advise, order, ask, allow 등과 함께 쓰임) 등이 온다.

Tom called me PIG.

Don't call Sally PIG. Call her Sally.

Sally!

왜 불러?

개념 3 5형식 (2): 지각동사 / 사역동사

- 5형식 문장에 지각동사(see, look at, watch, hear, listen to, feel 등)를 쓸 때, 목적격보어로 [❶ □□□] 을 쓴다. 진행의 의미를 강조할 때는 현재분사를 쓴다.
- 5형식 문장에 [❷ □□□] (make: ～하게 만들다, have: ～하게 하다, let: ～하도록 허락하다)를 쓸 때, 목적격보어로 동사원형을 쓴다.
- 준사역동사인 help는 목적격보어로 동사원형과 to부정사 둘 다를, get은 목적격보어로 to부정사를 취한다.

1-1 다음 문장에서 주격보어를 찾아 쓰시오.

I feel good today.

➡ _____

풀이 | 감각동사가 쓰인 **❶**[ ]형식 문장은 주격보어로
❷[ ]가 온다.

🔒 good / ❶2 ❷형용사

1-2 다음 문장에서 간접목적어를 찾아 쓰고, 문장을 해석하시오.

He made me a chicken sandwich for lunch.

➡ _____,

_____

2-1 다음 빈칸에 알맞은 것은?

Mom expects me _____ many books.

① read   ② reading   ③ to read

풀이 | 동사 expect(기대하다)는 **❶**[ ] 문장으로 쓸 때,
목적격보어로 **❷**[ ]를 써야 한다.

🔒 ③ / ❶5형식 ❷to부정사

2-2 다음 괄호 안의 단어를 빈칸에 알맞은 형태로 쓰시오.

My parents want me _____
good friends. (make)

3-1 다음 빈칸에 알맞은 말을 〈보기〉에서 골라 쓰시오.

┌ 보기 ─────────────────────
ask   make   get
└──────────────────────────

Sad movies _____ people cry.

풀이 | 동사원형을 **❶**[ ]로 취하는 동사는 지각동사와
❷[ ]이다.

🔒 make / ❶목적격보어 ❷사역동사

3-2 다음 문장의 밑줄 친 부분을 어법에 맞게 고쳐 쓰시오.

The teacher had the students <u>to write</u>
about their most memorable days.

➡ _____

개념 4 현재완료의 형태 / 현재완료의 부정문과 의문문

○ 현재완료는 「have〔has〕+❶⬚」의 형태로, 과거에 일어난 일이 현재까지 영향을 미치고 있음을 나타내는 시제이다.

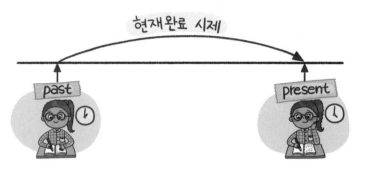

현재완료 시제

past   present

○ 현재완료 부정문은 「have〔has〕+❷⬚(never)+과거분사」의 형태로 쓰고, 의문문은 「Have〔Has〕+주어(+ever)+과거분사 ~?」의 형태로 쓴다.

○ 현재완료는 명백한 과거 시점을 나타내는 부사(구)인 yesterday, last year, ~ ago, when 등과 함께 쓸 수 없다.

I have arrived here three days ago. (×)

I arrived here three days ago. (○) 나는 3일 전에 여기에 도착했다.

Quiz

다음 괄호 안에서 알맞은 것을 고르시오.

(1) Charlie (took / has taken) piano lessons since he was five.

(2) He (came / has come) here yesterday.

답 ❶ 과거분사 ❷ not / (1) has taken (2) came

개념 5 현재완료 용법 (1): 계속, 경험

○ 현재완료 용법 중 ❶⬚은 과거 특정 시점부터 현재까지 지속되고 있는 동작이나 상태를 나타내며, '계속 ~해 왔다'라는 의미를 가진다. 계속 용법에 자주 쓰이는 표현에는 for, since, how long 등이 있다.

○ 현재완료 용법 중 ❷⬚은 과거부터 현재까지 경험한 일을 나타내며, '~ 한 적이 있다'라는 의미를 가진다. 경험 용법에 자주 쓰이는 표현에는 ever, never, before, once 등이 있다.

I **have never visited** France. 나는 프랑스를 방문한 적이 한 번도 없다.

Quiz

다음 우리말을 영어로 옮길 때 빈칸에 알맞은 말을 쓰시오.

(1) 나는 2년 동안 이 노트북 컴퓨터를 사용해 왔다.

➡ I _____ _____ this laptop _____ 2 years.

(2) 나는 이전에 그를 만난 적이 있다.

➡ I _____ _____ him before.

답 ❶ 계속 ❷ 경험 / (1) have used / for (2) have met

개념 6 현재완료 용법 (2): 완료, 결과

○ 현재완료 용법 중 ❶⬚는 과거에 시작한 일이나 동작이 지금 막 완료되었음을 나타내며, '벌써〔이미 / 지금 막〕~했다'라는 의미를 가진다. 완료 용법에 자주 쓰이는 표현에는 yet, already, just 등이 있다.

○ 현재완료 용법 중 ❷⬚는 과거의 동작이나 행위가 현재까지 어떤 영향을 끼칠 때 사용하며, '~했다, ~해 버렸다'라는 의미를 가진다. 과거 시제는 현재 상황을 알 수 없지만, 현재완료는 '과거에 ~했다, 그래서 현재 …하다'라는 의미로 현재 상황까지 내포하고 있다.

Quiz

다음 문장을 현재완료 문장으로 바꿀 때 빈칸에 알맞은 말을 쓰시오.

My mom went shopping, so she's not here now.

➡ My mom _____ _____ shopping.

답 ❶ 완료 ❷ 결과 / has gone

4-1 다음 중 현재완료에 대한 설명으로 알맞지 <u>않은</u> 것은?

① 「have〔has〕+과거분사」가 기본 형태이다.

② 부정문은 「have〔has〕+not〔never〕+과거분사」로 쓴다.

③ 과거의 명백한 한 시점에 일어난 일을 표현한다.

풀이 | 현재완료는 「have〔has〕+❶⬚⬚」로 쓰며, 부정문은 「have〔has〕+❷⬚⬚〔never〕+과거분사」의 형태로 쓴다. 현재완료는 단순 과거 시제와 달리 과거에 일어난 일이 현재까지 영향을 미칠 때 쓰는 표현이다.

🗒 ③ / ❶ 과거분사 ❷ not

4-2 다음 밑줄 친 부분이 어법상 어색한 것은?

① He <u>has gone</u> to Paris last year.

② <u>Have you ever been</u> on a plane?

③ I <u>haven't seen</u> my best friend for three years.

5-1 다음 그림을 보고, 괄호 안에서 알맞은 것을 고르시오.

He has taught English (for / since) six years.

풀이 | '~ 동안'이라는 의미로 현재완료 ❶⬚⬚ 용법에 자주 쓰이는 전치사는 ❷⬚⬚ 이다.

🗒 for / ❶ 계속 ❷ for

5-2 다음 그림을 보고, 괄호 안의 단어를 빈칸에 알맞은 형태로 바꿔 쓰시오.

We _____ _____ in Seoul since 2020. (live)

6-1 다음 빈칸에 공통으로 알맞은 말을 〈보기〉에서 골라 쓰시오.

┌ 보기 ─────────────────┐
is   have   does   has
└──────────────────────┘

┌──────────────────────┐
· The girl _____ just finished her rehearsal.

· Mike is sad because he _____ lost his dog.
└──────────────────────┘

풀이 | 첫 번째 문장은 '(지금 막) ~했다'라는 의미로 해석하는 현재완료의 ❶⬚⬚ 용법이고, 두 번째 문장은 '~했다, ~해 버렸다'라는 의미로 과거의 동작이나 행위가 현재까지 어떤 영향을 끼칠 때 쓰는 현재완료의 ❷⬚⬚ 용법이다. 주어가 3인칭 단수인 경우 현재완료는 「has+과거분사」로 쓴다.

🗒 has / ❶ 완료 ❷ 결과

6-2 다음 빈칸에 공통으로 알맞은 말을 쓰시오.

┌──────────────────────┐
· Pam and Susie _____ just eaten breakfast.

· All the students _____ already gone home.
└──────────────────────┘

1 다음 4형식 문장을 3형식 문장으로 바꿀 때 빈칸에 알맞은 말을 쓰시오.

(1) My father bought me a pair of shoes.

➡ My father bought a pair of shoes _____ me.

(2) The reporter asked Jake a lot of questions.

➡ The reporter asked a lot of questions _____ Jake.

2 다음 빈칸에 to가 들어갈 수 <u>없는</u> 것은?

① The guard told us _____ wait.

② I wanted him _____ be happy.

③ Harry asked me _____ help him.

④ My parents allowed me _____ go hiking.

⑤ My neighbor let me _____ enter her house.

3 다음 그림을 보고, 빈칸에 알맞은 것을 <u>모두</u> 고르면?

We saw some boys _____ basketball.

① play　　　　② played　　　　③ to play

④ playing　　　⑤ for playing

_____ you ever been to a zoo?

➡ 현재완료의 의문문은 「❶ [   ]
〔Has〕+주어(+ever)+❷ [   ]
~?」의 어순으로 쓴다. '~에 가본 적이
있다'라는 말은 have 〔has〕been to
~로 쓴다.

📘 Have / ❶ Have ❷ 과거분사

4 다음 대화의 빈칸에 공통으로 알맞은 말을 쓰시오. (단, 대·소문자 무시)

_____ you seen Chris recently?

Yes, I _____.

I began to take violin lessons
a year ago and I still take
violin lessons.

⇒ I (took / have taken) violin
lessons for a year.

➡ 현재완료 ❶ [   ] 용법은 과거
의 특정 시점에 시작된 일이
❷ [   ]까지 지속되는 경우를
표현한다.

📘 have taken / ❶ 계속 ❷ 현재

5 다음 두 문장을 한 문장으로 바꿔 쓸 때 빈칸에 알맞은 말을 쓰시오.

2016   2022

I started to work in the hospital in 2016. I still work in
the hospital.

➡ I _____ _____ in the hospital since 2016.

My laptop disappeared. It's not
here now.

⇒ My laptop _____ _____.

➡ 현재완료 ❶ [   ] 용법은 과거
에 일어난 일이 ❷ [   ]까지 어
떤 영향을 끼칠 때 사용한다.

📘 has disappeared / ❶ 결과 ❷ 현재

6 다음 괄호 안에서 알맞은 말을 고르시오.

Mr. Smith (has been / has gone) to work. He's not here.

전략 1 감각동사의 주격보어는 형용사인 것을 기억할 것!

(1) 감각동사는 「주어+감각동사+주격보어」의 [❶＿＿] 형식 문장에서 쓴다.

(2) 감각동사에는 look(~해 보이다), sound(~하게 들리다), smell(~한 냄새가 나다), taste(~한 맛이 나다), feel(~한 느낌이 들다) 등이 있으며, 주격보어 자리에는 [❷＿＿]가 온다.

Your idea **sounds great**. 네 생각은 훌륭하게 들린다.
감각동사+형용사

It **sounds like a great idea**. 그것은 훌륭한 생각처럼 들린다.
감각동사+like+명사(구)

> 감각동사 뒤에 명사(구)가 쓰이는 경우에는 「감각동사+like+명사(구)」의 형태로 써야 해!

답 ❶ 2 ❷ 형용사

필수 예제

다음 빈칸에 알맞지 <u>않은</u> 것은?

This strawberry cake tastes ＿＿＿＿＿.

① sweet   ② good   ③ greatly

④ fantastic   ⑤ delicious

문제 해결 전략

동사 taste는 [❶＿＿＿] 동사이므로 주격보어로 [❷＿＿＿]가 적절하다.

답 ③ / ❶ 감각 ❷ 형용사

확인 문제

1 다음 중 어법상 어색한 것은?

① She looks worried.

② We felt very hungrily.

③ This orange tastes sour.

④ The music sounds peaceful.

⑤ The chicken soup smells good.

2 다음 괄호 안에서 알맞은 것을 고르시오.

(1) The old lady looks (friend / friendly).

(2) The story sounds (strange / strangely).

전략 2 수여동사의 어순에 주의할 것!

(1) 수여동사가 쓰인 4형식 문장은 「주어＋수여동사＋❶[   ]＋직접목적어」의 어순으로 쓴다.

The boy asked his dad an interesting question. 그 소년은 그의 아빠에게 재미있는 질문을 했다.
  　　　수여동사 간접목적어　　　　　직접목적어

(2) 4형식 문장을 3형식 문장으로 바꿀 때 간접목적어를 문장 뒤로 보내고 간접목적어 앞에 ❷[   ]를 쓴다.

전치사 to를 쓰는 동사	give, send, tell, show, bring, lend, teach, pass, write 등
전치사 for를 쓰는 동사	buy, make, get, cook, find, build 등
전치사 of를 쓰는 동사	ask, beg 등

> 수여동사가 쓰인 4형식 문장을 3형식 문장으로 바꿀 때 동사에 따라 전치사 to, for, of를 구분해서 사용해야 해.

🔲 ❶ 간접목적어 ❷ 전치사

필수 예제

다음 빈칸에 들어갈 수 <u>없는</u> 것은?

> Andy _____ the bike to me.

① sent
② lent
③ gave
④ bought
⑤ showed

문제 해결 전략

수여동사 send, lend, give, show가 있는 문장에서 ❶[   ]를 문장 뒤로 보낼 때 간접목적어 앞에 전치사 to를 쓰고, 수여동사 buy는 전치사 ❷[   ]를 쓴다.

🔲 ④ / ❶ 간접목적어 ❷ for

확인 문제

1 다음 빈칸에 알맞은 말이 순서대로 짝지어진 것은?

> • Mina cooked spaghetti _____ her sister.
> • My aunt teaches history _____ students.

① to – to
② to – for
③ for – of
④ for – to
⑤ for – for

2 다음 그림을 보고, 괄호 안의 단어들을 빈칸에 바르게 배열하시오.

➡ _____

(tells / my / interesting / me / stories / grandmother)

전략 3   지각동사의 목적격보어를 기억할 것!

(1) 지각동사의 종류: see, watch, look at(보다), hear, listen to(듣다), [①_____](느끼다) 등

(2) 지각동사가 있는 5형식 문장의 어순: 주어＋동사＋목적어＋목적격보어([②_____] 또는 현재분사)

> I **heard** someone **call** my name. 나는 누군가가 내 이름을 부르는 것을 들었다.
> 목적격보어 (동사원형)

> We **watched** them **playing** soccer. 우리는 그들이 축구하는 것을 보았다.
> 목적격보어 (현재분사: 진행 중인 동작)

> 동작이 진행 중임을 강조하고자 할 때 목적격보어로 현재분사를 사용해!

답 ❶ feel ❷ 동사원형

필수 예제

다음 중 어법상 <u>어색한</u> 것은?

① We saw her plant the trees.

② I felt someone to touch my head.

③ I watched him entering the room.

④ Did you hear Mina sing in the shower?

⑤ She could listen to them talk about her.

문제 해결 전략

지각동사가 [①_____]형식 문장에 쓰일 때 목적격보어로 to부정사가 아니라 동사원형이나 [②_____]를 써야 한다.

답 ② / ❶ 5 ❷ 현재분사

확인 문제

1 다음 중 밑줄 친 부분이 어법상 <u>어색한</u> 것은?

① I saw him <u>leave</u> the building.

② I looked at Jiho <u>study</u> in the library.

③ I watched her <u>go</u> home last night.

④ They heard someone <u>knocked</u> on the door.

⑤ He felt something <u>moving</u> on his shoulder.

2 다음 우리말을 영어로 옮길 때, 괄호 안의 단어들을 이용하여 빈칸을 채우시오.

우리는 소라가 무대 위에서 바이올린을 연주하는 것을 보았다.

➡ We _____ Sora _____ the violin on the stage. (watch, play)

전략 4 사역동사의 목적격보어를 기억할 것!

(1) 사역동사: '~하게 하다, ~하게 만들다'라는 의미이며, 목적격보어로 동사원형이 온다.

> ❶ [   ]+목적어+동사원형: ~가 …하게 만들다
>
> have+목적어+동사원형: ~가 …하게 하다
>
> let+목적어+동사원형: ~가 …하도록 허락하다
>
> Tim **had** the vet **examine** his dog. Tim은 수의사에게 그의 개를 진찰하게 했다.

(2) 준사역동사 help, get: help는 '~하는 것을 도와주다'라는 의미로 목적격보어로 동사원형과

> ❷ [   ] 둘 다를, get은 '~하게 하다'라는 의미로 목적격보어로 to부정사를 취한다.
>
> I can **help** you **(to) move** the table. 나는 네가 그 탁자를 옮기는 것을 도울 수 있다.
>
> I **got** her **to carry** the books. 나는 그녀에게 그 책들을 옮기게 했다.

사역동사가 쓰인 문장에서 목적어와 목적격보어의 관계가 수동일 때 목적격보어는 과거분사로 써!

🔑 ❶ make ❷ to부정사

필수 예제

다음 그림의 상황을 보고, 주어진 문장과 의미가 같도록 할 때 빈칸에 알맞은 것은?

문제 해결 전략

'~하도록 강요하다'라는 의미의 동사 force는 강요의 의미이므로 사역동사 ❶ [   ] 로 바꾸는 것이 자연스럽고, 이때 목적격보어로 ❷ [   ] 을 써야 한다.

🔑 ③ / ❶ make ❷ 동사원형

> The guard forced us to leave the building.
> = The guard _____ the building.

① let us leave   ② let us to leave   ③ made us leave

④ made us to leave   ⑤ made us leaving

확인 문제

1 다음 우리말을 영어로 바르게 옮긴 것은?

> 엄마는 내게 개를 산책시키게 하셨다.

① Mom had me walk the dog.

② Mom had me to walk the dog.

③ Mom asked me walk the dog.

④ Mom made me to walk the dog.

⑤ Mom made me walked the dog.

2 다음 밑줄 친 부분을 어법에 맞게 고쳐 쓰시오.

(1) The boss let all the workers <u>to go</u> home early.

➡ _____

(2) The old lady got the men <u>move</u> the furniture.

➡ _____

1 다음 빈칸에 알맞지 <u>않은</u> 것은?

> The woman sounded _____ on the phone.

① tired   ② anger   ③ happy

④ scared   ⑤ healthy

2 다음 4형식 문장을 3형식 문장으로 바꿀 때 빈칸에 알맞은 것은?

> Mark bought me a pretty pencil case.
> ➡ Mark bought a pretty pencil case _____ me.

① to   ② of   ③ on

④ for   ⑤ with

3 다음 중 어법상 <u>어색한</u> 것은?

① They call me "Little Joe".

② We usually keep milk cool.

③ I found the room full of smoke.

④ The terrible news made me sadly.

⑤ Exercising regularly will make us healthy.

4 다음 빈칸에 알맞은 말이 순서대로 짝지어진 것은?

> • My parents told me _____ to bed early.
> • I saw some people _____ in the river.

① go – swim

② go – to swim

③ to go – swum

④ to go – to swim

⑤ to go – swimming

문제 해결 전략

tell이 5형식 문장에 쓰일 때 목적격보어로 **❶** [   ]를 취한다. 지각동사 see는 목적격보어로 **❷** [   ]이나 현재분사를 취한다.

답 **❶** to부정사 **❷** 동사원형

5 다음 우리말을 영어로 바르게 옮긴 것은?

> 나는 내 이웃에게 조용히 해달라고 요청했다.

① I asked my neighbor be quiet.

② I asked my neighbor to be quiet.

③ I advised my neighbor to be quiet.

④ I advised my neighbor being quiet.

⑤ I wanted my neighbor to be quiet.

문제 해결 전략

ask, advise, want, tell, order, expect, allow 등의 동사를 **❶** [   ]형식 문장에 사용할 때 목적격보어로 **❷** [   ]를 써야 한다.

답 **❶** 5 **❷** to부정사

6 다음 그림을 보고, 괄호 안의 어구를 바르게 배열하여 문장을 완성하시오.

> Jimmy's mom _____.
> (him / the room / made / clean)

문제 해결 전략

사역동사 make가 쓰인 5형식 문장에서 **❶** [   ] 뒤에는 목적격보어로 **❷** [   ]을 써야 한다.

답 **❶** 목적어 **❷** 동사원형

전략 1 현재완료의 의미와 형태를 알아둘 것!

(1) 현재완료는 과거에 일어난 일이 현재까지 영향을 미칠 때 사용하는 시제로 「have (has) + ❶ _____ 」로 쓴다.

(2) 현재완료의 부정문은 have (has) 다음에 not이나 never를 써서 「have (has) + ❷ _____ +과거분사」로 나타내고, 현재완료 의문문은 「Have (Has)+주어(+ever)+과거분사 ~?」로 나타낸다.

| 부정문 | I **have never traveled** around the world.
나는 세계여행을 전혀 해 본 적이 없다. |
| 의문문 | **Have you ever traveled** around the world?
너는 세계여행을 해 본 적이 있니? |

현재완료는 명백한 과거를 나타내는 표현인 yesterday, last year, ~ ago, when 등과 함께 쓸 수 없어!

답 ❶ 과거분사 ❷ not (never)

필수 예제

다음 빈칸에 알맞은 것은?

She has _____ her umbrella, so she needs a new one.

① lose ② lost ③ losing

④ to lose ⑤ been lost

문제 해결 전략

주어가 3인칭 단수인 현재완료 시제이므로 「has+❶ _____ 」로 써야 한다. 따라서 빈칸에는 lose의 과거분사형인 ❷ _____ 가 알맞다.

답 ② / ❶ 과거분사 ❷ lost

확인 문제

1 다음 대화의 빈칸에 알맞은 것은?

A: I can't find my dog. _____ it?
B: Yes, I have. Your brother took it for a walk.

① Do you have ② Did you see

③ Have you seen ④ Does she have

⑤ Do you have seen

2 다음 괄호 안의 단어를 빈칸에 알맞은 형태로 고쳐 쓰시오.

(1) Tim has _____ Sera since last July. (know)

(2) I have _____ _____ my project yet. (finish)

(3) _____ he _____ to New York before? (be)

전략 2 현재완료 계속 용법에 주로 쓰이는 표현을 기억할 것!

(1) 현재완료 계속 용법: 과거 특정 시점부터 [❶   ]까지 지속되고 있는 동작이나 상태를 나타내며 '계속 ~해 왔다'라는 의미를 가진다.

(2) 주로 함께 쓰이는 표현: for(~동안), [❷   ](~이래로), how long(얼마나 오래) 등

My parents **have been** married **for** 16 years. 나의 부모님은 16년 동안 결혼 생활을 하고 계신다.
결혼이 16년 동안 지속됨

This building **has been** empty **since** 2019. 이 건물은 2019년 이후로 비어 있다.
건물이 비기 시작한 시점이 2019년

> • for+기간: 동작이나 상태가 지속된 기간
> • since+시점: 동작이나 상태가 시작된 시점

답 ❶ 현재 ❷ since

필수 예제

다음 두 문장을 한 문장으로 바르게 바꾼 것은?

Mark moved to Busan in 2018. He still lives in Busan.

① Mark lived in Busan in 2018.
② Mark has lived in Busan for 2018.
③ Mark has been to Busan in 2018.
④ Mark has lived in Busan since 2018.
⑤ Mark has moved to Busan since 2018.

문제 해결 전략

2018년에 부산으로 이사를 가서 여전히 살고 있는 상황이므로 현재완료 [❶   ] 용법으로 표현할 수 있다. '~한 이후에'라는 의미를 나타내는 전치사 [❷   ]와 함께 써야 한다.

답 ④ / ❶ 계속 ❷ since

확인 문제

1 다음 빈칸에 알맞은 말이 순서대로 짝지어진 것은?

• He has played the piano _____ 6 years.
• I have worked here _____ last year.

① in – from   ② in – since
③ for – from   ④ for – since
⑤ since – for

2 다음 그림의 내용과 일치하도록 빈칸을 완성하시오.

➡ Jane _____ Chinese _____ three years.

전략 3　현재완료 경험 용법에 주로 쓰이는 표현을 기억할 것!

(1) 현재완료 경험 용법: 과거부터 현재까지 ❶ [　　　]한 일을 나타내며, '~한 적이 있다'라는 의미를 가진다.

(2) 주로 함께 쓰이는 표현: ever(한 번이라도), ❷ [　　　](결코 ~않다), once(한 번),
twice(두 번), before(이전에) 등

I have traveled alone before.
나는 이전에 홀로 여행해 본 적이 있다.

I have never kept a pet.
나는 애완동물을 길러 본 적이 전혀 없다.

> 「have(has)+never+과거분사」는 '(결코) ~한 적이 없다'라는 의미로 자주 쓰이니까 꼭 기억해!

답 ❶ 경험 ❷ never

필수 예제

다음 밑줄 친 부분을 '~한 적이 있다'라고 해석할 수 <u>없는</u> 것은?

① Sally <u>has gone</u> to Spain.

② I <u>have ridden</u> a horse twice.

③ He <u>has been</u> to India once.

④ I <u>have eaten</u> fried insects before.

⑤ Henry <u>has visited</u> the museum many times.

문제 해결 전략

「have(has) been to+장소」는 '~에 가본 적이 있다'라는 의미로 현재완료의 ❶ [　　　] 용법에 해당하지만, 「have(has) gone to+장소」는 '~에 갔다, 그래서 이곳에 없다'라는 의미로 현재완료의 ❷ [　　　] 용법에 해당한다.

답 ① / ❶ 경험 ❷ 결과

확인 문제

1 다음 현재완료 문장 중 경험 용법이 <u>아닌</u> 것은?

① Have you ever visited Rome?

② He has never run a marathon.

③ She has dyed her hair three times.

④ Peter has met his favorite actor once.

⑤ I have dreamed to be a pilot for a long time.

2 다음 그림의 내용과 일치하도록 대화의 빈칸에 알맞은 말을 쓰시오.

A: Paul, _____ you ever _____ to Egypt?

B: _____, I _____.

전략 4 현재완료 완료 용법에 주로 쓰이는 표현을 기억하고, 현재완료 결과와 과거 시제를 구분할 것!

(1) 현재완료 완료 용법: 과거에 일어난 일이 현재에 **❶**[ ]되었음을 나타내며, '벌써(이미/지금 막) ~했다'라는 의미를 가진다.

(2) 주로 함께 쓰이는 표현: just(막, 방금), **❷**[ ](이미), yet(아직) 등
    I **have just had** lunch. 나는 방금 점심을 먹었다.
    I **haven't done** my homework **yet**. 나는 아직 숙제를 다 하지 못했다.

(3) 현재완료 결과와 과거 시제의 차이: 둘 다 '~했다'라고 해석하나, 현재완료에는
    '그 결과 현재 ~하다'라는 뜻이 내포되어 있다.
    I **lost** my keys. 나는 열쇠를 잃어버렸다. (현재 찾았는지 못 찾았는지 모름)
    I **have lost** my keys. 나는 열쇠를 잃어버렸다. (아직도 찾지 못했음)

just와 already는
주로 have(has)와 과거분사
사이에 쓰고, yet은 문장 끝에
주로 써.

🔖 **❶** 완료 **❷** already

필수 예제

다음 주어진 문장과 의미가 가장 가까운 것은?

Mr. White left Korea, and he's not here now.

① Mr. White left Korea.
② Mr. White leaves Korea.
③ Mr. White is leaving Korea.
④ Mr. White has left Korea.
⑤ Mr. White have left Korea.

문제 해결 전략

White 씨가 한국을 떠났고,
그 결과 현재 이곳에 없다는 의
미이므로 **❶**[ ] 시제가
아닌 **❷**[ ]를 써야 의미
가 확실하다.

🔖 ④ / **❶** 과거 **❷** 현재완료

확인 문제

1 다음 우리말을 영어로 가장 바르게 옮긴 것은?

그 파티는 이미 끝났다.

① The party already ends.
② The party already ended.
③ The party is already ended.
④ The party has already ended.
⑤ The party have already ended.

2 다음 그림의 내용과 일치하도록 대화의 빈칸에 알맞은 말
을 쓰시오.

two hours ago   now

A: Haven't you finished your art home-
   work yet?
B: _____, _____ _____ . I'm
   still working on it.

1 다음 빈칸에 알맞은 것은?

Paul and Joe _____ friends since they were young.

① are　　　　② were　　　　③ are being

④ has been　　⑤ have been

2 다음 두 문장을 한 문장으로 바르게 바꿀 때 빈칸에 알맞은 것은?

My dad went to Canada. He's not here now.
➡ My dad _____ to Canada.

① went　　　　② goes　　　　③ didn't go

④ has been　　⑤ has gone

3 다음 중 어법상 어색한 문장은?

① He has lost his new bike.

② Have you visited my blog?

③ I have eaten not lunch yet.

④ She has never seen a cheetah.

⑤ The guests have already arrived.

4 다음 빈칸에 알맞은 말이 순서대로 짝지어진 것은?

> • We have stayed here _____ 2015.
> • It has snowed _____ two days.

① for – for
② for – since
③ since – for
④ since – since
⑤ for – before

문제 해결 **전략**

현재완료의 계속 용법에서 동작이나 상태가 시작된 시점은 전치사 ❶ _____ 를 써서 나타내고, 지속된 기간은 ❷ _____ 를 써서 나타낸다.

🖺 ❶ since ❷ for

5 다음 우리말을 영어로 바르게 옮긴 것은?

> 너는 제주도에 가본 적이 있니?

① Did you go to Jeju-do?
② Would you go to Jeju-do?
③ Have you went to Jeju-do?
④ Have you gone to Jeju-do?
⑤ Have you been to Jeju-do?

문제 해결 **전략**

과거부터 현재까지의 경험을 나타낼 때 현재완료의 ❶ _____ 용법을 쓴다. '~에 가본 적이 있다'라는 의미는 「have (has)+❷ _____+to+장소」의 어순으로 쓴다.

🖺 ❶ 경험 ❷ been

6 다음 그림을 보고, 괄호 안의 어구를 빈칸에 바르게 배열하시오. (단, 필요시 어형을 바꿀 것)

> **Jake:** Mom, can I watch TV now?
> **Mom:** No, you can't. You should clean your room first.
> **Jake:** Don't worry. I _____.
> (my room / already / clean / have)

문제 해결 **전략**

과거에 일어난 일이 현재에 완료되었음을 나타낼 때 현재완료 시제로 쓰고, ❶ _____ 용법이라고 한다. '이미'의 뜻을 가진 ❷ _____는 주로 긍정문에 쓰이며, have (has)와 과거분사 사이에 위치한다.

🖺 ❶ 완료 ❷ already

대표 예제 1

다음 빈칸에 알맞지 <u>않은</u> 것은?

> The music sounded _____.

① nice　　　　② noise

③ strange　　　④ beautiful

⑤ wonderful

Tip

look, sound, smell, taste, feel 등의 **❶** 　　　는 주격보어로 **❷** 　　　를 취한다.

답 ❶ 감각동사 ❷ 형용사

대표 예제 2

다음 빈칸에 들어갈 말을 〈보기〉에서 골라 쓰시오.

> 보기
> of　　to　　for

> • My mom bought a backpack _____ me.
> • The math teacher told a funny story _____ us.
> • My neighbor asked a favor _____ me.

Tip

수여동사가 쓰인 4형식 문장을 3형식 문장으로 바꿀 때 **❶** 　　　 앞에 **❷** 　　　를 붙여서 함께 문장 뒤로 보낸다.

답 ❶ 간접목적어 ❷ 전치사

대표 예제 3

다음 그림과 일치하도록 괄호 안의 단어들을 빈칸에 바르게 배열하시오.

> His fans _____.
>
> (him / many / sent / letters)

Tip

수여동사가 쓰인 4형식 문장의 어순은 「주어＋수여동사＋ **❶** 　　　＋ **❷** 　　　」이다.

답 ❶ 간접목적어 ❷ 직접목적어

대표 예제 4

다음 밑줄 친 부분의 관계가 나머지와 <u>다른</u> 하나는?

① She made <u>her son</u> <u>a cake</u>.

② I found <u>the book</u> <u>interesting</u>.

③ This tea will keep <u>you</u> <u>warm</u>.

④ People call <u>New York</u> <u>the "Big Apple"</u>.

⑤ Her song made <u>her</u> <u>a worldwide star</u>.

Tip

「주어＋동사＋목적어＋목적격보어」는 **❶** 　　　형식 문장으로, 「주어＋수여동사＋간접목적어＋직접목적어」인 **❷** 　　　형식 문장과 구분할 수 있어야 한다.

답 ❶ 5 ❷ 4

대표 예제 5

다음 빈칸에 알맞은 말이 순서대로 짝지어진 것은?

> • I want you _____ my soccer team.
> • Will you let me _____ your club?

① join – join
② join – to join
③ to join – join
④ to join – to join
⑤ to join – joining

Tip

5형식에서 want는 ❶_____를 목적격보어로 취하지만, let, have, make와 같은 사역동사는 ❷_____을 목적격보어로 취한다.

📋 ❶ to부정사 ❷ 동사원형

대표 예제 6

다음 빈칸에 알맞은 것을 모두 고르면?

> They felt the ground _____.

① sink
② sank
③ sinking
④ to sink
⑤ sunken

Tip

5형식 문장에 쓰인 feel, smell, hear, see 등의 ❶_____는 동사원형이나 ❷_____를 목적격보어로 취한다.

📋 ❶ 지각동사 ❷ 현재분사

대표 예제 7

다음 중 어법상 어색한 문장은?

① They didn't let me enter the store.
② Sujin helped Sora water the plants.
③ She got her son clean up the desk.
④ I made my brother bring some snacks.
⑤ Ms. Piper had her husband paint the wall.

Tip

get은 ❶_____와 마찬가지로 '~하게 하다'라는 의미이지만 목적격보어로 ❷_____를 취한다.

📋 ❶ 사역동사 ❷ to부정사

대표 예제 8

다음 문장에서 어법상 어색한 곳을 찾아 바르게 고치시오.

> His boss ordered him finish the work quickly.

_____ ➡ _____

Tip

'명령하다'라는 뜻을 가진 동사 ❶_____는 5형식 문장에서 ❷_____를 목적격보어로 취한다.

📋 ❶ order ❷ to부정사

대표 예제 **9**

다음 빈칸에 알맞은 것은?

> I have _____ tennis lessons for 3 months.

① take　　　　　② took

③ taking　　　　④ taken

⑤ to take

Tip

과거에 시작된 일이나 동작이 현재까지 영향을 미칠 때 「have (has)+❶[　　　　　]」 형태의 ❷[　　　　　]를 쓴다.

🗒 ❶ 과거분사 ❷ 현재완료

대표 예제 **10**

다음 대화의 빈칸에 알맞은 것은?

> **A:** Have you ever tasted tacos?
> **B:** _____ I've eaten them twice.

① Yes, I did.　　　② No, I didn't.

③ Yes, I have.　　 ④ No, I haven't.

⑤ Yes, you have.

Tip

현재완료의 의문문은 「❶[　　　　　]+주어(+ever)+과거분사 ~?」이고, 대답 또한 ❷[　　　　　]를 이용해야 한다.

🗒 ❶ Have (Has) ❷ have (has)

대표 예제 **11**

다음 빈칸에 알맞은 말이 순서대로 짝지어진 것은?

> • I _____ sick yesterday.
> • I _____ sick since yesterday.

① was – was　　　② was – have been

③ was – am　　　 ④ have been – was

⑤ have been – have been

Tip

과거의 특정 시점에 일어난 일은 ❶[　　　　　] 시제로 쓰고, 과거에 시작된 일이 현재까지 지속되고 있을 때는 ❷[　　　　　]로 쓴다.

🗒 ❶ 과거 ❷ 현재완료

대표 예제 **12**

다음 밑줄 친 부분을 어법에 맞게 고친 후, 그 문장을 다시 쓰시오.

(1) I have never <u>gone</u> to Denmark. I want to visit there someday.

➡ _____

(2) It has rained <u>since</u> three days. I miss the blue sky.

➡ _____

Tip

(1) '~에 가본 적이 있다'는 「have (has)+❶[　　　　　]+to+장소」로 나타낸다.
(2) 현재완료 계속 용법에서 지속된 기간은 전치사 ❷[　　　　　]로 표현한다.

🗒 ❶ been ❷ for

대표 예제 13

다음 중 현재완료의 용법이 나머지와 <u>다른</u> 하나는?

① He has arrived at the airport.

② Anna hasn't found her phone yet.

③ Denny has gone to his hometown.

④ They have just finished their meals.

⑤ Have you already done your homework?

Tip

현재완료에는 계속, 경험, ❶ [_____], ❷ [_____]의 용법이 있다.

답 ❶ 완료(결과) ❷ 결과(완료)

대표 예제 14

다음 문장에서 어법상 <u>어색한</u> 부분을 고쳐 문장을 다시 쓴 뒤, 우리말 해석을 쓰시오.

> I have never saw such a beautiful scene.

➡ _____

_____

Tip

과거부터 현재까지 '~해 본 적이 있다(없다)'라는 ❶ [_____]은 현재완료 시제로 나타내고, 형태는 「have (has)+❷ [_____]」로 쓴다.

답 ❶ 경험 ❷ 과거분사

대표 예제 15

다음 빈칸에 알맞지 <u>않은</u> 것은?

> I have visited the National Art Museum _____.

① once　　　　② twice

③ before　　　④ last week

⑤ several times

Tip

현재완료는 과거에 시작된 일이 ❶ [_____]까지 영향을 미치고 있음을 나타내므로 명백한 ❷ [_____]의 한 시점을 나타내는 표현과 함께 쓸 수 없다.

답 ❶ 현재 ❷ 과거

대표 예제 16

다음 그림을 참고하여, 주어진 문장과 의미가 같도록 한 문장으로 바꿔 쓰시오. (5단어)

> She lost her scarf, and doesn't have it now.

➡ _____

Tip

과거에 일어난 일의 결과가 현재까지 영향을 끼칠 때 ❶ [_____]로 쓰고, ❷ [_____] 용법이라고 한다.

답 ❶ 현재완료 ❷ 결과

1 다음 빈칸에 알맞지 <u>않은</u> 것은?

> You look _____ today.

① sick   ② great   ③ tired

④ nicely   ⑤ beautiful

Tip

2형식에 쓰인 look, smell, sound, taste, feel 등의 [❶]는 주격보어로 [❷]를 취한다.

🔑 ❶ 감각동사 ❷ 형용사

2 다음 4형식을 3형식으로 바꿀 때 빈칸에 알맞은 것은?

> My friend showed me her family photos.
> ➡ My friend showed her family photos _____ me.

① in   ② of   ③ to   ④ for   ⑤ from

Tip

[❶]가 쓰인 4형식 문장을 3형식 문장으로 바꿀 때 전치사가 필요한데, 동사 show는 [❷]가 필요하다.

🔑 ❶ 수여동사 ❷ to

3 다음 빈칸에 알맞은 말이 순서대로 짝지어진 것은?

> • The coach wanted us _____ our best.
> • Dad made me _____ my homework.

① do – do   ② do – to do   ③ did – do

④ to do – do   ⑤ to do – to do

Tip

5형식에서 want는 [❶]를 목적격보어로 취하고, 사역동사 make는 [❷]을 목적격보어로 취한다.

🔑 ❶ to부정사 ❷ 동사원형

4 다음 중 문장의 형식이 나머지와 <u>다른</u> 하나는?

① I found the movie scary.

② They bought Susan presents.

③ The air conditioner keeps us cool.

④ The couple named their son Jiho.

⑤ Mom allowed me to play computer games.

Tip

「주어+수여동사+간접목적어+직접목적어」는 [❶] 형식 문장이고, 「주어+동사+목적어+목적격보어」는 [❷] 형식 문장이다.

🔑 ❶ 4 ❷ 5

5 다음 그림을 보고, 빈칸에 알맞은 것을 <u>모두</u> 고르면?

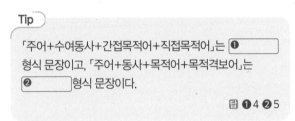

> I saw the bear _____ to the music.

① dance   ② danced   ③ dancer

④ dancing   ⑤ to dance

Tip

'~하는 것을 보다(듣다 / 느끼다)' 등의 뜻을 가진 [❶]는 목적격보어로 동사원형이나 [❷]를 취한다.

🔑 ❶ 지각동사 ❷ 현재분사

서술형

6 다음 그림과 일치하도록 괄호 안의 단어들을 바르게 배열하시오.

_____

_____

(me / always / happy / makes / chocolate)

Tip

5형식 문장에서 목적어의 뜻을 보충 설명하는 ❶_____로 명사, ❷_____, 동사 등이 올 수 있다.

冟 ❶ 목적격보어 ❷ 형용사

7 다음 중 현재완료의 용법이 〈보기〉와 같은 것은?

┌ 보기 ┐

I have lived in this town since 2010.

① I have been to Busan twice.

② Have you eaten dinner already?

③ How long have you studied English?

④ He has lost his new smartphone.

⑤ They have never met each other.

Tip

현재완료에서 '~이후로'라는 의미의 ❶_____와 '얼마나 오래'라는 의미의 ❷_____이 쓰이면 계속 용법이다.

冟 ❶ since ❷ how long

8 다음 중 어법상 어색한 문장은?

① I have seen the movie before.

② The concert has not started yet.

③ They have just finished their work.

④ Have you ever traveled to other countries?

⑤ I have done my project yesterday.

Tip

현재완료는 명백한 ❶_____를 나타내는 표현과 함께 쓸 수 ❷_____.

冟 ❶ 과거 ❷ 없다

서술형

9 다음 두 문장을 한 문장으로 바꿔 쓸 때 빈칸에 알맞은 말을 쓰시오.

Ann was in the library at 9 o'clock. She is still in the library.

➡ Ann _____ _____ in the library _____ 9 o'clock.

Tip

현재완료 ❶_____ 용법에 주로 사용되는 표현에는 '~이후로'라는 의미의 전치사 ❷_____가 있다.

冟 ❶ 계속 ❷ since

서술형

10 다음 그림을 보고, 빈칸에 알맞은 말을 〈보기〉에서 골라 쓰시오. (단, 중복 사용 가능하고, 필요시 어형을 바꿀 것)

┌ 보기 ┐

leave   have   finish

(1)

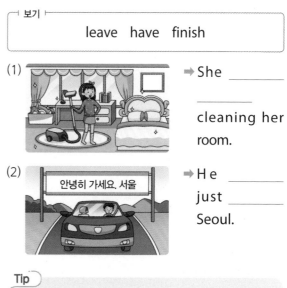

➡ She _____ _____ cleaning her room.

(2)

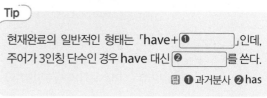

안녕히 가세요. 서울

➡ He just _____ Seoul.

Tip

현재완료의 일반적인 형태는 「have+❶_____」인데, 주어가 3인칭 단수인 경우 have 대신 ❷_____를 쓴다.

冟 ❶ 과거분사 ❷ has

1 다음 우리말을 영어로 옮긴 것 중 어색한 것은?

① 그 베개는 부드럽게 느껴진다.

➡ The pillow feels soft.

② 그 아기는 천사처럼 보인다.

➡ The baby looks an angel.

③ 이 커피는 쓴맛이 난다.

➡ This coffee tastes bitter.

④ 네 목소리는 이상하게 들린다.

➡ Your voice sounds strange.

⑤ 이 꽃들은 향기로운 냄새가 난다.

➡ These flowers smell sweet.

2 다음 중 빈칸에 알맞지 <u>않은</u> 것은?

> He _____ a piece of paper to me.

① got   ② gave   ③ lent

④ passed   ⑤ showed

(서술형)

3 다음 그림을 보고, 괄호 안의 단어들을 빈칸에 바르게 배열하시오.

Ben

> _____
>
> (call / Ben / their / they / puppy)

4 다음 중 짝지어진 대화가 <u>어색한</u> 것은?

① A : How long have you lived here?

   B : I've lived here for ten years.

② A : Would you like some pizza?

   B : No, thanks. I've just had lunch.

③ A : Where has he gone?

   B : He has been to China.

④ A : Have you finished your homework?

   B : Not yet.

⑤ A : How have you been?

   B : I have been great.

5 다음 우리말을 영어로 바르게 옮긴 것을 <u>모두</u> 고르면?

> 선생님은 나에게 어려운 질문을 하나 하셨다.

① My teacher asked a difficult question me.

② My teacher asked me a difficult question.

③ My teacher asked a difficult question to me.

④ My teacher asked a difficult question of me.

⑤ My teacher asked a difficult question for me.

6 다음 중 어법상 <u>어색한</u> 것은?

① My cat makes me happy.

② They call me a "bookworm".

③ I want you to visit me sometime.

④ The teacher had me read the book aloud.

⑤ My parents expect me be a police officer.

7 다음 중 빈칸에 알맞은 것은?

Please let me _____ alone.

① be   ② am

③ being   ④ to be

⑤ been

서술형

8 다음 소년의 말에서 어법상 <u>어색한</u> 부분을 고쳐 문장을 다시 쓰시오.

I saw you to sing on TV.

➡ _____

9 다음 〈보기〉와 현재완료의 용법이 같은 것은?

┌ 보기 ┐

I have never been to Dokdo.

① Hojin has left home.

② The movie has just begun.

③ Susan has taken the KTX twice.

④ They have been neighbors since 2016.

⑤ I have learned Japanese for three years.

서술형

10 다음 그림을 보고, 질문에 완전한 문장으로 답하시오.

yesterday   today

Q: How long has Tom been sick?

A: _____

1 다음 그림의 상황과 일치하도록 A, B에 주어진 표현을 이용하여 문장을 완성하시오. (단, 현재 시제로 쓰되, 주어진 표현은 한 번씩만 이용할 것)

A	look, sound, smell, taste, feel
B	happy, sick, sweet, terrible, brand-new

(1)

➡ The car
_____.

(2)

➡ He _____
_____.

(3)

➡ The flowers
_____
_____.

2 다음은 민지, 민수, 민호 세 남매가 어버이날 부모님을 위해 한 일과 부모님이 세 남매에게 한 일을 나타낸 그림이다. 〈보기〉를 참고하여 괄호 안의 표현을 아래 글의 밑줄 친 문장과 같은 문장 형식으로 빈칸을 완성하시오.

보기
민지
(buy nice socks)

(1)
민수
(write a letter)

(2)
민호
(make a cake)

(3)

(give a big hug)

Yesterday was Parents' Day. Minji, Minsu, and Minho wanted to do something for their parents. First, Minji bought nice socks for them. Next, Minsu (1) _____. Finally, Minho (2) _____. Their parents were so happy. And they (3) _____
_____.

3 다음 문장들 중 가장 어울리는 내용끼리 선으로 연결하고 5형식 문장으로 전환하시오.

(1)
| Mom told me. |

(a)
| "Take out the textbooks." |

(2)
| The teacher made the students. |

(b)
| "Clean up the room." |

(3)
| The doctor advised him. |

(c)
| "Take the medicine." |

(1) Mom told me _____

_____ .

(2) The teacher made the students _____

_____ .

(3) The doctor advised him _____

_____ .

4 다음은 Brian이 오늘 치과에서 있었던 일을 일기로 쓴 것이다. 〈보기〉의 단어들을 이용하여 아래 일기를 완성하시오.

┌ 보기 ┐
| brush   cry   open   call |

Tuesday, March 20

I had a toothache, so I went to the dentist. There were many people. I waited my turn. I heard the nurse (1) _____ my name. Finally, I went to the dentist's office and sat in the chair. I felt scared because I saw a kid (2) _____ in the dentist's chair right next to mine. The dentist made me (3) _____ my mouth and pulled out my rotten tooth. It's terrible! She told me (4) _____ my teeth three times a day.

Tip

5형식 문장에서 tell, advise 등의 동사는 목적격보어로 ❶_____를 취하고, 사역동사 make는 목적격보어로 ❷_____을 취한다.

目 ❶to부정사 ❷동사원형

Tip

지각동사는 목적격보어로 동사원형이나 ❶_____를 취하고, ❷_____ make는 목적격보어로 동사원형을 취하며, tell은 목적격보어로 ❸_____를 취한다.

目 ❶현재분사 ❷사역동사 ❸to부정사

5 다음은 가게 도난 사건 현장을 목격한 사람들의 진술을 정리한 것이다. 그림을 보고, 아래 Step 1, 2의 빈칸을 완성하시오.

- 보기 ─ Someone entered the store.
- (1) Someone put something in a bag.
- (2) Someone screamed.
- (3) Someone left the store.

Step 1 〈보기〉와 같이 괄호 안의 단어를 이용하여 5형식 문장으로 바꾸어 쓰시오.

목격자 진술 내용
〈보기〉 I saw someone enter the store. (see)
(1) _____ (watch)
(2) _____ (hear)
(3) _____ (see)

Step 2 Step 1에서 바꾼 표현을 이용하여 보고서를 완성하시오.

- The girl saw _____ .
- The store owner _____
  _____
- The boy _____ .
- The old man _____ .

6 다음은 유진이와 소라가 나눈 카톡 메시지이다. 대화 내용을 참고하여 아래 질문에 완전한 문장으로 답하시오.

Yujin: What are you doing, Sora?

Sora: I'm doing my math homework.

Yujin: When did you start it?

Sora: An hour ago. I'm done now!

Q: How long has Sora done her math homework?

A: _____
_____

7 다음은 Olivia와 Ray의 경험을 나타낸 표이다. 표를 참고하여, 현재완료 시제를 이용하여 문장을 완성하시오.

Experience	Olivia	Ray
(trying Korean food)	✓	✗
(singing on stage)	✗	✓
(doing bungee jumping)	✗	✗

(1) Olivia _____ many times.

(2) Ray _____ once.

(3) Olivia and Ray _____ _____ before.

8 다음은 준호의 7월 일정표이다. 이를 보고 시간의 흐름에 맞게 동사를 알맞은 형태로 바꿔 문장을 완성하시오.

July 일정표: 4 (THU) join the drama club / 8 (MON) Start take an acting class / 17 (WED) Today practice acting

(1) Junho _____ _____ _____ on July 4th.

(2) Junho _____ _____ _____ last Monday.

(3) Junho _____ _____ _____ 10 days.

2주

to부정사 / 동명사 / 분사

1 to부정사의 용법, It ~ to부정사

남학생이 책을 빌릴 수 <u>없는</u> 이유는?
a. 연체된 책들이 있어서
b. 학생증을 가지고 오지 않아서

2 의문사+to부정사, too ~ to부정사

Sally가 마카롱을 거절한 이유는?
a. 마카롱이 너무 많아서
b. 배가 너무 불러서

3 현재분사, 과거분사

> Look at the smiling woman. This is *Mona Lisa* painted by Leonardo da Vinci.

> You know what? Some people think there's a hidden meaning behind Mona Lisa's smile.

대화에서 언급한 것은?
a. 모나리자의 작가
b. 모나리자의 실제 모델

4 감정을 나타내는 분사, 동명사

> How was the movie?

> It was so boring that I kept falling asleep during the movie. I'm so disappointed.

영화에 대한 여학생의 생각은?
a. The movie was disappointed.
b. The movie was disappointing.

개념 1 to부정사 용법 (1)

- 가주어 it, 진주어 to부정사가 쓰인 「It ~ to부정사 ....」 구문에서 일반적으로 to부정사의 의미상 주어는 to부정사 앞에 「❶⬚ +목적격」으로 나타낸다.
- 사람의 성품이나 태도를 나타내는 형용사 다음에는 to부정사의 의미상 주어를 「❷⬚ +목적격」으로 나타낸다.

사람의 성품이나 태도를 나타내는 형용사	kind / nice(친절한), smart / wise(똑똑한, 현명한), rude(무례한), honest(정직한), brave(용감한), foolish / stupid(어리석은), careful(주의 깊은), careless(조심성 없는) 등

개념 2 to부정사 용법 (2)

- 「의문사+to부정사」는 to부정사의 ❶⬚ 용법으로 문장에서 주어, 보어, 목적어 역할을 한다.

how+to부정사	어떻게 ~할지, ~하는 방법	when+to부정사	언제 ~할지
what+to부정사	무엇을 ~할지	where+to부정사	어디를〔서〕 ~할지

- to부정사가 ❷⬚ 역할을 할 때 앞에 있는 명사(구)를 수식하며, '~하는, ~할'이라고 해석한다. 이때 수식을 받는 명사(구)가 전치사의 목적어일 경우 to부정사 뒤에 전치사를 쓴다.
- -thing, -body, -one 등으로 끝나는 대명사를 형용사와 to부정사가 동시에 꾸며 줄 때, 「대명사+형용사+to부정사」의 어순으로 쓴다.

개념 3 too ~ to부정사 / enough+to부정사

I'm too poor to buy this house.

I'm rich enough to buy this house.

- 「too+형용사〔부사〕+to부정사」는 '~하기에는 너무 …한'이라는 의미로, '너무 ~해서 …할 수 없다'라는 의미의 「so+형용사〔부사〕+that+주어+❶⬚ +동사원형」으로 바꿔 쓸 수 있다.
- 「형용사〔부사〕+enough+to부정사」는 '~할 만큼 충분히 …한〔하게〕'이라는 의미로, '매우 ~해서 …할 수 있다'라는 의미의 「so+형용사〔부사〕+that+주어+❷⬚ +동사원형」으로 바꿔 쓸 수 있다.

1-1 다음 문장에서 의미상 주어를 찾아 쓰시오.

It is easy for me to ride a bike.

➡ _____

풀이 | 「It ~ to부정사 .....」 구문에서 to부정사의 의미상 주어는 to부정사 ❶ [   ] 에 「❷ [   ] +목적격」으로 나타낸다.

🗒 for me / ❶앞 ❷for

1-2 다음 문장에서 어법상 어색한 부분을 찾아 바르게 고치시오.

It was foolish for you to trust him.

_____ ➡ _____

2-1 다음 대화의 빈칸에 알맞은 것은?

A: Please tell me _____ to leave.
B: You should leave in an hour.

① how   ② when   ③ what

풀이 | 「의문사+to부정사」는 to부정사의 ❶ [   ] 용법으로 의문사에 따라 의미가 달라진다. 「❷ [   ] +to부정사」는 '언제 ~할지'라는 의미이다.

🗒 ② / ❶명사적 ❷when

2-2 다음 그림을 보고, 대화의 빈칸에 알맞은 의문사를 쓰시오.

Have you decided _____ to visit in Jeju-do?

I'm thinking of visiting Udo Island.

3-1 다음 두 문장의 뜻이 같도록 할 때 빈칸에 알맞은 것은?

I am so tired that I can't walk more.
= I am _____ tired to walk more.

① so   ② enough   ③ too

풀이 | 「❶ [   ] +형용사(부사)+that+주어+can't+동사원형」은 '너무 ~해서 …할 수 없다'라는 의미로 '~하기에는 너무 …한'이라는 의미의 「❷ [   ] +형용사(부사)+to부정사」와 바꿔 쓸 수 있다.

🗒 ③ / ❶so ❷too

3-2 다음 두 문장의 뜻이 같도록 빈칸에 알맞은 말을 쓰시오.

Jinsu is so tall that he can reach the top shelf.

= Jinsu is tall _____ _____ reach the top shelf.

개념 4 to부정사와 동명사를 목적어로 취하는 동사

- to부정사와 동명사를 모두 목적어로 취하는 동사: like, love, prefer, hate, start, begin, continue, intend 등

  *try, remember, forget, regret 등은 to부정사와 동명사 둘 다 목적어로 올 수 있지만 의미가 달라짐에 유의한다.

- to부정사 또는 동명사만을 목적어로 취하는 동사

to부정사만을 목적어로 취하는 동사	want, hope, wish, plan, promise, decide, learn 등 ⇒ 어떤 상태나 동작이 ❶ ⬚ 에 이루어질 것이라는 의미가 담긴 동사
동명사만을 목적어로 취하는 동사	enjoy, finish, mind, give up, stop, quit, practice 등 ⇒ 어떤 상태나 동작이 ❷ ⬚ 에 이미 시작되었다는 의미가 담긴 동사

Quiz

다음 문장의 밑줄 친 부분이 어법상 옳으면 ○, 틀리면 ✕표 하시오.

(1) I like hiking in the mountains.
(2) What do you want to do now?
(3) Did you finish to do your homework?

⬛ ❶ 미래 ❷ 과거 / (1)○ (2)○ (3)✕

개념 5 현재분사와 과거분사

- 동사원형에 -ing를 붙인 것을 ❶ ⬚ , -ed를 붙인 것을 과거분사라고 한다.
- 현재분사는 능동(~하는)이나 진행(~하고 있는)의 의미를, 과거분사는 ❷ ⬚ (~되는, 당하는)이나 완료(~된)의 의미를 가진다.
- 분사가 명사를 수식할 때 단독으로는 명사 앞에 오지만, 수식어구와 함께 꾸밀 때는 명사 뒤에 온다.

The sleeping baby is my sister.

The baby crying on the bed is my sister.

Quiz

다음 괄호 안의 단어를 빈칸에 알맞은 형태로 쓰시오.

(1) Do you know the boy _____ on the stage? (dance)
(2) I love this picture _____ by my dad. (take)

⬛ ❶ 현재분사 ❷ 수동 / (1) dancing (2) taken

개념 6 감정을 나타내는 분사

- 주어가 감정을 일으키는 주체일 때는 감정동사의 현재분사 형태를 쓰고, '~한 감정을 느끼게 하는'이라는 능동의 의미를 가진다. 주어가 감정을 느끼는 주체일 때는 감정동사의 ❶ ⬚ 형태를 쓰고, '~한 감정을 느끼게 되는'이라는 수동의 의미를 가진다.

boring (지루한) – bored (지루해하는)	interesting (흥미로운) – interested (흥미를 느끼는)
surprising (놀라운) – surprised (놀란)	disappointing (실망스러운) – disappointed (실망한)
❷ ⬚ (흥미진진한) – excited (흥분한)	tiring (피곤하게 만드는) – tired (피곤한)

Quiz

다음 우리말과 같도록 밑줄 친 부분을 어법에 맞게 고치시오.

(1) 그 영화는 지루했다.
  ➡ The movie was bored.
(2) 나는 역사에 흥미를 느낀다.
  ➡ I'm interesting in history.

⬛ ❶ 과거분사 ❷ exciting / (1) boring (2) interested

4-1 다음 중 to부정사와 동명사 둘 다를 목적어로 취하는 동사가 <u>아닌</u> 것은?

① mind   ② like   ③ begin

풀이 | like, love, prefer, hate, start, begin, continue, intend 등은 **❶**⬚와 동명사를 모두 목적어로 취하는 반면, mind는 **❷**⬚만을 목적어로 취한다.

🔑 ① / **❶**to부정사 **❷**동명사

4-2 다음 〈보기〉에서 to부정사와 동명사 둘 다를 목적어로 취하는 동사를 <u>모두</u> 고르시오.

┌─ 보기 ─────────────────┐

want enjoy love hate

give up continue

└────────────────────────┘

_____

5-1 다음 우리말과 같도록 그림 속의 밑줄 친 단어를 어법에 맞게 고치시오.

┌──────────────────────┐
저 날고 있는 새들을 봐.
└──────────────────────┘

Look at the fly birds.

➡ _____

풀이 | 능동이나 진행의 의미일 때는 **❶**⬚를, 수동이나 완료의 의미일 때는 **❷**⬚를 쓴다.

🔑 flying / **❶**현재분사 **❷**과거분사

5-2 다음 밑줄 친 부분을 어법에 맞게 고친 뒤, 우리말로 해석하시오.

┌──────────────────────────────┐
Can you read books <u>writing</u> in Chinese?
└──────────────────────────────┘

➡ _____

_____

6-1 다음 우리말과 같도록 괄호 안에서 알맞은 것을 고르시오.

┌──────────────────────┐
나는 여기서 너를 만나서 놀랐다.
└──────────────────────┘

➡ I am (surprised / surprising) to see you here.

풀이 | '~한 감정을 느끼게 하는'은 **❶**⬚로, '~한 감정을 느끼게 되는'은 **❷**⬚로 쓴다. 주어인 I가 감정을 느끼는 주체이므로 과거분사가 옳다.

🔑 surprised / **❶**현재분사 **❷**과거분사

6-2 다음 대화가 자연스럽도록 괄호 안에서 각각 알맞은 것을 고르시오.

┌──────────────────────────────┐
A: You look (disappointed / disappointing).
   What's up?
B: I feel bad because the baseball game was (disappointed / disappointing).
└──────────────────────────────┘

2주 1일 개념 돌파 전략 ❷

It is impossible _____ us to finish the project today.

➡ 「It ~ to부정사 ....」 구문에서 일반적인 to부정사의 의미상 주어는 to부정사 앞에 「❶_____+목적격」으로 나타낸다. 단, 사람의 성품이나 태도를 나타내는 형용사가 쓰이면 for 대신 ❷_____를 쓴다.

📋 for / ❶ for ❷ of

1 다음 빈칸에 각각 알맞은 말을 쓰시오.

(1) It is exciting _____ me to play the new games.

(2) It is smart _____ you to solve the riddle.

CHECK UP

Do you know (how / what) to use the machine?

➡ '어떻게 ~할지, ~하는 방법'은 「❶_____+to부정사」로, '무엇을 ~할지'는 「❷_____+to부정사」로 쓴다.

📋 how / ❶ how ❷ what

2 다음 우리말을 영어로 옮길 때 빈칸에 알맞은 것은?

나는 언제 휴가를 가야 할지 결정하지 못했다.
➡ I haven't decided _____ to go on a vacation.

① how ② who ③ what
④ when ⑤ where

CHECK UP

The water is clean enough for us to drink.

= The water is _____ clean _____ we can drink it.

➡ 「형용사〔부사〕+❶_____+to부정사」는 '~할 만큼 충분히 …한〔하게〕'이라고 해석하며, 「❷_____+형용사〔부사〕+that+주어+can+동사원형」으로 바꿔 쓸 수 있다.

📋 so / that / ❶ enough ❷ so

3 다음 두 문장의 의미가 같도록 할 때 빈칸에 알맞은 말이 순서대로 짝지어진 것은?

The room is so small that we can't share it.
= The room is _____ small for us _____ share.

① to – to ② so – to ③ too – to
④ to – too ⑤ too – too

44 2주 • to부정사 / 동명사 / 분사

CHECK UP

I love to cook. = I love _______.

➡ like, love, prefer, hate, start, begin, continue, intend 등의 동사는 ❶ [ ] 로 to부정사와 ❷ [ ] 를 모두 취할 수 있다.

답 cooking / ❶ 목적어 ❷ 동명사

4 다음 빈칸에 들어갈 수 없는 것은?

I _______ to read comic books.

① like ② hate ③ want
④ plan ⑤ enjoy

CHECK UP

I saw the (rising / risen) sun on the beach.

➡ '~하는, ~하고 있는'이라는 능동이나 진행의 의미일 때는 ❶ [ ] 를 쓰고, '~되는, ~된'이라는 수동이나 완료의 의미일 때는 ❷ [ ] 를 쓴다.

답 rising / ❶ 현재분사 ❷ 과거분사

5 다음 그림을 보고, 빈칸에 동사 fall을 바르게 변형하여 각각 알맞게 쓰시오.

(1)

(2)

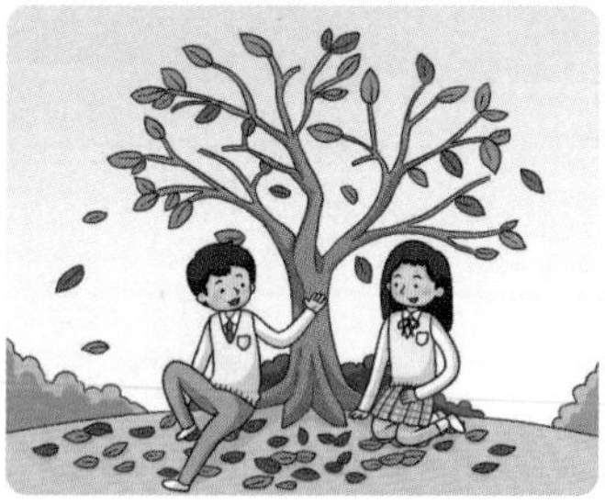

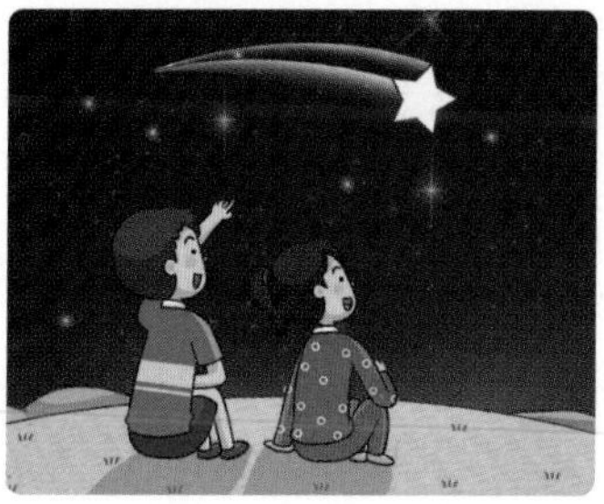

(1) They sat on the _______ leaves.

(2) We looked at the star _______ from the sky.

CHECK UP

The news was (surprising / surprised), so we were all (surprising / surprised).

➡ 주어가 감정을 일으키는 주체일 때는 감정동사의 ❶ [ ] 형태를, 주어가 감정을 느끼는 주체일 때는 감정동사의 ❷ [ ] 형태를 쓴다.

답 surprising / surprised / ❶ 현재분사 ❷ 과거분사

6 다음 괄호 안의 단어를 빈칸에 알맞은 형태로 쓰시오.

(1) The movie was very _______. (interest)

(2) You look so _______. (tire)

전략 1 to부정사의 의미상 주어에서 전치사 for와 of를 구분하여 쓸 것!

(1) 「It ~ to부정사 ....」 구문에서 일반적으로 to부정사의 행위나 상태의 주체인 의미상 주어는 to부정사 앞에 「**❶**⎵⎵⎵⎵+목적격」으로 나타낸다.

   It is easy **for me to** study math. 내가 수학을 공부하는 것은 쉽다.

(2) 사람의 성품이나 태도를 나타내는 형용사 다음에 오는 to부정사의 의미상 주어는 「**❷**⎵⎵⎵⎵+목적격」으로 나타낸다.

   It was rude **of you to** ignore your friend.
   네 친구를 무시하다니 너는 무례했다.

> 사람의 성품이나 태도를 나타내는 형용사에는 kind, nice, smart, wise, rude, honest, brave, foolish, stupid, careful, careless 등이 있어!

답 ❶ for ❷ of

필수 예제

다음 빈칸에 알맞은 것은?

It was honest _____ him to tell the truth.

① of
② to
③ in
④ at
⑤ for

> **문제 해결 전략**
>
> 형용사 honest(정직한)는 사람의 성품이나 **❶**⎵⎵⎵를 나타내므로 「**❷**⎵⎵⎵+목적격」으로 to부정사의 의미상 주어를 표현한다.

답 ① / ❶ 태도 ❷ of

확인 문제

1 다음 빈칸에 들어갈 말이 나머지와 다른 하나는?

① It was hard _____ her to lose weight.

② It is fun _____ me to ride a skateboard.

③ It is important _____ us to keep the rules.

④ It was careless _____ him to break the window.

⑤ It is necessary _____ you to exercise regularly.

2 다음 그림을 보고, 빈칸에 알맞은 말을 쓰시오.

➡ It is easy _____ him _____ make pizza.

전략 2 「의문사＋to부정사」의 역할과 의미를 알 것!

(1) 「의문사＋to부정사」는 to부정사의 ❶[   ] 용법으로 문장에서 주어, 보어, 목적어 역할을 한다.

(2) 「의문사＋to부정사」의 종류와 의미

how+to부정사	어떻게 ~할지, ~하는 방법
what+to부정사	무엇을 ~할지
when+to부정사	언제 ~할지
where+to부정사	어디서 ~할지

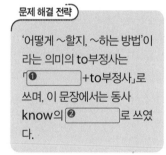

의문사 why는
「의문사＋to부정사」의 형태로
쓸 수 없어!

주의 「의문사＋to부정사」는 「의문사＋주어＋❷[   ]＋동사원형」과 바꿔 쓸 수 있다.

답 ❶ 명사적 ❷ should

필수 예제

다음 우리말을 영어로 옮길 때 빈칸에 알맞은 것은?

너는 기차역에 가는 방법을 아니?

➡ Do you know _____ to get to the train station?

① when   ② why   ③ what

④ how   ⑤ where

문제 해결 전략

'어떻게 ~할지, ~하는 방법'이라는 의미의 to부정사는 「❶[   ]＋to부정사」로 쓰며, 이 문장에서는 동사 know의 ❷[   ]로 쓰였다.

답 ④ / ❶ how ❷ 목적어

확인 문제

1 다음 대화의 빈칸에 알맞은 것은?

> A: Can you tell me _____ to take the medicine?
> B: You should take it at two o'clock.

① how   ② who   ③ what

④ when   ⑤ why

2 다음 그림을 보고, 〈보기〉에서 알맞은 의문사를 골라 괄호 안의 단어를 이용하여 빈칸을 채우시오.

보기

when   where   what

➡ I don't know _____ _____ for the party. (wear)

전략 3 to부정사의 형용사적 용법에서 주의할 것!

(1) to부정사의 수식을 받는 명사(구)가 전치사의 목적어일 경우 to부정사 뒤에 [❶] 를 써야 한다.

I need a friend to talk. (×) I need a friend to talk to. (○)

나는 얘기를 나눌 친구가 필요하다.

> -thing, -body, -one으로 끝나는 단어에는 Something, nothing, everything, anything, Somebody, nobody, everybody, anybody, Someone, everyone, anyone 등이 있어.

(2) -thing, -body, -one 등으로 끝나는 대명사를 형용사와 to부정사가 동시에 꾸며줄 때, to부정사는 형용사 [❷] 에 온다.

I want something delicious to eat.
　　　　대명사　　　형용사　　to부정사

나는 먹을 맛있는 것을 원한다.

답 ❶ 전치사 ❷ 뒤

필수 예제

다음 우리말을 영어로 바르게 옮긴 것은?

> 나는 나를 도와줄 친절한 누군가가 필요하다.

① I need kind somebody help me.

② I need kind somebody to help me.

③ I need somebody kind to help me.

④ I need somebody to help kind me.

⑤ I need somebody kind helping me.

문제 해결 전략

-thing, -body, -one 등으로 끝나는 대명사를 형용사와 to부정사가 동시에 꾸며줄 때 「대명사+[❶]+[❷]」의 어순으로 쓴다.

답 ③ / ❶ 형용사 ❷ to부정사

확인 문제

1 다음 대화의 빈칸에 알맞은 것은?

> A: Could you give me a paper _____?
> B: Sure. Here is a piece of paper.

① to write　　② to write in

③ to write on　　④ to write for

⑤ to write with

2 다음 괄호 안의 어구를 빈칸에 바르게 배열하시오.

> I have _____.
> (to tell / important / you / something)

전략 4 「too ~ to부정사」와 「enough+to부정사」의 의미를 구분할 것!

(1) **❶ [ ]** +형용사〔부사〕+to부정사: ~하기에는 너무 …한

= so+형용사〔부사〕+that+주어+can't+동사원형: 너무 ~해서 …할 수 없다

It is **too** cold for us **to go** outside. = It is **so** cold **that we can't go** outside.

우리가 밖에 나가기에는 너무 춥다.　　　　　　　　　과거 시제일 때는 couldn't로 쓸 것

(2) 형용사〔부사〕+**❷ [ ]** +to부정사: ~할 만큼 충분히 …한〔하게〕

= so+형용사〔부사〕+that+주어+can+동사원형: 매우 ~해서 …할 수 있다

Jenny is smart **enough to understand** the book.

Jenny는 그 책을 이해할 만큼 충분히 똑똑하다.

= Jenny is **so** smart **that she can understand** the book.

과거 시제일 때는 could로 쓸 것

too(너무)가 들어가면 부정적인 의미일 경우가 많아!

🔲 ❶ too ❷ enough

필수 예제

다음 그림을 보고, 빈칸에 알맞은 말이 순서대로 짝지어진 것은?

The tea is _____

hot _____ .

문제 해결 전략

'~하기에는 **❶ [ ]** …한' 이라는 의미는 「**❷ [ ]** + 형용사〔부사〕+to부정사」의 어순으로 쓴다.

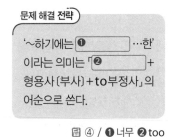

🔲 ④ / ❶ 너무 ❷ too

① so – drink　　　② so – to drink　　　③ too – drink

④ too – to drink　　⑤ too – drinking

확인 문제

1 다음 우리말을 영어로 바르게 옮긴 것은?

> 내가 그 문제를 풀기에는 너무 어렵다.

① The problem is too hard for me to solve.

② The problem is too hard for me to solve it.

③ The problem is so hard that I can't solve.

④ The problem is so hard that I didn't solve it.

⑤ The problem is so hard that I couldn't solve it.

2 다음 문장을 to부정사를 이용하여 같은 의미로 바꿔 쓸 때 빈칸에 알맞은 말을 쓰시오.

> The test was so easy that everyone could pass it.

➡ The test was easy _____ for everyone _____ _____ .

1 다음 빈칸에 알맞은 말이 순서대로 짝지어진 것은?

> • It is difficult _____ me to study science.
> • It was nice _____ you to take care of my dog.

① for – of　　　② for – for　　　③ of – of

④ of – for　　　⑤ of – to

2 다음 밑줄 친 부분이 어법상 어색한 것은?

① It was wise of her to call the police.

② It is important for us to eat healthy food.

③ It is not easy for him to memorize names.

④ It is rude of you to talk back to your parents.

⑤ It was stupid for me to make the same mistake.

3 다음 중 어법상 어색한 문장은?

① Tell me when to visit him.

② Let me know why to take the taxi.

③ I have no idea where to put the table.

④ I can teach you how to speak English.

⑤ Did you decide what to buy at the market?

4 다음 우리말을 영어로 옮길 때 빈칸에 알맞은 것은?

> 따뜻한 마실 무언가를 드릴까요?
>
> ➡ Would you like _____?

① warm something drink

② warm something to drink

③ something warm to drink

④ something to drink warm

⑤ something warm drinking

문제 해결 전략

-thing, -body, -one 등으로 끝나는 대명사를 형용사와 to부정사가 동시에 꾸며줄 때 「대명사+❶□□□□+❷□□□□」의 어순으로 쓴다.

답 ❶ 형용사 ❷ to부정사

5 다음 우리말을 영어로 바르게 옮긴 것을 <u>2개</u> 고르면?

> 바닷물이 너무 차가워서 우리는 수영을 할 수 없다.

① The sea is too cold to swim in.

② The sea is too cold for us to swim in.

③ The sea is so cold that we can swim in it.

④ The sea is so cold that we can't swim in it.

⑤ The sea is too cold that we can't swim in it.

문제 해결 전략

'너무 ~해서 …할 수 없다'는 「❶□□□□+형용사(부사)+to부정사」나 「❷□□□□+형용사(부사)+that+주어+can't+동사원형」으로 쓸 수 있다.

답 ❶ too ❷ so

6 다음 그림을 보고, 괄호 안의 단어들을 이용하여 빈칸에 알맞은 말을 쓰시오.

(4단어)

Tom is _____ a basketball player.
(enough, be, tall)

문제 해결 전략

'~할 만큼 충분히 …한(하게)'이라는 의미는 「형용사(부사)+❶□□□□+to 부정사」로 쓴다. 이 표현은 '매우 ~해서 …할 수 있다'라는 의미의 「❷□□□□+형용사(부사)+that+주어+can+동사원형」으로 바꿔 쓸 수 있다.

답 ❶ enough ❷ so

전략 1 to부정사와 동명사를 목적어로 취하는 동사를 구분할 것!

(1) like, love, prefer, hate, start, begin, continue, intend 등의 동사는 의미 차이 없이 [❶   ]와 동명사를 모두 목적어로 취한다.

*try, remember, forget, regret 등은 to부정사와 동명사 둘 다 목적어로 취할 수 있지만 의미가 달라짐에 유의한다.

– try+to부정사: ~을 하려고 노력하다, 애쓰다 / try+동명사: (시험 삼아) 한번 해보다

– remember / forget / regret+to부정사: (미래에) ~할 것을 기억하다 / 잊다 / ~하게 되어 유감이다

remember / forget / regret+동명사: (❷   ) ~한 것을 기억하다 / 잊다 / 후회하다

(2) to부정사나 동명사 둘 중 하나만 목적어로 취하는 동사

to부정사	want, hope, wish, plan, promise, decide, learn, expect, need, would love(like) 등
동명사	enjoy, finish, mind, give up, stop, quit, practice, keep, suggest, consider, avoid 등

> to부정사를 목적어로 취하는 동사는 미래 지향적인 반면, 동명사를 목적어로 취하는 동사는 과거 지향적이야!

답 ❶ to부정사 ❷ 과거에

필수 예제

다음 빈칸에 들어갈 수 없는 것은?

I _____ playing soccer.

① like   ② plan   ③ hate

④ enjoy   ⑤ practice

문제 해결 전략

want, hope, wish, plan, promise, decide, learn 등은 ❶[   ]가 아닌 ❷[   ]를 목적어로 취한다.

답 ② / ❶ 동명사 ❷ to부정사

확인 문제

1 다음 빈칸에 알맞은 말이 순서대로 짝지어진 것은?

> • Do you want _____ a fashion designer?
> • I don't mind _____ for you.

① to be – to wait   ② to be – waiting

③ be – to wait   ④ being – waiting

⑤ being – to wait

2 다음 〈보기〉에서 알맞은 단어를 골라 빈칸에 어법에 맞게 바꿔 쓰시오.

> 보기
> love   clean   smoke

(1) Did you finish _____ your room?

(2) I promise _____ you forever.

(3) My father quit _____ cigarettes.

전략 2 현재분사와 과거분사의 쓰임을 구분할 것!

(1) 현재분사: 동사에 **❶** [   ]를 붙인 형태로 능동(~하는), 진행(~하고 있는)의 의미를 가진다.

(2) 과거분사: 동사에 -ed를 붙이거나 불규칙적으로 변하는 것들이 있으며, **❷** [   ] (~되는, 당하는), 완료(~된)의 의미를 가진다.

Look at the birds **building** their nest. 둥지를 짓고 있는 새들을 봐.
현재분사(짓고 있는)

We visited the castle **built** two hundred years ago.
과거분사(지어진)
우리는 2백년 전에 지어진 성을 방문했다.

현재분사는 주로 진행형에 쓰이고, 과거분사는 주로 수동태와 완료시제에 쓰여!

답 **❶** -ing **❷** 수동

필수 예제

다음 우리말을 영어로 바르게 옮긴 것은?

그녀는 영어로 쓰인 시를 읽었다.

① She read a poem write in English.
② She read a poem writing in English.
③ She read a poem wrote in English.
④ She read a poem to write in English.
⑤ She read a poem written in English.

문제 해결 전략

'쓰인'은 **❶** [   ]의 의미이므로 과거분사의 형태로 써야 한다. write의 과거분사형은 **❷** [   ]이다.

답 ⑤ / **❶** 수동 **❷** written

확인 문제

1 다음 밑줄 친 부분이 어법상 어색한 것은?

① I ate a boiled potato.
② Look at the swimming dog.
③ The smiling baby is so lovely.
④ Do you like to eat fried chicken?
⑤ He couldn't open the locking door.

2 다음 그림을 보고, 괄호 안의 단어를 빈칸에 알맞은 형태로 쓰시오.

→ The pencil _____ under the desk is mine. (find)

전략 3 명사를 수식하는 현재분사와 과거분사의 위치에 유의할 것!

(1) 분사가 단독으로 명사를 수식할 때: 명사 <u>❶   </u>에 위치한다.

(2) 분사가 구를 이루어 명사를 수식할 때: 명사 <u>❷   </u>에 위치한다.

Who is the **singing** girl? 노래하는 소녀는 누구니?
　　　　　 현재분사+명사

Who is the girl **singing in front of many people**? 많은 사람들 앞에서 노래하는 소녀는 누구니?
　　　　(who(that) is)
　　　　명사+현재분사구

The book **written by him** was very interesting. 그에 의해 쓰여진 그 책은 매우 재미있었다.
　　(which(that) was)
　　명사+과거분사구

분사구가 뒤에서 앞의 명사를 수식할 때 분사 앞에 「주격관계대명사+be동사」가 생략된 경우도 있어!

답 ❶앞 ❷뒤

필수 예제

다음 문장에서 playing이 들어갈 위치로 알맞은 곳은?

The (①) man (②) the piano (③) is (④) my uncle (⑤).

문제 해결 전략

분사가 단독으로 쓰이지 않고 수식어구와 함께 분사구를 이루고 있으므로 <u>❶   </u>을 받는 명사 <u>❷   </u>에 위치해야 한다.

답 ② / ❶수식 ❷뒤

확인 문제

1 다음 중 어법상 <u>어색한</u> 문장은?

① Did you find the lost ring?

② There was shocking news today.

③ My mom bought a bag made in Italy.

④ I don't want to listen to the lecture boring.

⑤ I love paintings painted by Vincent van Gogh.

2 다음 우리말과 같도록 괄호 안의 어구를 바르게 배열하시오.

이것들은 나의 아버지가 찍으신 사진들이다.

(are / taken / my father / these / by / the pictures)

➡ _____

전략 4 감정을 나타내는 현재분사와 과거분사의 의미를 구분할 것!

(1) 주어가 감정을 일으키는 주체일 때 감정동사의 현재분사 형태를 쓰고, '~한 감정을 느끼게 하는'이라는 ❶ [   ]의 의미를 가진다.

(2) 주어가 감정을 느끼는 주체일 때는 감정동사의 과거분사 형태를 쓰고, '~한 감정을 느끼게 되는'이라는 ❷ [   ]의 의미를 가진다.

amusing(재미있는) – amused(재미있어 하는) boring(지루한) – bored(지루해하는) surprising(놀라운) – surprised(놀란) amazing(놀라운) – amazed(놀란) shocking(충격적인) – shocked(충격을 받은) disappointing(실망스러운) – disappointed(실망한) annoying(짜증스러운) – annoyed(짜증이 난)	interesting(흥미로운) – interested(흥미를 느끼는) satisfying(만족감을 주는) – satisfied(만족하는) pleasing(만족스러운) – pleased(만족한) exciting(흥미진진한) – excited(흥분한)

현재분사는 능동, 과거분사는 수동의 의미임을 기억해!

🔑 ❶ 능동 ❷ 수동

필수 예제

다음 두 문장이 같은 뜻이 되도록 빈칸에 알맞은 말을 쓰시오.

> The announcement was disappointing.
> = I was _____ at the announcement.

문제 해결 전략

주어가 '~한 감정을 느끼게 되는' 주체가 되면 be동사 뒤에 ❶ [   ]가 아닌 ❷ [   ]를 쓴다.

🔑 disappointed /
 ❶ 현재분사 ❷ 과거분사

확인 문제

1 다음 빈칸에 알맞은 말이 순서대로 짝지어진 것은?

> • The accident was _____.
> • Many people were _____ at his death.

① shocked – shocked

② shocked – shocking

③ shocking – shock

④ shocking – shocking

⑤ shocking – shocked

2 다음 두 문장이 같은 뜻이 되도록 빈칸에 알맞은 말을 쓰시오.

> Your idea sounds interesting.
> = I am _____ in your idea.

1 다음 빈칸에 알맞은 것은?

> Don't give up _____ new things.

① try　　　　　② tried　　　　　③ trying

④ to try　　　　⑤ to trying

2 다음 빈칸에 들어갈 수 <u>없는</u> 것을 <u>모두</u> 고르면?

> I _____ to go to Paris.

① wish　　　　　② love　　　　　③ mind

④ plan　　　　　⑤ enjoy

3 다음 빈칸에 알맞은 말이 순서대로 짝지어진 것은?

> • The books were _____ with dust.
> • His beard was _____ half of his face.

① cover – covering　　　　② covered – covered

③ covered – covering　　　④ covering – covering

⑤ covering – covered

4 다음 우리말을 영어로 바르게 옮긴 것은?

> 빨간 티셔츠를 입고 있는 소녀는 내 여동생이다.

① The wearing a red T-shirt girl is my sister.

② The wearing girl a red T-shirt is my sister.

③ The girl worn a red T-shirt is my sister.

④ The girl wearing a red T-shirt is my sister.

⑤ The girl is my sister wearing a red T-shirt.

> **문제 해결 전략**
>
> 분사가 단독으로 쓰이면 명사 **❶** 에서 수식하지만, 구를 이루는 경우에는 명사 **❷** 에서 수식한다.
>
> 답 ❶ 앞 ❷ 뒤

5 다음 중 어법상 <u>어색한</u> 문장은?

① I feel tired these days.

② The bugs are so annoying.

③ We were amazed at the alarm.

④ The test result was disappointing.

⑤ Everyone in the concert hall felt exciting.

> **문제 해결 전략**
>
> '~한 감정을 느끼게 하는'이라는 능동의 의미는 **❶** 를 쓰고, '~한 감정을 느끼게 되는'이라는 수동의 의미는 **❷** 를 쓴다.
>
> 답 ❶ 현재분사 ❷ 과거분사

6 다음 그림을 보고, 괄호 안의 단어를 대화의 빈칸에 알맞은 형태로 쓰시오.

> **문제 해결 전략**
>
> 주어가 감정을 느끼는 **❶** 가 되면 감정동사의 **❷** 형태를 쓴다.
>
> 답 ❶ 주체 ❷ 과거분사

> **A:** How was the food?
> **B:** Everything was so delicious. I am very _____. (satisfy)

대표 예제 1

다음 빈칸에 알맞은 것은?

> Sarah is from Canada. It's easy _____ to speak English.

① of she

② of her

③ for she

④ for her

⑤ from her

Tip

「It ~ to부정사 ....」 구문에서 행동의 주체를 나타내는 의미상 주어는 일반적으로 to부정사 앞에 「❶ _____ +❷ _____ 」으로 나타낸다.

🖪 ❶ for ❷ 목적격

대표 예제 2

다음 빈칸에 각각 알맞은 말을 쓰시오.

> • It was brave _____ him to fight with a lion.
>
> • It is impossible _____ us to get there in time.

Tip

사람의 성품이나 태도를 나타내는 형용사 뒤에 오는 to부정사의 의미상 주어는 전치사 ❶ _____ 대신 ❷ _____ 를 쓴다.

🖪 ❶ for ❷ of

대표 예제 3

다음 우리말을 영어로 옮길 때 빈칸에 알맞은 것은?

> 나에게 스파게티 요리하는 방법을 알려줘.
> ➡ Let me know _____ to cook spaghetti.

① how

② which

③ what

④ why

⑤ where

Tip

'~하는 방법, 어떻게 ~할지'라는 의미는 「❶ _____ + ❷ _____ 」로 표현한다.

🖪 ❶ how ❷ to부정사

대표 예제 4

다음 중 밑줄 친 부분이 어법상 어색한 것은?

① I have no money to spend.

② She bought some pants to put on.

③ Do you have a lot of work to do?

④ He is looking for a partner to work.

⑤ There are many places to visit in Korea.

Tip

to부정사의 수식을 받는 명사(구)가 전치사의 ❶ _____ 이면, to부정사 뒤에 ❷ _____ 를 써야 한다.

🖪 ❶ 목적어 ❷ 전치사

대표 예제 5

다음 괄호 안의 단어들을 바르게 배열하여 문장을 만들 때, 네 번째 오는 것은?

(you / do / to / cold / need / drink / something / ?)

① need   ② to   ③ cold
④ drink   ⑤ something

Tip

-thing으로 끝나는 대명사가 형용사와 to부정사의 수식을 동시에 받을 때, 「-thing+❶[   ]+❷[   ]」의 어순으로 쓴다.

🔑 ❶형용사 ❷to부정사

대표 예제 6

다음 우리말을 영어로 바르게 옮긴 것은?

외출하기에는 너무 늦었다.

① It was late to go out.
② It was so late to go out.
③ It was too late to go out.
④ It was too late going out.
⑤ It was late enough to go out.

Tip

「❶[   ]+형용사(부사)+❷[   ]」는 '~하기에는 너무 …한'이라는 의미이다.

🔑 ❶too ❷to부정사

대표 예제 7

다음 문장과 의미가 같은 것은?

He is too shy to make a speech.

① He is so shy that he can make a speech.
② He is so shy that he can't make a speech.
③ He isn't so shy that he can make a speech.
④ He isn't so shy that he can't make a speech.
⑤ He is so shy that he couldn't make a speech.

Tip

'~하기에는 너무 …한'이라는 의미의 「too+형용사(부사)+to부정사」는 '너무 ~해서 …할 수 없다'라는 의미의 「so+형용사(부사)+❶[   ]+주어+❷[   ]+동사원형」으로 바꿔 쓸 수 있다.

🔑 ❶that ❷can't

대표 예제 8

다음 두 문장의 의미가 같도록 빈칸에 알맞은 말을 쓰시오.

The pizza is so big that we can share it.
= The pizza is _____ _____ for us to share.

Tip

'매우 ~해서 …할 수 있다'라는 의미의 「so+형용사(부사)+that+주어+can+동사원형」은 '~할 만큼 ❶[   ] …한(하게)'이라는 의미의 「형용사(부사)+❷[   ]+to부정사」로 바꿔 쓸 수 있다.

🔑 ❶충분히 ❷enough

대표 예제 9

다음 빈칸에 공통으로 들어갈 수 <u>없는</u> 것은?

• I _____ to watch scary movies.
• He _____ s making good music.

① like
② love
③ hate
④ enjoy
⑤ prefer

Tip

'좋아하다, 싫어하다, 시작하다, 계속하다, 더 좋아하다, 의도하다' 등의 의미를 가진 동사는 to부정사와 ❶ [   ] 둘 다 ❷ [   ] 로 취한다.

🔑 ❶ 동명사 ❷ 목적어

대표 예제 10

다음 중 어법상 <u>어색한</u> 문장은?

① I started to gain weight last year.
② Do you mind to open the windows?
③ What do you want to be in the future?
④ Can you please stop shaking your legs?
⑤ You should practice playing the piano more.

Tip

'(이전에 하던 것을) 즐기다(enjoy), 끝내다(stop), 포기하다(give up), 연습하다(practice), 그만두다(quit)' 등 ❶ [   ] 지향적인 의미를 가진 동사는 ❷ [   ] 를 목적어로 취한다.

🔑 ❶ 과거 ❷ 동명사

대표 예제 11

다음 그림을 보고, 괄호 안의 단어를 빈칸에 알맞은 형태로 쓰시오.

Look at the _____ baby. She looks like an angel. (sleep)

Tip

'~하는, ~하고 있는'이라는 능동이나 ❶ [   ] 의 의미로 명사를 수식하는 것은 ❷ [   ] 이다.

🔑 ❶ 진행 ❷ 현재분사

대표 예제 12

다음 대화가 자연스럽도록 어법상 <u>어색한</u> 부분을 바르게 고쳐 쓰시오.

A: What are you doing now?
B: I'm fixing my breaking bike.

_____ ➡ _____

Tip

'~되는, 당하는, ~된'이라는 ❶ [   ] 이나 완료의 의미로 명사를 수식하는 것은 ❷ [   ] 이다.

🔑 ❶ 수동 ❷ 과거분사

대표 예제 13

다음 그림을 보고, 괄호 안의 어구를 빈칸에 바르게 배열하시오.

_____ is my little sister. (dress / wearing / the girl / a red)

Tip

분사가 단독으로 쓰이지 않고 구를 이루어 ❶_____를 수식할 때는 앞이 아닌 ❷_____에서 수식한다.

답 ❶명사 ❷뒤

대표 예제 14

다음 중 밑줄 친 부분이 어법상 어색한 것은?

① We looked at the <u>shone</u> stars.

② Let's sweep away the <u>fallen</u> leaves.

③ I ate two <u>boiled</u> eggs for breakfast.

④ I like the picture <u>hanging</u> on the wall.

⑤ People ran out of the <u>burning</u> building.

Tip

'~하는, ~하고 있는'이라는 능동이자 진행의 의미를 나타낼 때는 동사에 ❶_____를 붙인 현재분사를, '~되는, 당하는, ~된'이라는 수동이자 완료의 의미를 나타낼 때는 동사에 ❷_____를 붙이거나 불규칙적으로 변하는 과거분사를 쓴다.

답 ❶-ing ❷-ed

대표 예제 15

다음 두 문장의 의미가 같도록 빈칸에 알맞은 말을 쓰시오.

We were excited about the event.
= The event was _____ for us.

Tip

주어가 감정을 일으키는 주체일 때는 '~한 감정을 느끼게 하는'이라는 ❶_____의 의미를 가지며 ❷_____로 쓴다.

답 ❶능동 ❷현재분사

대표 예제 16

다음 대화가 자연스럽도록 밑줄 친 부분을 어법에 맞게 고쳐 쓰시오.

A: You look so <u>tiring</u>.
B: I didn't sleep well last night.

➡ _____

Tip

주어가 감정을 느끼는 주체일 때는 '~한 감정을 느끼게 되는'이라는 ❶_____의 의미를 가지며 ❷_____로 쓴다.

답 ❶수동 ❷과거분사

1 다음 빈칸에 알맞은 말이 순서대로 짝지어진 것은?

> • It's hard _____ me to exercise every day.
>
> • It was stupid _____ them to play with fire.

① of – of ② of – for ③ for – from

④ for – for ⑤ for – of

> Tip
>
> 「It ~ to부정사 .....」 구문에서 일반적인 경우 의미상의 주어는 전치사 ❶ [___]를 쓰고, 사람의 성품이나 태도를 나타내는 형용사가 오면 전치사 ❷ [___]를 쓴다.
>
> 🔑 ❶ for ❷ of

서술형

2 다음 문장에서 어법상 어색한 부분을 찾아 바르게 고쳐 쓰시오.

> I have a lot of homework to do. I don't know what doing first.

_____ ➡ _____

> Tip
>
> 「의문사+❶ [___]」는 to부정사의 명사적 용법으로 문장에서 주어, 보어, ❷ [___]로 쓰인다.
>
> 🔑 ❶ to부정사 ❷ 목적어

3 다음 우리말을 영어로 바르게 옮긴 것은?

> 너는 재미있는 읽을거리를 가지고 있니?

① Do you have anything to read interesting?

② Do you have to read interesting anything?

③ Do you have anything interesting read?

④ Do you have to read anything interesting?

⑤ Do you have anything interesting to read?

> Tip
>
> -thing으로 끝나는 대명사가 형용사와 to부정사의 수식을 동시에 받을 때 「-thing+❶ [___]+❷ [___]」의 어순으로 쓴다.
>
> 🔑 ❶ 형용사 ❷ to부정사

서술형

4 다음 그림의 내용과 일치하도록 빈칸에 알맞은 말을 쓰시오.

> I finished _____ the book, and then played soccer.

> Tip
>
> finish는 '❶ [___]'라는 의미로 ❷ [___]를 목적어로 취한다.
>
> 🔑 ❶ 끝내다(마치다) ❷ 동명사

서술형

5 다음 그림을 보고, 괄호 안의 어구를 이용하여 문장을 완성하시오. (6단어)

The girl is _____.

(watch, the movie, young)

> Tip
>
> '~하기에는 너무 …한'이라는 의미는 「❶ [___]+형용사(부사)+❷ [___]」로 표현한다.
>
> 🔑 ❶ too ❷ to부정사

서술형

6 다음 그림의 내용과 일치하도록 빈칸에 알맞은 말을 〈보기〉에서 골라 쓰시오.

┌─ 보기 ┐
that enough so
└─────────────┘

(1)

➡ The suitcase is big _____ to hold all the clothes.

(2)

➡ The soup is _____ salty _____ he can't eat it.

> **Tip**
> • 「형용사(부사)+❶_____+to부정사」는 '~할 만큼 충분히 …한(하게)'이라는 의미이다.
> • 「so+형용사(부사)+that+주어+❷_____+동사원형」은 '너무 ~해서 …할 수 없다'라는 의미이다.
>
> 답 ❶enough ❷can't

7 다음 중 어법상 옳은 것을 모두 고르면?

① I love to go camping.

② Are you planning moving to Busan?

③ I gave up to keep a diary every day.

④ My father began jogging in the morning.

⑤ I decided to learn two foreign languages.

> **Tip**
> '좋아하다, 시작하다'라는 의미의 동사는 to부정사와 ❶_____ 둘 다 목적어로 취하고, '계획하다, 결정하다'라는 의미의 동사는 ❷_____만을 목적어로 취한다.
>
> 답 ❶동명사 ❷to부정사

8 다음 중 어법상 어색한 문장은?

① I saw a sleeping bear at the zoo.

② He mended the broken bike.

③ The cars made in Korea are popular.

④ Can you see the house painting in pink?

⑤ Do you know the man standing over there?

> **Tip**
> '~되는, ~된'이라는 ❶_____이나 완료의 의미는 ❷_____로 표현한다.
>
> 답 ❶수동 ❷과거분사

서술형

9 다음 밑줄 친 우리말을 영어로 옮길 때, 괄호 안의 단어를 대화의 빈칸에 알맞은 형태로 쓰시오.

┌─────────────────────────────┐
│ **A:** I failed the math test again. I feel so bad. │
│ **B:** 실망하지 마. You can do better next time. │
└─────────────────────────────┘

➡ Don't be _____. (disappoint)

> **Tip**
> 주어가 '~한 감정을 느끼게 하는'이라는 능동의 의미일 때는 ❶_____로, 주어가 '~한 감정을 느끼게 되는'이라는 수동의 의미일 때는 ❷_____로 쓴다.
>
> 답 ❶현재분사 ❷과거분사

1 다음 밑줄 친 ①~⑤ 중 어법상 어색한 것은?

> It is fun of me to ride a roller coaster.
> ①   ② ③ ④ ⑤

2 다음 중 밑줄 친 부분이 어법상 어색한 것은?

① It was wise of her to leave him.

② Is it easy for you to fly a drone?

③ It was rude for you to talk like that.

④ It's nice of you to understand my situation.

⑤ It is impossible for me to finish the report by tomorrow.

3 다음 두 문장의 의미가 통하도록 빈칸에 알맞은 말을 쓰시오.

> How can I get to the airport?
> ➡ Please tell me _____ _____
> _____ to the airport.

4 다음 대화가 자연스럽도록 할 때 빈칸에 알맞은 것은?

① to stay

② to stay at

③ to stay for

④ to stay from

⑤ to stay with

5 다음 우리말을 영어로 바르게 옮긴 것은?

> 그는 혼자 버스를 탈 만큼 충분히 나이가 들었다.

① He is old to take enough the bus alone.

② He is old enough taking the bus alone.

③ He is old enough to take the bus alone.

④ He is enough old taking the bus alone.

⑤ He is enough old to take the bus alone.

6 다음 그림을 보고, 「too ~ to부정사」 구문과 괄호 안의
단어들을 이용하여 대화의 빈칸에 알맞은 말을 쓰시오.
(8단어)

A: Why did you leave the box there?
B: _____
(heavy, carry)

7 다음 중 어법상 어색한 문장은?

① Mina likes cooking.

② It stopped to rain.

③ Would you mind opening the window?

④ She quit drinking coffee every morning.

⑤ The workers began to carry the bricks.

8 다음 ①~⑤ 중 playing이 들어갈 위치로 알맞은 곳은?

The cute (①) boy (②) the (③)
guitar is (④) my little brother (⑤).

9 다음 중 밑줄 친 부분이 어법상 어색한 것은?

① My father bought a used car.

② I can read books written in English.

③ Look at the airplane flying in the sky.

④ I don't want to attend the boring party.

⑤ I'm satisfying with my school life.

10 다음 〈보기〉에서 문맥에 맞는 단어 하나를 골라 대화의 빈
칸 (1), (2)에 알맞은 형태로 쓰시오.

┌ 보기 ┐
bore   annoy   excite

A: Why are you _____(1)_____ ?
B: My sister took my T-shirt without a
word. She's so _____(2)_____ .

(1) _____

(2) _____

1 다음은 친구들이 잘하는 것과 못하는 것을 정리한 표이다. 표를 참고하여 문장을 완성하시오.

(1) Jane	×	dance to the music
(2) Bill	○	make a speech in public
(3) Chris	×	run fast
(4) Kate	○	solve a riddle

(1) It's not easy _____ .

(2) It's brave _____ .

(3) It's difficult _____ .

(4) It's smart _____ .

2 다음 글의 밑줄 친 우리말을 괄호 안의 단어들을 이용하여 영어로 바르게 옮기시오.

These are my new sneakers, but actually they are not new. My sister gave them to me (1) 그것들은 그녀가 신기에는 너무 작았기 때문에. I didn't like the sneakers at first. Then, I watched a video about (2) 낡은 운동화를 새것으로 보이게 만드는 방법. So, I painted the sneakers blue. Now, they are my favorite!

(1) My sister gave them to me _____
_____. (9단어)

(because, too, wear)

(2) Then, I watched a video about _____
_____. (7단어)

(how, old, look new)

3 다음은 미나와 민호의 카톡 메시지이다. 내용을 참고하여 괄호 안의 지시대로 질문에 답하시오. (8단어)

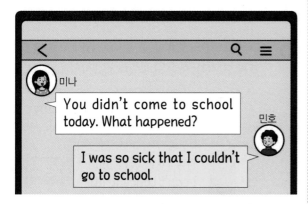

미나
You didn't come to school today. What happened?

민호
I was so sick that I couldn't go to school.

Q: Why didn't Minho go to school today?
A: _____
_____

(「too ~ to부정사」를 이용할 것)

4 다음은 내 친구 수미에 관한 메모이다. 내용에 맞게 아래의 수미를 소개하는 글을 완성하시오.

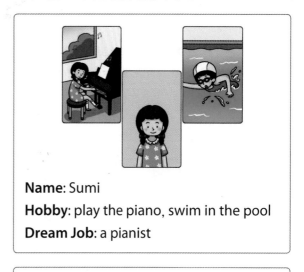

Name: Sumi
Hobby: play the piano, swim in the pool
Dream Job: a pianist

This is my friend, Sumi. She enjoys
_____. She also likes
_____ in the pool. She
wants _____ in the future.

Tip
'너무 ~해서 …할 수 없다'라는 의미의 「so+형용사(부사)+that+주어+can't+동사원형」은 「❶ |+형용사(부사)+❷ |」로 바꿔 쓸 수 있다.

웹 ❶ too ❷ to부정사

Tip
주로 과거 지향적인 의미를 가진 동사는 ❶ |를 목적어로 취하고, 미래 지향적인 의미를 가진 동사는 ❷ |를 목적어로 취한다.

웹 ❶ 동명사 ❷ to부정사

2주 · 창의 · 융합 · 코딩 전략 ❶ 67

5 다음은 진수의 여행 일기이다. 그림을 참고하여 표의 빈칸을 완성하고, 아래 일기의 빈칸에 알맞은 말을 쓰시오.

Step 1 〈예시〉와 같이 주어진 문장을 「명사+분사구」로 바꾸어 쓰시오.

문장	Many people swam in the sea.	Two children built a sandcastle.	A lot of stars shone in the sky.
명사+ 분사구	예시) many people swimming in the sea		

Step 2 Step 1에서 바꾼 표현을 이용하여 여행 일기를 완성하시오.

_____ July 5, 2022 _____

I went to Sokcho with my family. I
saw many people _____.
I also saw two children _____
_____. At night, I could
see a lot of stars _____.
_____

6 다음 〈보기〉의 단어들 중 하나를 골라 그림 속 대화의 내용과 일치하도록 요약 문장을 완성하시오.

보기
like	stop	mind	enjoy

(1)

The TV is very loud. I can't concentrate on my studying.

Sorry, Jessie. I'll turn off the TV.

Jessie Ben

➡ Ben will _____.
(3단어)

(2)

Steve, can you share your room with your brother?

No. I want to use my room alone.

➡ Steve _____
with his brother. (4단어)

7 다음 두 글의 내용이 일치하도록 괄호 안의 단어를 이용하여 빈칸에 알맞은 말을 쓰시오.

> Farmers use a lot of chemicals to grow crops. The chemicals kill the harmful insects that eat the crops. Unfortunately, they also pollute the land and the water. Animals and humans can get sick because of the chemicals.

↓

> Farmers use a lot of chemicals (1) _____(pollute) the land and the water to grow crops. The chemicals (2) _____ (kill) the harmful insects that eat the crops can cause animals and humans to be (3) _____(hurt).

8 다음 그림을 보고, 글의 마지막 문장의 빈칸에 괄호 안의 단어들을 알맞은 형태로 바꿔 쓰시오.

> Would it be okay if a waiter put his finger in your soup? Most people would think the service was terrible. The waiter should say sorry to the guest. However, he thought she was worried about his finger being in the soup. Sometimes _____ answers can make situations _____. (expect, amuse)

Tip

현재분사는 **❶**[_____]이나 진행의 의미를, 과거분사는 **❷**[_____]이나 완료의 의미를 가진다.

답 ❶능동 ❷수동

Tip

동사원형에 **❶**[_____]를 붙인 것을 현재분사, **❷**[_____]를 붙인 것을 과거분사라고 한다.

답 ❶-ing ❷-ed

1 다음 그림을 보고, 길을 따라 가며 주어진 표현이나 문장을 지시대로 바꾸어 아래 문장을 다시 쓰시오.

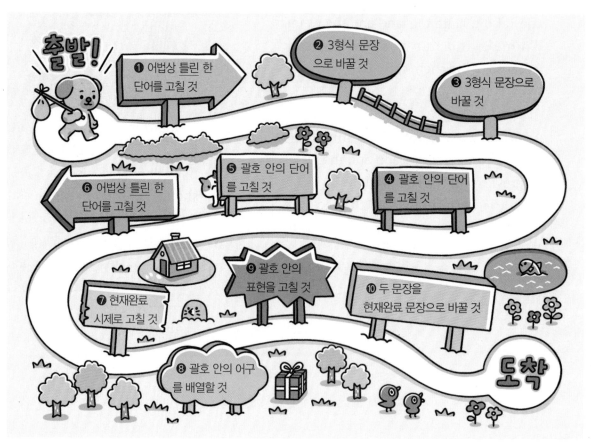

❶ The castle looks wonderfully. → _____

❷ Julia bought him a box of chocolate. → _____

❸ Dad showed us some old photos. → _____

❹ My parents allowed me (go) to the concert. → _____

❺ The police made him (stopping) his car. → _____

❻ They felt the building shook. → _____

❼ Brad (keep) a diary since last month. → _____

❽ (never / have / a horse / the kids / ridden) → _____

❾ Kate (has cut) her hair short a week ago. → _____

❿ She went to London. She's not here now. → _____

2 다음 그림의 상황에 맞게 아래 대화를 완성하시오.

❶ I'm _____ _____ _____ _____ anymore.
    TIP = so exhausted that I can't walk
❷ Me too. Let's look for a bench _____ _____ _____ . (sit)

❸ I can't decide _____ _____ _____ . Everything looks delicious.
    TIP = what I should eat
❹ I'll order a _____ potato with butter. (bake)

❺ Your performance was _____ . (amaze) I was really _____ . (touch)

❻ It's kind _____ you to say so. I'll keep _____ to be a good singer.
    TIP 의미상 주어: for(of)+목적격
    (practice)

신유형·신경향·서술형 전략

1 다음 그림과 일치하도록 알맞은 단어 카드를 골라 빈칸을 채우시오.

fresh	sweet	beauty
freshly	sweetly	beautiful

(1)

The candies taste _____.

(2)

The air smells _____.

(3)

Her song sounds _____.

Tip

look, sound, smell, taste, feel 등
의 **①** [　　　] 뒤에는 주격보어로
② [　　　] 가 온다.

🔑 **①** 감각동사 **②** 형용사

2 다음은 Jenny와 Mike의 경험을 나타낸 표이다. 이를 참고하여 아래 글의 빈칸에 현재완료 문장을 완성하시오.

	Jenny	Mike
taste *bulgogi*	○	×
ride a snowboard	×	○
visit China	×	×

Jenny _____ *bulgogi*. Mike _____
bulgogi. Jenny _____ a snowboard. Mike
_____ a snowboard. Jenny and Mike
_____ China.

Tip

과거부터 현재까지의 경험을 말할 때
① [　　　] 시제를 쓴다. 형태는
「have (has)+**②** [　　　]」이다.

🔑 **①** 현재완료 **②** 과거분사

3 다음 일기를 읽고, 밑줄 친 ①~⑤ 중 어법상 <u>어색한</u> 문장을 찾아 번호를 쓰고 바르게 고쳐 문장을 다시 쓰시오.

> **Saturday, April 8**
>
> Today was my birthday. My friends threw a surprise party for me. ① They also gave me gifts. ② Suho bought me a pencil case. ③ Mina gave her favorite book to me. ④ Minho bought a T-shirt to me. ⑤ My best friend, Yumin, made a cake for me. I was so happy.

(1) 잘못된 문장: _____

(2) 바르게 고친 문장:

➡ _____

4 다음은 야구부 코치가 학생들에게 남긴 메모이다. 이를 참고하여 각 문장이 5형식 문장이 되도록 빈칸을 알맞게 채우시오.

> Jim, pick up the balls.
> Chris, fill up the water bottles.
> John, practice more.
>
> - Coach-

(1) The coach made Jim _____.

(2) The coach forced Chris _____.

(3) The coach got John _____.

5 다음 대화가 자연스럽도록 알맞은 단어 카드를 골라 빈칸을 채우시오. (단, 중복 사용 가능)

why	how	what
where	to	do
get	eat	visit

A: How is your vacation plan going?
Have you decided ＿＿＿＿ ＿＿＿＿ ＿＿＿＿?
B: Yes. I've decided to visit Jeju Island.
A: Did you decide ＿＿＿＿ ＿＿＿＿ ＿＿＿＿ there?
B: I'll take the airplane.
A: Sounds great.
B: But I'm still thinking about ＿＿＿＿ ＿＿＿＿ ＿＿＿＿ there.
A: You should swim in the sea. The beaches in Jeju Island are so beautiful.

Tip

'어디를(서) ~할지'는 「❶＿＿＿＿+ to부정사」로, '어떻게 ~할지'는 「❷＿＿＿＿+to부정사」로, '무엇을 ~할지'는 「❸＿＿＿＿+to부정사」로 쓴다.

🔠 ❶where ❷how ❸what

6 다음 그림을 보고, 괄호 안의 표현을 이용하여 같은 의미의 문장으로 바꿔 쓰시오.

(1)

The cat was so fast that it could catch the mouse. (enough to)
➡ ＿＿＿＿＿＿＿＿＿＿＿＿＿＿＿＿＿＿＿＿

(2)

He is so busy that he can't eat lunch. (too ~ to ...)
➡ ＿＿＿＿＿＿＿＿＿＿＿＿＿＿＿＿＿＿＿＿

Tip

「so+형용사(부사)+that+주어+can +동사원형」은 「형용사(부사)+ ❶＿＿＿＿+to부정사」로, 「so+형용사(부사)+that+주어+can't+동사원형」은 「❷＿＿＿＿+형용사(부사)+ to부정사」로 바꿔 쓸 수 있다.

🔠 ❶enough ❷too

7 다음 그림을 보고, 〈보기〉에서 알맞은 말을 골라 문장을 완성하시오. (단, 중복 사용 가능)

┌ 보기 ┐
nobody	somebody	something
cold	famous	strong
to	take	help	drink

(1) The boy wants _____. (4단어)

(2) The girl needs _____ her. (4단어)

8 다음 그림을 보고, 〈보기〉에서 단어를 하나씩 골라 빈칸에 알맞은 형태로 고쳐 쓰시오.

┌ 보기 ┐
excite   disappoint

How was the movie?

It wasn't that interesting. I was _____.

Really? I liked it.
It was _____ to me.

적중 예상 전략 | ①

1 다음 빈칸에 알맞지 <u>않은</u> 것은?

> The man looked _____.

① tired   ② greatly   ③ unhappy

④ hungry   ⑤ excited

2 다음 그림을 바르게 묘사한 것은?

① The milk smells well.

② The milk smells good.

③ The milk smells bad.

④ The milk smells badly.

⑤ The milk smells like bad.

3 다음 4형식 문장을 3형식 문장으로 바꾸어 쓸 때 빈칸에 알맞은 것은?

> He bought us some cookies.
> ➡ He bought some cookies _____ us.

① to   ② from   ③ of

④ for   ⑤ with

4 다음 4형식 문장을 3형식 문장으로 바꾼 것 중 어색한 것은?

① Mr. Kim teaches us math.

  ➡ Mr. Kim teaches math to us.

② Will you find me a good book?

  ➡ Will you find a good book to me?

③ Mom made us delicious pizza.

  ➡ Mom made delicious pizza for us.

④ He asked me lots of questions.

  ➡ He asked lots of questions of me.

⑤ Can you lend me some money?

  ➡ Can you lend some money to me?

5 다음 중 밑줄 친 두 부분의 관계가 나머지와 <u>다른</u> 하나는?

① The movie made <u>her</u> <u>a star</u>.

② She showed <u>him</u> <u>her pictures</u>.

③ My aunt sent <u>me</u> <u>some books</u>.

④ Susan gave <u>Jim</u> <u>her phone number</u>.

⑤ The teacher asked <u>me</u> <u>a few questions</u>.

6 다음 중 어법상 <u>어색한</u> 문장은?

① I made him a bag.

② He made us happily.

③ Tim made his son a doctor.

④ Jane made her friends pleased.

⑤ My mom made me study hard.

7 다음 빈칸에 알맞은 것을 <u>모두</u> 고르면?

> The teacher _____ the students clean the classroom.

① had   ② got   ③ made
④ wanted   ⑤ ordered

8 다음 그림을 보고, 빈칸에 알맞은 것을 <u>2개</u> 고르면?

> I felt someone _____ my bag.

① touch   ② touched
③ touches   ④ touching
⑤ to touch

9 다음 우리말을 영어로 옮긴 것 중 어법상 <u>어색한</u> 것은?

① 이 스카프는 촉감이 부드럽다.

➡ This scarf feels soft.

② 사람들은 그를 Uncle Jack이라고 부른다.

➡ People call him "Uncle Jack".

③ 아빠는 나에게 햄버거를 요리해 주셨다.

➡ Dad cooked hamburgers to me.

④ 엄마는 내가 식물에 물을 주게 하셨다.

➡ Mom made me water plants.

⑤ 이 장갑은 내 손을 따뜻하게 해준다.

➡ These gloves keep my hands warm.

10 다음 글의 밑줄 친 ①~⑤ 중 어법상 <u>어색한</u> 문장은?

> On Sundays, ① my father makes something delicious to eat for my family. He loves cooking. However, he isn't a good cook. Last Sunday, ② he cooked us cream spaghetti. ③ It looked nice, but it tasted too salty. My brother didn't want to eat the spaghetti, but ④ I had him to eat it all. ⑤ I didn't want to make my father sad.

①   ②   ③   ④   ⑤

11 다음 대화의 빈칸에 알맞은 것은?

> A: Have you ever been to Hawaii?
> B: _____ I want to go there someday.

① Yes, I do.　　② No, I don't.

③ Yes, I have.　　④ No, I haven't.

⑤ How about you?

12 다음 중 현재완료의 용법이 나머지와 다른 하나는?

① She has read this book before.

② Have you ever been to Everland?

③ I have tried Vietnamese noodles.

④ He has worked here for 3 years.

⑤ I have never seen such a horrible film.

13 다음 중 어법상 어색한 문장은?

① I have lost my cat yesterday.

② We have already had breakfast.

③ How long have you stayed in this city?

④ She hasn't finished her homework yet.

⑤ I have played the piano since last year.

14 다음 빈칸에 들어갈 말이 나머지와 다른 하나는? (단, 대·소문자 무시)

① What time _____ you go to school this morning?

② _____ he visit his grandparents last weekend?

③ _____ you been to Canada before?

④ I _____ not meet my friends yesterday.

⑤ Kate didn't come to your birthday party, _____ she?

15 다음 중 현재완료의 용법이 〈보기〉와 같은 것은?

> ┌ 보기 ┐
> I have lost my smartphone.

① He has gone to Japan.

② I have never learned yoga.

③ She has been sick since last week.

④ We have known each other for 5 years.

⑤ Have you already finished your homework?

서술형

16 다음 그림을 보고, 괄호 안의 단어들을 이용하여 3형식 문장이 되도록 대화를 완성하시오.

Mina: Tomorrow is Parents' Day. What are you going to do for your parents?

Jake: I'm going to _____ _____

_____ _____ _____.

(write, letter)

서술형

17 다음 그림을 보고, 〈보기〉와 같이 문장을 완성하시오.

┌ 보기 ┐

Drink a lot of water.

The doctor advised him to drink a lot of water.

(1)

Wait a minute.

The clerk asked her _____.

(2)

You can take pictures.

The woman let him _____.

서술형

18 다음 두 문장을 현재완료를 이용하여 한 문장으로 바꿔 쓰시오. (8단어)

> I moved to Daejeon five years ago. I still live there.
>
> ➡ _____

서술형

19 다음 그림을 보고, 〈보기〉와 같이 괄호 안의 단어를 이용하여 현재완료 시제로 문장을 완성하시오.

an hour ago now

┌ 보기 ┐

It has rained for an hour.

(1) The girl _____.
(read) (7단어)

(2) The dogs _____.
(sleep) (5단어)

서술형

20 다음 대화의 밑줄 친 우리말을 영어로 바르게 옮기시오.
(8단어)

> **A:** Have you ever read the book *The Little Prince*?
>
> **B:** 응, 그래. 나는 이전에 그것을 읽어본 적이 있어.
>
> ➡ _____

적중 예상 전략 | ②

1 다음 밑줄 친 ①~⑤ 중 어법상 어색한 것은?

> It is not easy making new friends.
> ①② ③ ④ ⑤

2 다음 빈칸에 들어갈 말이 나머지와 다른 하나는?

① It is hard _____ me to get up early.

② It is generous _____ you to forgive me.

③ It is difficult _____ him to understand the book.

④ It is impossible _____ her to finish the work alone.

⑤ It is necessary _____ you to make the right decision.

3 다음 중 빈칸에 들어갈 말이 같은 것끼리 바르게 고른 것은?

> ⓐ It was brave _____ him to save the girl.
> ⓑ It is exciting _____ me to have a snowball fight.
> ⓒ It was rude _____ you to sleep in the class.
> ⓓ It is dangerous _____ them to swim in the river.

① ⓐ, ⓑ   ② ⓐ, ⓓ   ③ ⓐ, ⓑ, ⓒ
④ ⓑ, ⓒ   ⑤ ⓑ, ⓓ

4 다음 우리말을 영어로 바르게 옮긴 것은?

> 우리에게는 우리를 도와줄 책임감 있는 누군가가 필요하다.

① We need someone responsible help us.

② We need someone responsible to help us.

③ We need someone to help responsible us.

④ We need responsible someone to help us.

⑤ We need responsible someone helping us.

[5~6] 다음 주어진 문장과 의미가 같은 것을 고르시오.

5

> The house is too small for Jack to go inside.

① The house is too small Jack can't go inside.

② The house is too small Jack couldn't go inside.

③ The house is so small that it can't go inside Jack.

④ The house is so small that Jack can't go inside.

⑤ The house is so small that Jack couldn't go inside.

6

He is smart enough to solve the problem.

① He is very smart to solve the problem.

② He is so smart that he can solve the problem.

③ He isn't so smart that he can solve the problem.

④ He is so smart that he can't solve the problem.

⑤ He is smart enough that he can solve the problem.

7 다음 밑줄 친 부분이 어법상 어색한 것은?

① Nobody told <u>when to leave</u> here.

② Jane knows <u>what to do</u> in the future.

③ People don't know <u>why to go</u> there.

④ John explained me <u>how to cook</u> spaghetti.

⑤ Can you tell me <u>where to find</u> a bathroom?

8 다음 중 밑줄 친 부분이 어법상 어색한 것은?

① Look at the <u>crying</u> girl.

② We skated on the <u>frozen</u> lake.

③ A <u>growing</u> child should eat well.

④ They ate <u>fried</u> chicken for dinner.

⑤ Nobody could open the <u>closing</u> door.

9 다음 중 짝지어진 두 문장의 의미가 같지 <u>않은</u> 것은?

① I like to listen to music.

= I like listening to music.

② I can use the machine easily.

= It is easy for me to use the machine.

③ The driver stopped to change the tire.

= The driver stopped changing the tire.

④ He is old enough to understand the situation.

= He is so old that he can understand the situation.

⑤ It is too dark for you to go around.

= It is so dark that you can't go around.

10 다음 중 어법상 옳은 것을 <u>모두</u> 고르면?

ⓐ They're looking for a bench to sit.

ⓑ Do you know how to make a cake?

ⓒ He promised to do his best.

ⓓ Did you finish to clean your room?

① ⓐ, ⓑ   ② ⓐ, ⓑ, ⓒ

③ ⓐ, ⓑ, ⓓ   ④ ⓑ, ⓒ

⑤ ⓑ, ⓒ, ⓓ

[11~12] 다음 중 밑줄 친 부분이 어법상 <u>어색한</u> 것을 고르시오.

11
① I decided <u>going</u> to the movies.
② Sora loves <u>reading</u> comic books.
③ I want <u>to meet</u> my favorite actor.
④ I like <u>to take</u> pictures of the flowers.
⑤ Would you mind <u>opening</u> the window?

12
① The story was very <u>boring</u>.
② I want to live a <u>satisfied</u> life.
③ I'm <u>interested</u> in making films.
④ We were <u>surprised</u> to hear the news.
⑤ The <u>shocking</u> accident made me sad.

13 다음 중 어법상 옳은 문장의 개수는?

ⓐ I need a friend to talk.
ⓑ I'll bring you something hot to drink.
ⓒ It is important for you to be honest.
ⓓ Are you still practicing to play the guitar?
ⓔ He is enough healthy to run a marathon.

① 1개　　② 2개　　③ 3개
④ 4개　　⑤ 5개

14 다음 짝지어진 문장의 의미가 서로 <u>다른</u> 것을 <u>2개</u> 고르면?

① It began snowing.
　It began to snow.
② She tried writing in pencil.
　She tried to write in pencil.
③ Tom hates eating junk food.
　Tom hates to eat junk food.
④ I started walking an hour ago.
　I started to walk an hour ago.
⑤ I remember meeting my best friend.
　I remember to meet my best friend.

(서술형)
15 다음 두 문장의 의미가 통하도록 빈칸에 알맞은 말을 쓰시오.

I can't cook well.
➡ It is difficult ＿＿＿ ＿＿＿ ＿＿＿ ＿＿＿.

(서술형)
16 다음 그림을 보고, 괄호 안의 표현과 의미가 통하도록 빈칸에 알맞은 말을 쓰시오.

(1) 　　(2)

(1) I can't decide ＿＿＿ ＿＿＿ ＿＿＿
　in Busan. (where I should visit)
(2) I don't know ＿＿＿ ＿＿＿ ＿＿＿
　this copy machine. (how I should use)

서술형

17 다음 그림의 내용과 일치하도록 괄호 안의 단어를 이용하여 빈칸에 알맞게 쓰시오.

The boy is _____ _____ _____ ride the roller coaster. (short)

서술형

18 다음 그림을 보고, 괄호 안의 단어를 이용하여 〈보기〉와 같이 그림을 설명하는 문장을 완성하시오.

┌ 보기 ┐
I can see two birds <u>singing on the tree.</u>

(1) I can see a girl _____
_____. (music) (3단어)

(2) I can see a boy _____
_____. (bike) (3단어)

서술형

19 다음 그림을 보고, 괄호 안의 표현을 이용하여 〈보기〉와 같이 그림을 설명하는 문장을 쓰시오.

┌ 보기 ┐
There is a boy erasing the blackboard.

(1) _____
_____ (read a book)

(2) _____
_____ (sleep on the desk)

서술형

20 다음 그림을 보고, 빈칸에 동사 amaze의 알맞은 형태를 각각 쓰시오.

(1) The fireworks were _____.

(2) We were _____ at the fireworks.

문법·쓰기

영어전략
중학 2

BOOK 2

이 책의 차례

BOOK ❶

1주 문장의 형식 / 동사의 시제

1일	개념 돌파 전략 ❶, ❷	08
2일	필수 체크 전략 ❶, ❷	14
3일	필수 체크 전략 ❶, ❷	20
4일	교과서 대표 전략 ❶, ❷	26
	▶ 누구나 합격 전략	32
	▶ 창의·융합·코딩 전략 ❶, ❷	34

2주 to부정사 / 동명사 / 분사

1일	개념 돌파 전략 ❶, ❷	40
2일	필수 체크 전략 ❶, ❷	46
3일	필수 체크 전략 ❶, ❷	52
4일	교과서 대표 전략 ❶, ❷	58
	▶ 누구나 합격 전략	64
	▶ 창의·융합·코딩 전략 ❶, ❷	66

• 마무리 전략	70
• 신유형·신경향·서술형 전략	72
• 적중 예상 전략 ❶	76
• 적중 예상 전략 ❷	80

BOOK ❷

1주 관계사 / 접속사

1일 개념 돌파 전략 ❶, ❷ ·········· 06

2일 필수 체크 전략 ❶, ❷ ·········· 12

3일 필수 체크 전략 ❶, ❷ ·········· 18

4일 교과서 대표 전략 ❶, ❷ ·········· 24

▶ 누구나 합격 전략 ·········· 30

▶ 창의·융합·코딩 전략 ❶, ❷ ·········· 32

2주 비교 / 수동대 / 가정법

1일 개념 돌파 전략 ❶, ❷ ·········· 38

2일 필수 체크 전략 ❶, ❷ ·········· 44

3일 필수 체크 전략 ❶, ❷ ·········· 50

4일 교과서 대표 전략 ❶, ❷ ·········· 56

▶ 누구나 합격 전략 ·········· 62

▶ 창의·융합·코딩 전략 ❶, ❷ ·········· 64

● 마무리 전략 ·········· 68

● 신유형·신경향·서술형 전략 ·········· 70

● 적중 예상 전략 ❶ ·········· 74

● 적중 예상 전략 ❷ ·········· 78

관계사 / 접속사

1주

1 주격·목적격 관계대명사

Jake, check out this poster which I made. We're looking for a guitarist for our band.

짜잔!

I have a cousin who can play the guitar very well.

대화에서 알 수 있는 사실은?
a. Jake는 기타를 잘 친다.
b. Jake의 사촌은 기타를 잘 친다.

2 관계대명사 what

Ben, let's decorate the Christmas tree together.

Hold on a second. What I should do first is to write a letter to Santa. Dear Santa, here is a list of _____.

Ben의 마지막 말에 이어질 말로 알맞은 것은?
a. what I want
b. that I want

3　종속접속사

Congratulations! You are the winner.

Though I tried my best, I couldn't get first prize. I want to know why I failed.

아…

여학생의 생각을 잘 나타낸 것은?

a. 최선을 다했지만 일등을 하지 못했다.

b. 최선을 다하지 않아서 일등을 하지 못했다.

4　상관접속사

My mom works not only as an actress but also as a film director.

Wow, she's amazing!

남학생의 엄마에 대해 알 수 있는 사실은?

a. 배우이자 영화감독이다.

b. 배우를 그만둔 후 영화감독을 한다.

개념 1 주격 관계대명사

○ 주격 관계대명사는 두 절을 연결하면서 뒤에 오는 관계사절의 ❶[　　　]를 대신하는 대명사 역할을 한다.

○ 선행사에 따른 주격 관계대명사의 종류

who	선행사가 사람일 때
which	선행사가 사물 또는 동물일 때
❷[　　]	선행사의 종류에 관계없이 사용 가능

○ 선행사란 관계대명사 앞에 오는 명사이며, 주격 관계대명사 뒤의 동사는 앞의 선행사에 수를 일치시켜야 한다.

Sora is the girl **who(that)** speaks English well.
　　　　　　선행사
소라는 영어를 잘하는 소녀이다.

I want to meet a prince who has great looks.

Quiz

다음 괄호 안에서 알맞은 것을 고르시오.

(1) I know the boy (who / which) is talking to Jean.

(2) The shirt (who / that) is on the table is mine.

답 ❶주어 ❷that / (1) who (2) that

개념 2 목적격 관계대명사

○ 목적격 관계대명사는 두 절을 연결하면서 뒤에 오는 관계사절의 ❶[　　　]를 대신하는 대명사 역할을 한다. 목적격 관계대명사는 생략 가능하다.

○ 선행사에 따른 목적격 관계대명사의 종류

who / whom	선행사가 ❷[　　] 일 때
which	선행사가 사물 또는 동물일 때
that	선행사의 종류에 관계없이 사용 가능

This is the book **which(that)** I bought
　　　　　선행사
yesterday. 이것은 내가 어제 산 책이다.

He is the prince whom I met at the party.

Quiz

다음 밑줄 친 부분이 어법상 맞으면 ○, 틀리면 ✕표 하시오.

(1) He lost the watch that I gave as a gift.

(2) I met the girl who you like her.

답 ❶목적어 ❷사람 / (1) ○ (2) ✕

개념 3 관계대명사 what

○ 관계대명사 what은 ❶[　　　]를 포함하는 관계대명사로, '~하는 것'이라는 의미를 가진다. 이때 what은 the thing(s) which(that)로 바꿔 쓸 수 있다.

This is **what** I was looking for. 이것은 내가 찾고 있던 것이다.
= This is the thing which(that) I was looking for.

○ 관계대명사 what이 이끄는 절은 문장에서 ❷[　　], 목적어, 보어 역할을 한다.

What I want is a nice car. 내가 원하는 것은 멋진 차이다.
　주어 역할

Quiz

다음 문장을 관계대명사 what을 이용하여 다시 쓰시오.

Can you understand the thing that he said?

➡ _____

_____

답 ❶선행사 ❷주어 / Can you understand what he said?

1-1 다음 빈칸에 알맞은 것은?

> We moved to the house _____ is close to the park.

① who   ② which   ③ what

풀이 | 빈칸 앞에 있는 선행사 the house가 **❶**[　　　]이고, 빈칸 뒤에 주어가 없으므로 빈칸에는 **❷**[　　　] 관계대명사 which나 that을 써서 연결해야 한다.

🄐 ② / ❶ 사물 ❷ 주격

1-2 다음 빈칸에 알맞은 것은?

> Do you know anyone who _____ a lot about Russian history?

① knows   ② know   ③ knowing

2-1 다음 두 문장을 관계대명사를 이용하여 한 문장으로 바꿀 때 빈칸에 알맞은 말을 쓰시오.

> I will take the English lesson. Sam recommended the English lesson.

➡ I will take the English lesson _____ Sam recommended.

풀이 | 두 문장에서 목적어 the English lesson이 반복되고 있으므로, 뒤 문장의 the English lesson을 **❶**[　　　] 관계대명사로 바꾸어 하나의 문장으로 만들 수 있다. 이때, 선행사가 사물이므로 관계대명사 which나 **❷**[　　　]을 쓴다.

🄐 which(that) / ❶ 목적격 ❷ that

2-2 다음 두 문장을 관계대명사를 이용하여 한 문장으로 바꾸어 쓰시오.

> This is the sweater. My mom made the sweater for me.

➡ _____

3-1 다음 괄호 안에서 알맞은 것을 고르시오.

I'm sorry for (what / that) I did yesterday.

풀이 | what은 **❶**[　　　]를 포함하는 관계대명사이다. what이 이끄는 절은 문장에서 주어, 목적어, **❷**[　　　] 역할을 한다.

🄐 what / ❶ 선행사 ❷ 보어

3-2 다음 괄호 안의 단어들을 빈칸에 바르게 배열하시오.

_____ is the truth.

(they / know / what / to / want)

개념 4 명사절을 이끄는 접속사

○ 명사절은 문장에서 주어, **❶[____]**, 보어의 역할을 한다. 이때 that, if, whether와 같은 접속사들이 명사절을 이끈다. 접속사가 이끄는 명사절은 「접속사+주어+동사 ~」의 형태로 나타낸다. 이때 if와 whether이 이끄는 절 끝에 or not이 오면 '~인지 아닌지'라는 의미가 된다.

I don't know if it will rain tomorrow. 나는 내일 비가 올지 어떨지 모른다.

○ 간접의문문도 명사절 역할을 한다. 간접의문문은 「**❷[____]**+주어+동사 ~」의 형태로 나타낸다.

Do you know who she is? 너는 그녀가 누구인지 아니?

Quiz
다음 밑줄 친 명사절의 역할을 쓰시오.

(1) I can't believe that she won the prize.

(2) Where he visited is not important.

❷ ❶ 목적어 ❷ 의문사 / (1) 목적어 (2) 주어

개념 5 부사절을 이끄는 접속사

○ 부사절은 문장에서 **❶[____]**의 역할을 하며, 시간, 이유, 조건, 양보 등을 나타내는 접속사가 이끈다.

○ 부사절을 이끄는 접속사의 종류

when	~ 할 때, ~하면	since	~한 이래로, ~ 때문에
before	~하기 전에	because	~ 때문에
after	~한 이후에	if	만약 ~라면
while	~하는 동안에, ~하는 반면에	unless (= if ~ not)	만약 ~하지 않는다면
as	~하는 동안에, ~이므로	though / although	(비록) ~이지만

○ 시간과 조건을 나타내는 부사절에서는 미래의 의미이더라도 **❷[____]** 시제로 나타낸다.

Quiz
다음 빈칸에 공통으로 알맞은 말을 쓰시오.

- I haven't seen Seho _____ he moved to Busan.
- _____ I was sick, I couldn't go to school.

When I was young, I wanted to be a butterfly.

But now I'm here.

낚시밥

❷ ❶ 부사 ❷ 현재 / since(Since)

개념 6 상관접속사

○ 상관접속사는 단어와 **❶[____]**, 구와 구를 동등한 수준으로 연결해 준다.

○ 상관접속사의 종류

종류	의미	동사의 형태
❷[____] A and B	A와 B 둘 다	복수 동사
either A or B	A 또는 B 둘 중 하나	
neither A nor B	A와 B 둘 다 아닌	
not only A but also B = B as well as A	A뿐만 아니라 B도	B에 일치
not A but B	A가 아니라 B	

Quiz
다음 우리말을 영어로 옮길 때 빈칸에 알맞은 말을 쓰시오.

(1) 나는 음악과 미술 둘 다에 흥미가 있다.
➡ I am interested in _____ music _____ art.

(2) 그와 나 둘 다 그 파티에 가지 않았다.
➡ _____ he _____ I went to the party.

❷ ❶ 단어 ❷ both / (1) both / and (2) Neither / nor

4-1 다음 빈칸에 알맞은 말을 〈보기〉에서 골라 쓰시오.

┌─ 보기 ─────────────────────────┐
│   that   what   whether   │
└───────────────────────────────┘

I wonder _____ you like this cookie or not.

풀이 | 빈칸에는 동사 wonder(궁금하다)의 목적어절을 이끄는 ❶[   ] 접속사가 와야 한다. 명사절을 이끄는 접속사에는 that, if, whether, 간접의문문의 의문사 등이 있다. 명사절 끝에 or not이 왔으므로 〈보기〉 중 '~인지 아닌지'라는 의미가 되기 위해 접속사 whether가 와야 한다. whether 대신 ❷[   ]도 쓸 수 있다.

🖪 whether / ❶명사절 ❷if

4-2 다음 우리말을 영어로 옮길 때 빈칸에 알맞은 말을 쓰시오. (6단어)

┌───────────────────────────────┐
│ 나는 그가 도움을 필요로 하는지 아닌지 알고 싶다. │
└───────────────────────────────┘

➡ I want to know _____

_____ .

5-1 다음 주어진 문장과 뜻이 같도록 빈칸에 알맞은 말을 쓰시오.

┌───────────────────────────────┐
│ If it doesn't rain, we'll play baseball │
│ outside.   │
└───────────────────────────────┘

= _____ it rains, we'll play baseball outside.

풀이 | 조건절을 이끄는 부사절 접속사 ❶[   ]는 '만약 ~라면'이라는 의미를 가진다. if ~ ❷[   ]은 '만약 ~하지 않는다면'이라는 의미로 unless와 바꿔 쓸 수 있다.

🖪 Unless / ❶if ❷not

5-2 다음 주어진 문장과 뜻이 같도록 빈칸에 알맞은 말을 쓰시오. (4단어)

┌───────────────────────────────┐
│ Let's go for a walk if you don't feel │
│ tired.   │
└───────────────────────────────┘

= Let's go for a walk _____

_____ .

6-1 다음 빈칸에 알맞은 말이 순서대로 짝지어진 것은?

┌───────────────────────────────┐
│ He speaks English _____ _____ │
│ naturally _____ _____ fluently. │
└───────────────────────────────┘

① only not – also but

② not only – but also

③ not also – but only

풀이 | 'A뿐만 아니라 B도'라는 의미는 상관접속사 「not only A ❶[   ] B」를 쓴다. 같은 의미로 「B ❷[   ] A」를 쓸 수 있다.

🖪 ② / ❶but also ❷as well as

6-2 다음 빈칸에 알맞은 말이 순서대로 짝지어진 것은?

┌───────────────────────────────┐
│ ·We visited not Spain _____ Portugal. │
│ ·I used to play _____ football and │
│ basketball.   │
└───────────────────────────────┘

① but – both

② also – either

③ both – also

CHECK UP

I have the news _____ will make you happy.

➡ 빈칸에는 **❶[   ]** the news를 꾸며주는 절을 이끄는 관계대명사가 와야 하고, 관계대명사절에 주어가 없고, 선행사가 사물이므로 주격 관계대명사인 **❷[   ]**가 알맞다.

📋 which (that) / ❶ 선행사 ❷ which (that)

CHECK UP

I finally met the girl (which / who) you talked about.

➡ 목적격 관계대명사 절이 선행사 the girl을 수식하고 있고, 선행사가 **❶[   ]**이므로 who를 쓴다. 이 때, 목적격 관계대명사는 **❷[   ]** 가능하다.

📋 who / ❶ 사람 ❷ 생략

CHECK UP

The thing that I want to eat now is a sweet dessert.

= _____ I want to eat now is a sweet dessert.

➡ the thing(s) that (which)은 선행사를 포함하는 관계대명사 **❶[   ]** 으로 바꿔 쓸 수 있으며, '**❷[   ]**' 으로 해석한다.

📋 What / ❶ what ❷ ~하는 것

---

1 다음 밑줄 친 ①~⑤ 중 필요 없는 것은?

I have the ① book ② which ③ it ④ will give ⑤ you wonderful lessons.

2 다음 밑줄 친 that이 목적격 관계대명사가 <u>아닌</u> 것은?

① The movie that I saw yesterday was fun.

② This is the computer that my father bought for me.

③ She bought a jacket that had a big pocket.

④ I can't remember the dream that I had last night.

⑤ Did you read the book that the author wrote?

3 다음 문장에서 어법상 어색한 한 단어를 찾아 바르게 고치시오.

That you need to do is to be thankful for your life.

_____ ➡ _____

(Whether / That) it will snow is not certain.

➡ 문장의 ❶ [   ]가 되는 절을 이 끄는 명사절 접속사가 와야 한다. '눈이 올지 어떨지'라는 의미가 자연스러우므 로 접속사 ❷ [   ]가 알맞다.

답 Whether / ❶주어 ❷whether

4 다음 문장에서 명사절에 밑줄을 치고, 어떤 역할을 하는지 쓰시오.

(1) That he is rich doesn't matter to me. _____

(2) The fact is that I don't know any French. _____

(3) I wonder if he can come to the party tonight. _____

I felt very tired, but I couldn't fall asleep.

= I couldn't fall asleep _____ I felt very tired.

➡ 빈칸에는 '(비록) ～이지만'이라는 ❶ [   ]의 의미를 가진 접속사 although나 ❷ [   ]를 쓴다.

답 although(though) / ❶양보 ❷though

5 다음 빈칸에 공통으로 알맞은 것은?

> • The meeting started _____ I got there.
> • _____ I stayed up late last night, I'm very tired.

① as (As)　　　　② because (Because)
③ when (When)　　④ after (After)
⑤ while (While)

Both he and I (are / am / is) middle school students.

➡ 상관접속사 「both A ❶ [   ] B」는 'A와 B 둘 다'라는 의미로, 주어 자리에 올 경우 ❷ [   ] 취급한 다.

답 are / ❶and ❷복수

6 다음 문장을 as well as를 이용하여 같은 의미의 문장으로 바꿔 쓰시오.

> Not only you but also Eric wants to join our club.

= _____

전략 1 주격 관계대명사의 쓰임을 알아둘 것!

(1) 주격 관계대명사는 두 절을 연결하는 접속사 역할과 뒤에 오는 관계사절의 [❶   ]를 대신하는 대명사 역할을 한다.

I know the girl. + The girl is playing the piano. 나는 그 소녀를 안다. 그 소녀는 피아노를 치고 있다.

I know the girl who(that) is playing the piano. 나는 피아노를 치고 있는 소녀를 안다.
　　　　　선행사

(2) [❷   ]에 따라서 주격 관계대명사는 다음과 같이 쓸 수 있다.

관계사절의 동사의 수는 선행사에 일치시켜야 해.

who	선행사가 사람일 때
which	선행사가 사물 또는 동물일 때
that	선행사의 종류에 관계없이 사용 가능

답 ❶ 주어 ❷ 선행사

필수 예제

다음 빈칸에 알맞은 것은?

Have you talked to the man _____ has just moved next door?

① what　　　② who　　　③ whom　　　④ and　　　⑤ which

문제 해결 전략

두 개의 절을 연결하고 있고, [❶   ]가 사람이면 주격 관계대명사 [❷   ]나 that이 와야 한다.

답 ② / ❶ 선행사 ❷ who

확인 문제

1 다음 빈칸에 알맞은 것을 <u>모두</u> 고르면?

The parents are clapping for their children _____ on the stage.

① who dance　　　② dance

③ which is dancing　　　④ that are dancing

⑤ who is dancing

2 다음 두 문장을 알맞은 관계대명사를 넣어 한 문장으로 다시 쓰시오.

Marie Curie is the scientist. She won the Nobel prize twice.

➡ _____
_____

전략 2 목적격 관계대명사의 쓰임을 알아둘 것!

(1) 목적격 관계대명사는 두 절을 연결하는 접속사 역할과 뒤에 오는 관계사절의 **❶**[　　　]를 대신하는 대명사 역할을 한다.

This is <u>the book</u>. + My friend gave <u>the book</u> to me. 이 책은 그 책이다. 내 친구가 나에게 그 책을 주었다.

This is <u>the book</u> **which〔that〕** my friend gave to me. 이 책은 내 친구가 나에게 준 책이다.
　　　　선행사

(2) 선행사에 따라서 목적격 관계대명사는 다음과 같이 쓸 수 있다.

목적격 관계대명사는 생략할 수 있어!

who/whom	선행사가 사람일 때
which	선행사가 **❷**[　　　] 또는 동물일 때
that	선행사의 종류에 관계없이 사용 가능

답 ❶ 목적어 ❷ 사물

필수 예제

다음 두 문장을 한 문장으로 바르게 연결한 것을 <u>2개</u> 고르면?

I lost the watch. My dad got it for my birthday.

① I lost the watch my dad got for my birthday.

② I lost the watch my dad got it for my birthday.

③ I lost the watch who my dad got for my birthday.

④ I lost the watch that got it my dad for my birthday.

⑤ I lost the watch which my dad got for my birthday.

문제 해결 전략

'나는 아빠가 내 생일 선물로 사주신 시계를 잃어버렸다.'라는 의미로 관계사절의 목적어 **it**을 삭제하고 **❶**[　　　] 관계대명사로 두 절을 연결할 수 있다. 단, 목적격 관계대명사는 **❷**[　　　]이 가능하다.

답 ①, ⑤ / ❶ 목적격 ❷ 생략

확인 문제

1 다음 밑줄 친 부분 중 생략할 수 있는 것을 <u>모두</u> 고르면?

① The food <u>which</u> we ate was too spicy.

② Can you bring me the book <u>that</u> is on the shelf?

③ The girl <u>who</u> played the drum was Jenny.

④ The picture <u>which</u> is on the wall was drawn by my brother.

⑤ Jack is the only person <u>that</u> I can trust.

2 다음 괄호 안의 단어들을 바르게 배열하여 문장을 완성하시오. (단, 필요 없는 단어 하나는 생략할 것)

➡ _____ was the new Spanish teacher. (man / yesterday / whom / saw / the / you / which)

전략 3 관계대명사 that의 여러 가지 쓰임을 알아둘 것!

(1) 관계대명사 that은 ❶[   ]의 종류에 관계없이 사용 가능하다.

We lived in the house **that** stood on that hill. 우리는 저 언덕 위에 서 있던 집에 살았다.
<u>선행사(사물)</u> 주격 관계대명사

The woman **that** I met yesterday was very tall. 내가 어제 만난 여자는 키가 매우 컸다.
<u>선행사(사람)</u> 목적격 관계대명사

(2) 선행사로 「사람+동물」, 「사람+사물」, the only, the very, the same, 「the+서수」, 「the+최상급」, the last, ever, all, -thing 등이 오는 경우 관계대명사는 ❷[   ]만 쓴다.

Look at <u>the boy and the dog</u> **that** are running over there. 저기에서 달리고 있는 소년과 개를 봐.
선행사(사람+동물)   주격 관계대명사

This is <u>the best book</u> **that** I have ever read. 이것은 내가 읽어본 것 중 최고의 책이다.
선행사(the+최상급) 목적격 관계대명사

目 ❶ 선행사 ❷ that

필수 예제

다음 빈칸에 공통으로 알맞은 것은?

- It is the pen _____ I lost before.
- I don't like people _____ are late for the meeting.

① which   ② who   ③ that
④ whom   ⑤ what

문제 해결 전략

관계대명사는 선행사가 ❶[   ]일 때는 who, 사물이나 동물일 때는 which를 쓰고, 선행사에 관계없이 ❷[   ]을 쓸 수 있다.

目 ③ / ❶ 사람 ❷ that

확인 문제

1 다음 밑줄 친 that 대신 which를 쓸 수 없는 것은?

① This is the train <u>that</u> goes to Seoul.

② The movie <u>that</u> we saw yesterday was awesome.

③ The zoo <u>that</u> I visited was very big.

④ I saw a girl and a cat <u>that</u> were playing in the park.

⑤ She's lying on the sofa <u>that</u> looks so comfortable.

2 다음 중 밑줄 친 that의 쓰임이 나머지와 다른 하나는?

① The city <u>that</u> I visited was very modern.

② We're annoyed with a dog <u>that</u> barks every night.

③ She doesn't know <u>that</u> Dave already left.

④ What is the thing <u>that</u> is hanging on the wall?

⑤ The kite <u>that</u> is flying the highest is mine.

전략 4 **선행사를 포함하는 관계대명사 what의 쓰임을 이해할 것!**

(1) 관계대명사 what은 '~하는 것'이라는 의미로 **❶** [　　　] 를 포함한다. 관계대명사 what이 이끄는 명사절은 문장에서 주어, 보어, 목적어 역할을 한다.

What she made for dinner yesterday was all good. 그녀가 어제 저녁으로 만든 것은 모두 맛있었다.
　　　　　　　　　주어

This is exactly **what** I want. 이것이 정확하게 내가 원하는 것이다.
　　　　　　　보어

(2) 관계대명사 what은 the thing(s) which, the thing(s) **❷** [　　　] 등으로 바꿔 쓸 수 있다.

What I need most is a good friend. 내가 가장 필요로 하는 것은 좋은 친구이다.

= **The thing which(that)** I need most is a good friend.

관계대명사 what은 선행사를 포함하므로 앞에 명사가 오지 않아!

달 ❶ 선행사 ❷ that

필수 예제

다음 중 밑줄 친 what(What)의 쓰임이 나머지와 다른 하나는?

① Here's <u>what</u> you have to do.

② <u>What</u> are you looking for?

③ Please show me <u>what</u> you bought.

④ <u>What</u> he said in the speech doesn't make sense.

⑤ She always keeps <u>what</u> she promises.

문제 해결 전략

what은 '무엇'이라는 의미의 **❶** [　　　] 로도 쓰이고, '~하는 것'이라는 의미의 선행사를 포함하는 **❷** [　　　] 로도 쓰인다.

달 ② / ❶ 의문사 ❷ 관계대명사

확인 문제

1 다음 중 어법상 어색한 문장은?

① This report is what I wrote yesterday.

② I showed Jim the thing which I made.

③ What I like about him is his honesty.

④ The things that I'm into are romantic movies.

⑤ Show me the bag what you bought from the mall.

2 다음 밑줄 친 부분을 어법에 맞게 고쳐 쓰시오. (4단어)

Nobody would believe <u>that happened</u> <u>last night</u>.

➡ _____

1 다음 빈칸에 알맞은 것은?

합격

I'm the only girl _____ passed the exam.

① who   ② that   ③ whose

④ which   ⑤ whom

2 다음 우리말을 영어로 바르게 옮긴 것을 모두 고르면?

나는 Chris가 사는 집을 방문했다.

① I have visited the house Chris lives in.

② I have visited the house that Chris lives in.

③ I have visited the house who Chris lives in.

④ I have visited the house whom Chris lives in.

⑤ I have visited the house which Chris lives in.

3 다음 중 어법상 어색한 것은?

① The woman who is making pizza is my aunt.

② He has fancy pants which cost more than $100.

③ Can I get the cake that has blueberry toppings?

④ The library that were recently built is open next week.

⑤ The boys who were sitting under the tree are my brothers.

4 다음 빈칸에 알맞은 말이 순서대로 짝지어진 것은?

> • _____ she wants to be is a painter.
> • I didn't like the book _____ Somin recommended.

① That – that   ② What – which

③ Who – what   ④ What – who

⑤ Whom – that

5 다음 중 밑줄 친 부분을 생략할 수 있는 것을 모두 고르면?

① Is she the girl <u>who</u> can speak five languages?

② The bag <u>that</u> I was carrying was too heavy.

③ I have a friend <u>that</u> is very good at swimming.

④ The questions <u>which</u> you asked are too difficult.

⑤ Do you know anyone <u>who</u> wants to join our club?

6 다음 괄호 안의 단어들을 바르게 배열하여 문장을 완성하시오.

(1) Is this the house (you / in / that / born / were)?

   ➡ Is this the house _____?

(2) (is / what / said / true / he / not).

   ➡ _____

전략 1 접속사의 역할과 종류를 알아둘 것!

(1) 주어와 동사로 이루어진 절을 연결하는 종속접속사에는 명사절을 이끄는 접속사와 부사절을 이끄는 접속사가 있다.

(2) 명사절은 문장에서 주어, 보어, [❶   ] 역할을 한다. 명사절을 이끄는 접속사에는 that, whether, if 등이 있으며, 간접의문문(의문사+주어+동사)도 명사절 역할을 한다.

I believe **that** you are honest. 나는 네가 정직하다고 믿는다.

Do you know **what she wants**? 너는 그녀가 무엇을 원하는지 아니?

(3) 부사절은 문장에서 [❷   ] 역할을 하며, 시간, 이유, 조건, 양보 등을 나타낸다.

시간	when, after, before, while, since(~한 이래로), as(~하는 동안에) 등
이유	because, since, as(~ 때문에) 등
조건	if(만약 ~라면), unless(만약 ~하지 않는다면) 등
양보	although, though, even if, even though((비록) ~이지만) 등

부사절은 주절의 앞이나 뒤 모두에 올 수 있어!

답 ❶ 목적어 ❷ 부사

필수 예제

다음 빈칸에 알맞은 것은?

I wonder _____ he can come to my birthday party.

문제 해결 전략

동사 wonder의 목적어 역할을 하는 [❶   ]을 이끄는 접속사가 와야 하고, '~인지 어떤지'라는 의미이므로 [❷   ]가 알맞다.

답 ② / ❶ 명사절 ❷ if(whether)

① after　　② if　　③ that　　④ unless　　⑤ because

확인 문제

1 다음 밑줄 친 부분의 쓰임이 나머지와 <u>다른</u> 하나는?

① Wash your hands <u>when</u> you come home.

② I can't buy this shirt <u>although</u> I like it.

③ <u>If</u> you need any help, you can call me.

④ Do you know <u>where</u> the dog is?

⑤ You should leave the room <u>before</u> he arrives.

2 다음 〈보기〉에서 알맞은 말을 골라 빈칸에 쓰시오.

보기
while　if　although　because

(1) _____ I got up late, I wasn't late for school.

(2) My mom fell asleep _____ I was watching TV.

전략 2 시간·조건을 나타내는 부사절에서는 시제에 주의할 것!

(1) 시간이나 조건을 나타내는 부사절에서는 [❶   ] 시제가 미래를 대신한다.

I will call you when he arrives. 나는 그가 도착할 때 너에게 전화할 것이다.
         부사절 접속사(시간) 현재 시제(will arrive (×))

If it rains tomorrow, I will not go out. 만약 내일 비가 온다면, 나는 밖에 나가지 않을 것이다.
부사절 접속사(조건) 현재 시제(will rain (×))

(2) when, if가 [❷   ]을 이끌 때는 미래 시제를 쓸 수 있다.

Can you tell me when he will arrive? (의문사+주어+동사) 너는 그가 언제 도착할지 나에게
    의문사이자 명사절 접속사 미래 시제   말해줄 수 있니?

I don't know if it will rain tomorrow. (if: ~인지 어떨지) 내일 비가 올지 어떨지 나는 모른다.
    명사절 접속사 미래 시제

> when, if는 부사절 접속사로 쓰이기도 하고 명사절 접속사로 쓰이기도 해! 문맥속에서 그 쓰임을 잘 판단해야 해!

🔖 ❶ 현재 ❷ 명사절

필수 예제

다음 문장의 밑줄 친 부분을 어법에 맞게 고쳐 문장을 다시 쓰시오.

> If you will go to the mall later, I will take you there.

➡ _____

문제 해결 전략

조건을 나타내는 부사절에서는 [❶   ]의 의미이더라도 [❷   ] 시제로 나타내므로 will go를 go로 고쳐야 한다.

🔖 If you go to the mall later, I will take you there. /
❶ 미래 ❷ 현재

확인 문제

1 다음 빈칸에 알맞은 말이 순서대로 짝지어진 것은?

> • I will give it to you when we _____ each other.
> • I don't know when they _____.

① see – leaves

② see – will leave

③ saw – leave

④ will see – leave

⑤ will see – will leave

2 다음 두 문장에서 괄호 안의 단어를 빈칸에 알맞은 형태로 고쳐 쓰시오.

> • The weather is too bad, so we don't know if the plane _____ or not. (depart)
> • If he _____ every day, he will be healthy. (exercise)

전략 3 이유 · 양보를 나타내는 접속사와 전치사의 쓰임을 구분할 것!

(1) 접속사는 [①   ]을 연결하고, 전치사는 단어나 구를 연결한다.

(2) 의미가 같은 접속사와 전치사의 종류를 기억한다.

	접속사	전치사
이유 (~ 때문에, ~이므로)	[②], since, as	because of, due to
양보 ((비록) ~ 이지만 / ~에도 불구하고)	although, though, even if, even though	despite, in spite of

> 접속사 다음에는 주어와 동사가 있는 완전한 절이 이어지는지 꼭 확인해!

답 ❶ 절 ❷ because

필수 예제

다음 중 빈칸에 because(Because)가 들어가기에 알맞지 <u>않은</u> 것은?

① I went home early _____ I was very tired.

② Sam is on a diet _____ his health problem.

③ _____ the dress was expensive, I couldn't buy it.

④ He didn't come to the meeting _____ he was sick.

⑤ _____ the windows were dirty, we had to clean them.

문제 해결 전략

접속사 because는 뒤에 「주어+①   」의 절이 이어진다. 전치사 because ②   는 뒤에 구의 형태가 이어진다.

답 ② / ❶ 동사 ❷ of

확인 문제

1 다음 중 어법상 <u>어색한</u> 문장은?

① Because Kate likes cooking, she usually eats at home.

② Although Tom studied hard, he failed the test.

③ In spite of the weather was bad, we enjoyed our picnic.

④ I don't want to read this book though it is popular.

⑤ Due to the heavy storm, the concert was canceled.

2 다음 그림을 보고, 괄호 안의 어구를 이용하여 대화의 빈칸에 알맞은 말을 쓰시오. (4단어)

A: Why were you late for school?

B: I couldn't get on the subway _____
_____. (be full)

전략 4 상관접속사가 주어일 때 동사의 수 일치에 주의할 것!

3일 · 필수 체크 전략 ❶

(1) 상관접속사는 단어와 단어, 구와 구를 [❶   ] 수준으로 연결해 준다.

(2) 상관접속사가 주어로 올 때 동사의 수 일치에 주의한다.

종류	의미	동사의 형태
both *A* and *B*	A와 B 둘 다	[❷] 동사
either *A* or *B*	A 또는 B 둘 중 하나	B에 일치
neither *A* nor *B*	A와 B 둘 다 아닌	
not only *A* but also *B* = *B* as well as *A*	A뿐만 아니라 B도	
not *A* but *B*	A가 아니라 B	

「not only A but also B」에서 also는 생략되기도 해!

🅰 ❶ 동등한 ❷ 복수

필수 예제

다음 빈칸에 알맞은 것은?

> Using technology in class seems to be _____ useful and educational.

① either   ② neither   ③ also

④ both   ⑤ not

문제 해결 전략

'A와 B 둘 다'라는 의미의 상관접속사는 「❶[   ] A ❷[   ] B」이다.

🅰 ④ / ❶ both ❷ and

확인 문제

1 다음 우리말을 영어로 바르게 옮긴 것을 <u>2개</u> 고르면?

> 너뿐만 아니라 나도 초대받았다.

① You as well as I are invited.

② I as well as you am invited.

③ Not only you but also I am invited.

④ Not only I but also you are invited.

⑤ Not only you but also I are invited.

2 다음 문장에서 어법상 어색한 단어를 찾아 바르게 고치시오.

(1) I want to be either an actor and a movie director. I can't do both.

_____ ➡ _____

(2) Jake either takes a taxi nor goes by bus. He only takes the subway to school.

_____ ➡ _____

1 다음 우리말을 영어로 바르게 옮긴 것을 모두 고르면?

> 나는 그가 여기에 올 것인지 아닌지 궁금하다.

① I wonder if he will come here or not.

② I wonder if he come here or not.

③ I wonder if or not he will come here.

④ I wonder whether he came here or not.

⑤ I wonder whether he will come here or not.

문제 해결 전략

'~인지 아닌지'는 명사절을 이끄는 접속사 ❶[　　　]나 whether를 이용하여 쓰고, 문장 끝에 or ❷[　　　]을 붙이기도 한다.

답 ❶ if ❷ not

2 다음 빈칸에 알맞은 말이 순서대로 짝지어진 것은?

> • She can't walk _____ she broke her leg.
> • _____ my mistakes, our team won the game.

① as – If

② due to – Although

③ because – Though

④ since – Despite

⑤ while – In spite of

문제 해결 전략

빈칸 이하 절이 앞 절에 대한 이유를 나타낼 때 이유를 나타내는 접속사는 because나 ❶[　　　], as 등을 쓸 수 있다. '(비록) ~이지만'이라는 의미로, 절을 연결할 때는 양보를 나타내는 접속사 ❷[　　　]나 though 등을, 명사구를 연결할 때는 전치사 despite나 in spite of를 쓸 수 있다.

답 ❶ since ❷ although

3 다음 중 밑줄 친 부분의 쓰임이 나머지와 다른 하나는?

① If you heat water to 100℃, it boils.

② Do you know when the movie will start?

③ Your dad will be mad if you skip the class again.

④ I met Steve while I was shopping.

⑤ When I drink coffee, I always get a headache.

문제 해결 전략

when은 ❶[　　　]을 이끄는 접속사이기도 하고, 명사절에서 간접의문문에 쓰이는 ❷[　　　]이기도 하다.

답 ❶ 부사절 ❷ 의문사

4 다음 두 문장의 뜻이 같도록 할 때 빈칸에 알맞은 것은?

> You can't do anything if you don't give it a try.
> = You can't do anything _____ you give it a try.

① unless   ② when   ③ whether

④ although   ⑤ because

5 다음 빈칸에 들어가기에 <u>어색한</u> 것은?

> Although I felt tired, _____.

① I went to the gym

② I took a rest all day

③ I finished all my chores

④ I made supper for my family

⑤ I helped my mom with gardening

6 다음 그림을 보고, 상황에 맞게 알맞은 상관접속사를 써서 대화를 완성하시오.

(4단어)

Jane Sera Mom

> **Mom:** Who broke this vase?
> **Sera:** _____ did it.

대표 예제 1

다음 빈칸에 알맞은 것은?

> I know a restaurant _____ open 24 hours a day.

① that are
② who is
③ which is
④ which are
⑤ where is

Tip

❶_____ 관계대명사는 두 절을 연결하면서, 관계사절의 주어를 대신하는 ❷_____ 역할을 한다.

🔲 ❶ 주격 ❷ 대명사

대표 예제 2

다음 우리말과 같도록 〈보기〉에서 알맞은 단어를 골라 아래 문장을 완성하시오.

┌ 보기 ┐

whom   I   yesterday   gave
which   it   him

John은 내가 어제 그에게 준 티셔츠를 입고 있다.
➡ John is wearing the T-shirt _____
_____ .

Tip

목적격 관계대명사가 두 절을 연결할 때 ❶_____ 가 사물이면 ❷_____ 나 that을 쓴다.

🔲 ❶ 선행사 ❷ which

대표 예제 3

다음 밑줄 친 관계대명사 중 생략 가능한 것은?

① She has a dog <u>which</u> has big eyes.
② The bakery <u>that</u> I like is near here.
③ The man <u>who</u> talked to me was Mr. Parker.
④ The person <u>that</u> is late will clean this room.
⑤ I forgot the word <u>which</u> was written on the board.

Tip

목적격 관계대명사는 두 절을 연결하면서 관계사절의 ❶_____ 를 대신하는 대명사 역할을 하고, ❷_____ 이 가능하다.

🔲 ❶ 목적어 ❷ 생략

대표 예제 4

다음 밑줄 친 that 중 쓰임이 다른 하나는?

① Mary is the girl <u>that</u> John likes a lot.
② I like the bag <u>that</u> Anne is wearing.
③ This is the house <u>that</u> my grandfather built.
④ They are the coins <u>that</u> were found under the sofa.
⑤ I don't like the smartphone <u>that</u> my mom bought for me.

Tip

관계대명사 that이 이끄는 절에 주어가 없으면 that은 ❶_____ 관계대명사로 쓰인 것이고, 목적어가 없으면 ❷_____ 관계대명사로 쓰인 것이다.

🔲 ❶ 주격 ❷ 목적격

대표 예제 5

다음 중 밑줄 친 부분이 어법상 어색한 것은?

① I prefer movies that are romantic.

② He fixed the bicycle which was broken.

③ Sue has a car that is very expensive.

④ The boy who lost the keys are my little brother.

⑤ The girl who is standing there is my sister.

Tip

선행사가 문장 전체의 주어일 때 문장 전체의 동사의 수는 ❶□□□에 일치시킨다. 선행사가 단수이면 동사도 ❷□□□, 선행사가 복수이면 동사도 복수로 쓴다.

답 ❶ 선행사 ❷ 단수

대표 예제 6

다음 두 문장을 관계대명사 what을 이용하여 한 문장으로 바꿔 쓰시오.

Sally thought about the thing. Her friend said it to her.

➡ _____

Tip

'~하는 것'이라는 의미의 관계대명사 what은 ❶□□□를 포함하는 관계대명사이며, the ❷□□□ which (that)와 바꿔 쓸 수 있다.

답 ❶ 선행사 ❷ thing(s)

대표 예제 7

다음 빈칸에 공통으로 알맞은 것은?

• Please pay attention to _____ the teacher says.

• _____ is important is our health.

① which (Which)   ② what (What)

③ that (That)   ④ who (Who)

⑤ when (When)

Tip

what은 '~하는 것'이라는 의미로 ❶□□□를 포함하는 관계대명사이다. 문장에서 명사절을 이끌고, 주어, ❷□□□, 보어 역할을 한다.

답 ❶ 선행사 ❷ 목적어

대표 예제 8

다음 빈칸에 들어갈 말이 나머지와 다른 하나는? (단, 대·소문자 무시)

① This is _____ he was talking about.

② Can you understand _____ you have read?

③ _____ she came yesterday surprised me.

④ He gave me _____ I really wanted to get.

⑤ _____ you saw is a famous painting.

Tip

명사절을 이끄는 접속사 that은 ❶□□□ 문장을 이끌고, 관계대명사 what은 ❷□□□ 문장을 이끈다.

답 ❶ 완전한 ❷ 불완전한

대표 예제 9

다음 빈칸에 알맞은 것을 2개 고르면?

> I wonder _____ I should wear a raincoat or not.

① when ② if ③ that
④ whether ⑤ because

Tip

if와 whether는 ❶ [   ]을 이끄는 접속사이며, 뒤에 or ❷ [   ]이 쓰여 '~인지 아닌지'라는 의미를 가진다.

답 ❶ 명사절 ❷ not

대표 예제 10

다음 중 밑줄 친 that(That)의 쓰임이 나머지와 다른 하나는?

① I think that he is smart.
② That he became a movie star surprised me.
③ The glasses that she bought are very unique.
④ The problem is that we lost our way.
⑤ They believe that the rumor is true.

Tip

that이 ❶ [   ]로 쓰일 때는 선행사를 수식하는 관계사절을 이끌고, 접속사로 쓰일 때는 ❷ [   ]을 이끈다.

답 ❶ 관계대명사 ❷ 명사절

대표 예제 11

다음 밑줄 친 부분을 어법에 맞게 고쳐 쓰시오.

(1) When you will meet Jack later, please hand this book to him.

➡ _____

(2) Ask Chris some information if you will visit the museum.

➡ _____

Tip

시간과 ❶ [   ]의 부사절에서는 미래를 ❷ [   ] 시제로 표현한다.

답 ❶ 조건 ❷ 현재

대표 예제 12

다음 주어진 어구를 바르게 연결하여 문장을 만들 때 가장 자연스러운 것을 2개 고르면?

> cried / the movie / because / she / sad / was

① She cried because the movie was sad.
② The movie was sad because she cried.
③ The movie cried because she was sad.
④ Because the movie was sad, she cried.
⑤ Because she cried, the movie was sad.

Tip

❶ [   ]를 나타내는 접속사 because는 ❷ [   ]을 이끌고, 문장의 앞이나 뒤에 올 수 있다.

답 ❶ 이유 ❷ 부사절

대표 예제 13

다음 우리말을 영어로 바르게 옮긴 것을 <u>2개</u> 고르면?

> 만약 네가 방을 치우지 않는다면, 나는 너에게 쿠키를 주지 않을 것이다.

① If you don't clean the room, I won't give you cookies.

② If you don't clean the room, I don't give you cookies.

③ If you won't clean the room, I won't give you cookies.

④ Unless you don't clean the room, I won't give you cookies.

⑤ Unless you clean the room, I won't give you cookies.

Tip

'만약 ~하지 않는다면'이라는 조건의 의미는 if ~ **❶**[   ]으로 쓰고 한 단어인 **❷**[   ]로 바꿔 쓸 수 있다.

🈺 ❶ not ❷ unless

대표 예제 14

다음 두 문장을 한 문장으로 바꿀 때 빈칸에 알맞은 것은?

> I was happy. My sister won the prize at the piano contest.
> ➡ I was happy _____ my sister won the prize at the piano contest.

① because of   ② though   ③ before

④ since   ⑤ whether

Tip

접속사 because, as, **❶**[   ] 등은 뒤에 이유를 나타내는 부사절이 와야 하고, 전치사 because of는 뒤에 **❷**[   ]의 형태가 와야 한다.

🈺 ❶ since ❷ (명사)구

대표 예제 15

다음 괄호 안의 동사를 알맞은 형태로 고쳐 빈칸에 쓰시오. (단, 시제는 현재형으로 쓸 것)

(1) Either you or he _____ right. (be)

(2) Jill as well as I _____ to read books. (like)

(3) Both he and she _____ at the same office. (work)

Tip

상관접속사 「either A or B」나 「B as well as A」가 **❶**[   ] 자리에 올 때 동사의 수는 **❷**[   ]에 일치시킨다.

🈺 ❶ 주어 ❷ B

대표 예제 16

다음 그림을 보고, 상관접속사를 이용하여 대화를 완성하시오. (6단어)

It's humid, and also hot.

A: How is the weather there?

B: It is _____.

Tip

'A뿐만 아니라 B도'라는 의미로 동등한 수준의 **❶**[   ]나 구를 연결할 때 「not only A **❶**[   ] B」를 쓴다.

🈺 ❶ 단어 ❷ but (also)

1 다음 밑줄 친 that과 바꿔 쓸 수 있는 것은?

The panda is an animal that lives in China.

① who ② whom ③ which
④ whose ⑤ what

Tip
관계대명사는 선행사가 ❶[____]일 때 who, 동물 및 사물일 때 ❷[____], 선행사에 관계없이 that을 쓴다.

답 ❶ 사람 ❷ which

서술형

2 다음 우리말을 영어로 옮길 때 빈칸에 알맞은 말을 쓰시오.

Phil은 우리 반에서 키가 가장 큰 학생이다.

➡ Phil is the student _____ _____ the tallest in our class.

Tip
주격 관계대명사는 관계사절의 ❶[____]를 대신하며, 관계사절의 동사의 수는 ❷[____]에 일치시킨다.

답 ❶ 주어 ❷ 선행사

3 다음 글의 밑줄 친 ①~⑤ 중 생략 가능한 것은?

I met a friend ① who moved to Seoul last year. She was ② the kindest person ③ that I have known. I still have a letter ④ which was sent ⑤ by her.

Tip
두 ❶[____]을 이어주는 ❷[____] 관계대명사 who, whom, which, that은 생략할 수 있다.

답 ❶ 절 ❷ 목적격

4 다음 밑줄 친 which의 쓰임이 나머지와 다른 하나는?

① I wonder which is your favorite color.
② That's the school which I graduated from.
③ The computer which I bought is broken.
④ She has a car which was made in Germany.
⑤ Look at the cats which are sitting on the fence.

Tip
선행사가 ❶[____]이나 동물일 때 관계대명사는 which 또는 that이 온다. which는 또한 ❷[____]에서 명사절을 이끌기도 한다.

답 ❶ 사물 ❷ 간접의문문

서술형

5 다음 빈칸에 알맞은 말을 각각 한 단어로 쓰시오.

_____ is important is _____ you do your best.

Tip
what은 ❶[____]한 문장을 이끄는 선행사를 포함하는 관계대명사이고, that은 완전한 문장을 이끄는 ❷[____] 접속사이다.

답 ❶ 불완전 ❷ 명사절

서술형

6 다음 두 문장의 의미가 같도록 빈칸에 알맞은 말을 쓰시오.

I was late for the meeting because it was raining.
= I was late for the meeting _____ _____ the rain.

7 다음은 Sean이 지난 토요일 오후에 한 일들이다. 표의 내용과 일치하도록 할 때, 빈칸에 들어갈 말이 나머지와 다른 하나는? (단, 대·소문자 무시)

2시	3시	4시	5시	6시	7시
숙제	독서	축구	휴식	저녁 식사	TV 시청

① He read the book _____ he did his homework.

② _____ he went to play soccer, he read the book.

③ _____ he played soccer, he took a break.

④ He had dinner _____ he took a break.

⑤ _____ he had dinner, he watched TV.

8 다음 중 어법상 어색한 문장은 몇 개인가?

• Unless you will be quiet, the baby will wake up.
• I'd like to know when the train will depart.
• When you will grow up, you will be a wonderful person.
• You'll miss the concert if you don't hurry.

① 1개   ② 2개   ③ 3개   ④ 4개   ⑤ 없음

9 다음 빈칸에 알맞은 말이 순서대로 짝지어진 것은?

• _____ France and England are in Europe.
• Not only Maria _____ Jane joined the club.

① Both – also   ② Both – but
③ Either – but   ④ Either – also
⑤ Neither – or

서술형

10 다음 그림을 보고, 아래 문장의 빈칸에 알맞은 말을 쓰시오.

_____ Danny _____ Kate is good at skating.

1 다음 밑줄 친 ①~⑤ 중 필요 없는 것은?

> We respect ① people ② who ③ they ④ help ⑤ those in need.

서술형

2 다음 우리말을 영어로 옮길 때 관계대명사를 이용하여 빈칸에 알맞은 말을 쓰시오.

(1) 무대 위에서 피아노를 연주하고 있는 여성은 내 어머니이다.

➡ The woman _____
on the stage is my mother.

(2) 누가 식탁 위에 있던 사과를 먹었니?

➡ Who ate the apples _____
on the table?

3 다음 두 문장이 같은 뜻이 되도록 할 때 빈칸에 알맞은 것은?

> This is the thing that I was looking for.
> = This is _____ I was looking for.

① what   ② that

③ why   ④ which

⑤ how

4 다음 중 밑줄 that의 쓰임이 〈보기〉와 같은 것은?

> ┌ 보기 ┐
> A watermelon is the fruit that I like the most.

① Can you see that blue dot in the sky?

② That he became a singer surprised us.

③ The house that has a big garden is our dream home.

④ Here is the book that you were looking for.

⑤ You should know that you are the leader.

5 다음 빈칸에 들어갈 수 없는 것은?

> I'd like to know _____.

① that is good for you

② when the plane leaves

③ why they lost the game

④ what we should do now

⑤ whether Ann broke up with Tom or not

6 다음 빈칸에 공통으로 알맞은 것은?

> • I usually read a newspaper _____ I wait for the bus.
> • _____ I didn't agree with his opinion, everybody else supported him.

① since〔Since〕　　② that〔That〕

③ while〔While〕　　④ if〔If〕

⑤ although〔Although〕

7 다음 그림의 내용과 일치하도록 빈칸에 알맞은 접속사를 한 단어로 쓰시오.

➡ _____ the food was so spicy, he ate it up.

8 다음 밑줄 친 부분 중 쓰임이 다른 하나는?

① I always feel happy <u>after</u> meeting you.

② I stayed in bed all day <u>since</u> I was sick.

③ I met Jenny <u>as</u> I was leaving the classroom.

④ <u>If</u> you are not busy, I hope you can help me.

⑤ <u>Because</u> the weather was cold, we couldn't go outside.

9 다음 우리말을 영어로 바르게 옮긴 것을 2개 고르면?

> 네가 내일 Sue에게 전화하지 않는다면, 그녀는 화를 낼 것이다.

① If you won't call Sue tomorrow, she will be mad.

② Unless you call Sue tomorrow, she will be mad.

③ If you don't call Sue tomorrow, she is mad.

④ Unless you don't call Sue tomorrow, she will be mad.

⑤ If you don't call Sue tomorrow, she will be mad.

10 다음 빈칸에 알맞은 말이 순서대로 짝지어진 것은?

> • Not only Jane but also Ken _____ studied abroad.
> • Both you and I _____ going to be in the same club.
> • I think not wealth but health _____ the most important thing in our life.

① has – am – is　　② has – are – is

③ has – are – are　　④ have – are – is

⑤ have – are – are

1 다음 게시판에 세 명의 학생이 붙인 포스터를 보고, 관계대명사를 이용하여 문장을 완성하시오.

(1) Lost! I'm looking for my math textbook! I need it for the exam.

(2) Find! I'm looking for a girl. She lent me an umbrella.

(3) Notice! Our school band needs a drummer for the concert. It will be held on August 3.

(1) Kelly is looking for her math textbook
_____.

(2) Mike is looking for a girl _____
_____.

(3) Sera's school band needs a drummer for the concert _____
_____.

2 다음 어휘 카드들 중 서로 관계있는 것을 찾아 〈보기〉의 관계대명사를 이용하여 알맞은 문장을 쓰시오. (단, 관계대명사는 한 번씩만 이용할 것)

| habit | you know well and like |

| is measured by a clock | friend |

a person   you do regularly   time

┌ 보기 ┐
what   that   whom

(1) A habit is something _____.
(2) A friend is _____.
(3) Time is _____.

Tip
관계대명사는 두 절을 연결하되, ❶ [_____]를 수식하는 절을 이끈다. 선행사가 사람이면 who, 동물이나 사물이면 which, 선행사에 관계없이 ❷ [_____]을 쓴다.

目 ❶선행사 ❷that

Tip
관계대명사 ❶ [_____]은 선행사를 포함하는 관계대명사로 '❷ [_____]'이라는 의미를 가진다. 이때 what은 the thing(s) which(that)로 바꿔 쓸 수 있다.

目 ❶what ❷~하는 것

3 다음 탐정과 용의자의 대화를 바탕으로 아래의 탐정 보고서의 빈칸을 완성하시오.

 What is your name? → Carl Evans.

 Where were you at 10 p.m.? → I was at a restaurant.

 Who were you there with? → I can't remember.

Detective's Report

I interviewed Carl Evans. I asked him ___(1)___. He said ___(2)___. However, he couldn't remember ___(3)___. I doubt if he was really there or not.

(1) _____

(2) _____

(3) _____

Tip

명사절을 이끄는 접속사의 종류로는 [❶_____], if, whether 등이 있다. 간접의문문 또한 명사절이며, 이때 [❷_____]가 명사절을 이끄는 접속사 역할을 한다.

📖 ❶ that ❷ 의문사

4 다음 글을 읽고, 〈보기〉에서 알맞은 말을 골라 빈칸을 채우시오. (3단어)

When Junsu comes back home, he sees his cat Nabi sleeping happily. Nabi's bowl is still full. Nabi can't sleep when she is hungry. If she didn't eat the cat food, what did she eat?

보기

| if | that | whether | what |

Junsu sees his cat sleeping without eating her meal. He doesn't know _____ _____.

Tip

의문사가 이끄는 절이 다른 문장의 일부로 포함되어 쓰이는 것을 간접의문문이라고 하고 「의문사+❶_____+❷_____」의 어순으로 쓴다.

📖 ❶ 주어 ❷ 동사

창의·융합·코딩 전략 ❷

5 다음은 수지의 하교 후 일과표이다. 이를 보고, 빈칸에 접속사 before와 after를 이용하여 문장을 완성하시오. (단, 해당 일정의 바로 앞, 뒤 일정을 쓸 것)

시간	일정
16:00	하교
17:00	학교 숙제
19:00	저녁식사
20:00	컴퓨터 게임
20:30	독서

(1) Suji has dinner _____

_____ .

(2) Suji plays computer games _____

_____ .

6 다음은 유진이와 Brian의 휴대 전화 메시지 내용이다. 이를 보고, 주어진 문장의 빈칸에 알맞은 접속사를 이용하여 문장을 완성하시오. (7단어)

Hey, Brian.
Yujin

Hi, Yujin. What's up?
Brian

Emma and I will make a plan to do some volunteer work. Do you want to join us?
Yujin

Sure. Is it okay if I bring my baby sister? I have to look after her.
Brian

Why not? Come to my place by 5 p.m.
Yujin

Alright. See you then.
Brian

➡ Brian wants to bring his baby sister _____

_____ .

7 다음 도서전에 관한 포스터를 보고, 〈보기〉에서 알맞은 접속사를 하나 골라서 아래 대화를 완성하시오.

BOOK FAIR

When: September 5
Time: 09:00 ~ 17:00
Location: at Madison Avenue

- Come with children under age 5, you can get one book free!
- Bring your student card! We can give you a 10% discount.

We welcome you!

┌ 보기 ┐

after   if   since

A: Sandy, did you see the poster about the book fair?
B: Not yet! Are there any good benefits?
A: (1) _____,
you can get one book free.
B: That sounds nice!
A: Also, (2) _____,
you can get a 10% discount.
B: We must go there!

Tip

접속사는 ❶[   ]과 절을 연결한다. 시간과 조건을 나타내는 부사절에서는 ❷[   ]의 의미이더라도 현재 시제로 나타낸다.

답 ❶ 절 ❷ 미래

8 다음 그림을 보고, 상황을 묘사하는 문장을 괄호 안의 어구를 이용하여 완성하시오. (단, 시제는 현재형을 쓸 것)

(1)

Kevin   Jack

(both, be, from Canada)

_____

(2)

Bob   Sora

(not only, wear, glasses)

_____

Tip

상관접속사는 단어와 단어, 구와 구를 동등한 수준으로 연결해 준다. 'A와 B 둘 다'라고 할 때는 「❶[   ] A and B」를 쓰고, 'A뿐만 아니라 B도'라고 할 때는 「not only A but (also) B」를 쓰며, 「B as ❷[   ] as A」로 바꿔 쓸 수 있다.

답 ❶ both ❷ well

비교 / 수동태 / 가정법

1 원급 비교

Jina is not as fast as Bomi.

둘 중 달리기를 더 잘하는 사람은?
a. Jina
b. Bomi

2 비교급·최상급 비교

This is the most beautiful view that I've ever seen. The room with the ocean view is much more beautiful than the room with the mountain view.

여자가 선호하는 방은?
a. 바다가 보이는 방
b. 산이 보이는 방

3 수동태

What happened?

Brian was tackled by Jim. I think Jim should be given a yellow card.

둘 중 Brian을 고르면?
a. 5번 선수
b. 10번 선수

4 가정법 과거

If I had a cat, I would play with it every day.

현재 남학생에 관한 사실로 알맞은 것은?
a. 고양이를 기르고 있다.
b. 고양이를 기르고 있지 않다.

개념 1 원급 비교

○ 원급 비교: 「as+형용사〔부사〕의 **❶**[　　]+as」로 쓰고, '…만큼 ~한〔하게〕'
  이라는 의미로 두 개의 대상을 서로 비교하여 정도가 같을 때 쓴다.
○ 원급 비교의 부정: 「**❷**[　　]+as〔so〕+형용사〔부사〕의 원급+as」로 쓰고,
  '…만큼 ~하지 않은〔않게〕'이라는 의미를 가진다.
○ as+형용사〔부사〕의 원급+as possible〔주어+can/could〕: 가능한 한 ~하게

Quiz

다음 괄호 안에서 알맞은 것을 고르시오.

(1) Mr. Pitt is as (old / older) as my dad.

(2) Can you say it as (quickly / more quickly) as possible?

탑 ❶ 원급 ❷ not / (1) old (2) quickly

개념 2 비교급과 최상급 비교

○ 비교급 비교: 「형용사〔부사〕의 비교급+**❶**[　　]」으로 쓰고, '…보다 더 ~한'
  이라는 의미로 서로 다른 수준의 두 대상을 비교할 때 쓴다. 비교급을 강조할 때는
  비교급 앞에 '훨씬'이라는 의미의 부사 much, even, still, far, a lot 등을 쓴다.
  Sam is much younger than I. Sam은 나보다 훨씬 더 어리다.
○ 최상급 비교: 「**❷**[　　]+형용사〔부사〕의 최상급(+단수 명사)+in〔of〕 …」으
  로 쓰고, '… 중에서 가장 ~한'이라는 의미로 세 개 이상의 비교 대상 중 상태나 성
  질이 가장 클 때 나타내는 표현이다.
  The Amazon is the longest river in the world.
  아마존 강은 세상에서 가장 긴 강이다.
○ 최상급을 이용한 여러 가지 표현
  • the+최상급+단수 명사(+that)+주어+have(+ever)+과거분사: (주어가)
    …한 중에 가장 ~한
  • one of the+최상급+복수 명사: 가장 ~한 …들 중 하나

Quiz

다음 문장에서 어법상 어색한 부분을 찾아 바르게 고치시오.

(1) These shoes are very more expensive than those shoes.

_____ ➡ _____

(2) Jake is tallest student in our school.

_____ ➡ _____

탑 ❶ than ❷ the / (1) very → much〔even / still / far / a lot〕 (2) tallest → the tallest

개념 3 수동태

○ 주어가 어떤 일을 당하거나 어떤 행동의 대상이 되는 경우 **❶**[　　] 문장을 쓴
  다. '~에 의해 …되다'라는 의미로 「주어+be동사+과거분사(+by+목적격) ~.」
  의 형태로 쓴다. 행위자를 알 수 없거나 행위자가 일반적인 사람인 경우 「by+목
  적격」을 **❷**[　　]할 수 있다.
  능동태: My dad **repaired** the computer. 우리 아빠가 그 컴퓨터를 고치셨다.

  수동태: The computer **was repaired** by my dad. 그 컴퓨터는 우리 아빠에 의해 고쳐졌다.
○ 조동사를 포함한 수동태: 주어+조동사+be+과거분사(+by+목적격) ~.
  The library will be built next year. 그 도서관은 내년에 지어질 것이다.

Quiz

다음 괄호 안에서 알맞은 것을 고르시오.

(1) I was (taking / taken) to the concert by Kate.

(2) The quiz can (solve / be solved) by me.

탑 ❶ 수동태 ❷ 생략 / (1) taken (2) be solved

1-1 다음 빈칸에 알맞은 것은?

> I can run as _____ as you.

① fast   ② faster   ③ fastest

풀이 | 원급 비교는 두 개의 대상을 서로 비교하여 정도가 같을 때 쓰며, 형태는 「as+형용사(부사)의 **❶**[____]+as」이다. 원급 비교의 부정은 「**❷**[____]+as(so)+형용사(부사)의 원급+as」이다.

답 ① / ❶원급 ❷not

1-2 다음 빈칸에 알맞은 것은?

> Other people's opinions are as _____ as yours.

① importantly

② important

③ more important

2-1 다음 그림을 보고, 괄호 안의 단어를 이용하여 빈칸에 알맞은 말을 쓰시오.

Tom 150 cm   Fred 160 cm

➡ Fred is _____ _____ Tom. (tall)

풀이 | '…보다 더 ~한'이라는 의미로 서로 다른 수준의 두 대상을 비교할 때 **❶**[____] 비교를 쓴다. 형태는 「형용사(부사)의 비교급+**❷**[____]」이다.

답 taller than / ❶비교급 ❷than

2-2 다음 〈보기〉에서 알맞은 말을 하나 골라 주어진 두 문장을 비교급 문장으로 바꿔 쓰시오.

> This yellow shirt is large size. That red shirt is small size.

┌ 보기 ┐
very   much   as

➡ This yellow shirt is _____ _____ _____ _____ .

3-1 다음 능동태 문장을 수동태 문장으로 바꿀 때 빈칸에 알맞은 말을 쓰시오.

> Thomas Edison invented the light bulb.

➡ The light bulb _____ _____ _____ Thomas Edison.

풀이 | 주어가 어떤 일을 당하거나 어떤 행동의 대상이 되는 경우 **❶**[____] 문장을 쓴다. '~에 의해 …되다'라는 의미로 「주어+be동사+**❷**[____](+by+목적격) ~.」의 형태로 쓴다.

답 was invented by / ❶수동태 ❷과거분사

3-2 다음 능동태 문장을 수동태 문장으로 바꿔 쓰시오.

> The police officer will catch the thief.

➡ _____

개념 4 수동태의 부정문과 의문문

○ 수동태의 부정문: 주어+be동사+❶[ ]+과거분사(+by+목적격) ~.

This book **was not written** by him. 이 책은 그에 의해 쓰여지지 않았다.

○ 조동사 수동태의 부정문: 주어+조동사+not+be+과거분사(+by+목적격) ~.

Stars **can't be seen** during the day. 별은 낮 동안에는 보이지 않는다.

○ 수동태의 의문문

– 의문사가 없는 경우: Be동사+주어+과거분사(+by+목적격) ~?

Is this food **called** *nan*? 이 음식은 '난'이라고 불리나요?

– 의문사가 있는 경우: ❷[ ]+be동사+주어+과거분사(+by+목적격) ~?

What **is** this food **called**? 이 음식은 뭐라고 불리나요?

– 조동사 수동태 의문문: 조동사+주어+be+과거분사(+by+목적격) ~?

Must the fax **be fixed** by him? 그 팩스는 그에 의해 고쳐져야만 하나요?

Quiz

다음 문장을 괄호 안의 지시대로 바꿔 쓰시오.

(1) The pizza will be delivered by him. (부정문)

➡ _____

(2) This room was cleaned by children. (의문문)

➡ _____

개념 5 by 이외의 전치사를 쓰는 수동태

be interested ❶	~에 관심(흥미)이 있다	be made of / from	~로 만들어지다
be worried about	~에 대해 걱정하다	be filled with	~로 가득 차다
be surprised at	~에 놀라다	be covered ❷	~로 덮여 있다
be tired of	~에 싫증이 나다	be pleased with	~로 기쁘다
be known as / for / to	~로서 알려지다 / ~로 유명하다 / ~에게 알려져 있다		

This desk **is made of** wood.

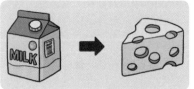

This cheese **is made from** milk.

Quiz

다음 빈칸에 공통으로 알맞은 말을 쓰시오.

- My bag is filled _____ books.
- They were pleased _____ the news.

개념 6 가정법 과거

○ 가정법 과거는 ❶[ ] 사실과 반대되거나 실현 불가능한 일을 가정할 때 쓴다. '만약 ~라면, …할 텐데.'라는 의미로 「If+주어+동사의 과거형 ~, 주어+조동사의 과거형(would/could/should/might)+동사원형 …..」의 형태로 쓴다.

If I **were** you, I **would take** a taxi. 내가 너라면, 나는 택시를 탈 텐데.

○ 가정법 과거에서 if절의 be동사는 주어의 인칭에 상관없이 ❷[ ]를 쓴다.

○ 현재 사실과 반대되거나 실현 가능성이 거의 없는 일에 대한 바람을 나타낼 때는 '~라면 좋을 텐데'라는 의미의 I wish 가정법 과거를 쓴다. 형태는 「I wish+주어+동사의 과거형 ~.」이다.

I wish you **were** here with me. 네가 여기에 나와 함께 있다면 좋을 텐데.

Quiz

다음 괄호 안의 단어를 빈칸에 알맞은 형태로 쓰시오.

I don't have any money now. If I _____ some money, I would buy that laptop. (have)

4-1 다음 우리말을 영어로 옮길 때 빈칸에 알맞은 말을 쓰시오.

이 인형은 Sue에 의해서 만들어졌니?

➡ _____ this doll _____ _____ Sue?

풀이 | 수동태의 의문문은 의문사가 없는 경우 「❶ _____ +주어+과거분사(+by+목적격) ~?」로, 의문사가 있는 경우 「❷ _____ +be동사+주어+과거분사(+by+목적격) ~?」로 쓴다.

🔲 Was / made by / ❶ Be동사 ❷ 의문사

4-2 다음 우리말을 수동태 문장으로 영작하시오.

(1) 그 꽃병은 John에 의해 깨지지 않았다.
➡ The vase _____ John.

(2) 그 창문은 제가 열어야 하나요?
➡ Should _____?

5-1 다음 빈칸에 공통으로 알맞은 것은?

· They were tired _____ hard work.
· This sweater is made _____ wool.

① by   ② of   ③ from

풀이 | '~에 싫증이 나다'라는 의미의 be ❶ _____ of와 '~로 만들어지다'라는 의미의 be ❷ _____ of에서 공통적으로 들어가는 of가 답이 된다.

🔲 ② / ❶ tired ❷ made

5-2 다음 빈칸에 들어갈 수 없는 것은?

· I am not interested _____ playing sports.
· Are you worried _____ the final term?

① about   ② in   ③ from

6-1 다음 문장의 밑줄 친 부분을 어법에 맞게 고쳐 쓰시오.

If you arrived on time, you <u>can meet</u> Joe.

➡ _____

풀이 | 현재 사실에 ❶ _____ 되는 상황을 가정할 때 가정법 과거를 쓰고, 형태는 「If+주어+동사의 과거형 ~, 주어+ ❷ _____ 의 과거형+동사원형 ....」을 쓴다.

🔲 could meet / ❶ 반대 ❷ 조동사

6-2 다음 각 문장에서 어법상 어색한 부분을 찾아 바르게 고쳐 쓰시오.

(1) I don't have a driver's license. If I know how to drive, I would travel more often.
_____ ➡ _____

(2) I can't fly in the sky. I wish I am a bird.
_____ ➡ _____

Dave is as (strong / stronger) as you.

➡ '…만큼 ~한(하게)'이라는 의미로 두 개의 대상을 서로 비교하여 정도가 ❶[　　　　] 때 「as+형용사(부사)의 ❷[　　　　]+as」로 쓴다.

🔑 strong / ❶ 같을 ❷ 원급

1 다음 그림을 보고, 빈칸에 알맞은 것을 고르면?

일본　　미국

Japan is not _____ the USA.

① as largely as　　② as small as　　③ as large as

④ as larger as　　⑤ as smaller as

Days are _____ (long) in summer than in winter. Today is the _____ (long) day of the year.

➡ '…보다 더 ~한'이라는 의미로 서로 다른 수준의 두 대상을 비교할 때는 「형용사(부사)의 비교급+❶[　　　]」을 쓴다. '…중에서 가장 ~한'이라는 의미로 세 개 이상의 비교 대상 중 상태나 성질이 가장 클 때 나타내는 표현은 「❷[　　　]+형용사(부사)의 최상급(+단수 명사)+in(of) …」을 쓴다.

🔑 longer / longest / ❶ than ❷ the

2 다음 세 문장의 의미가 같도록 할 때 빈칸에 알맞은 말이 순서대로 짝지어진 것은?

This wallet is not as expensive as that one.
= This wallet is _____ than that one.
= That wallet is _____ than this one.

① more expensive – most expensive

② more expensive – less expensive

③ less expensive – more expensive

④ less expensive – most expensive

⑤ less expensive – less expensive

$10　　　　$40

I made this song for you.
⇒ This song _____ for you by me.

➡ 능동태를 수동태로 바꿀 때, 능동태의 주어는 수동태에서 「❶[　　　]+목적격」으로, 목적어는 주어로, 동사는 「be동사+❷[　　　]」의 형태로 바꿔 쓴다.

🔑 was made / ❶ by ❷ 과거분사

3 다음 두 문장에서 어법상 어색한 부분을 두 군데 찾아 각각 바르게 고치시오.

This fish was cooking by my mom. The soup will cooked by my dad.

(1) _____ ➡ _____

(2) _____ ➡ _____

Why did he write this poem?

⇒ Why _____ this poem _____ by him?

➡ 의문사가 있는 수동태의 의문문은
「❶[   ]+be동사+주어+
❷[   ](+by+목적격) ~?」로
쓴다.

🔑 was / written / ❶ 의문사 ❷ 과거분사

4 다음 능동태 문장을 수동태 문장으로 바르게 바꾼 것은?

> When do you usually use this tablet PC?

① Is when this tablet PC usually used by you?

② When is this tablet PC usually used by you?

③ When was this tablet PC usually used by you?

④ When do this tablet PC usually used by you?

⑤ When usually was this tablet PC used by you?

My brother is always filled (with / by / in) pride.

➡ '~로 ❶[   ]'라는 의미의 수동
태 문장을 쓸 때 전치사 by 대신에
❷[   ]를 쓴다.

🔑 with / ❶ 가득 차다 ❷ with

5 다음 우리말을 영어로 옮길 때 빈칸에 알맞은 것은?

> 이 대학교는 최고의 예술 과정으로 유명하다.
> ➡ This college is _____ _____ its best art courses.

① known to   ② known by   ③ known as

④ known for   ⑤ known with

If Jenny _____ here with us, I would enjoy this party. (be)

➡ 가정법 과거는 「If+주어+동사의 과
거형 ~, 주어+❶[   ]의 과
거형(would / could / should /
might)+동사원형 .....」의 형태로 쓴
다. if절에 be동사가 올 경우 원칙적
으로 ❷[   ]를 쓴다.

🔑 were / ❶ 조동사 ❷ were

6 다음 주어진 문장을 if 가정법 과거 문장으로 바꿔 쓰시오.

> As I don't have enough time, I can't go to see a movie with you.

➡ _____

전략 1 원급, 비교급, 최상급 비교 표현을 알아둘 것!

(1)

as+형용사(부사)의 원급+as	…만큼 ~한(하게)	동등한 수준의 두 대상을 비교
형용사(부사)의 비교급+than	…보다 더 ~한	서로 ❶⬜ 수준의 두 대상을 비교
❷⬜ +형용사(부사)의 최상급(+단수 명사)+in(of)…	… 중에서 가장 ~한	셋 이상에서 상태, 성질이 가장 큼을 표현

「as +형용사(부사)의 원급+as」인 원급 비교를 할 때는 비교 대상의 격이 같아야 해!

(2) 가능한 한 ~하게: as+형용사(부사)의 원급+as possible = as+형용사(부사)의 원급+as+ 주어+can(could)

Can you come here **as** soon **as possible(you can)**? 너는 가능한 한 빨리 여기에 올 수 있니?

답 ❶다른 ❷the

필수 예제

다음 두 문장이 같은 뜻이 되도록 할 때 빈칸에 알맞은 것은?

> This question is easier than the next one.
> = This question is not as _____ as the next one.

① easy   ② easier   ③ easiest

④ difficult   ⑤ more difficult

문제 해결 전략

「형용사(부사)의 비교급+ ❶⬜ 」은 원급 비교의 부정인 「not as(so)+형용사(부사)의 ❷⬜ +as」와 바꿔 쓸 수 있다.

답 ④ / ❶than ❷원급

확인 문제

1 다음 그림에 일치하는 문장을 모두 고르면?

My dog: 12살   Jack's dog: 3살

① My dog is bigger than Jack's.

② My dog is not as big as Jack's.

③ My dog is as old as Jack's.

④ Jack's dog is younger than mine.

⑤ Jack's dog is older than mine.

2 다음 문장에서 어법상 어색한 부분을 찾아 한 단어로 바르게 고쳐 쓰시오.

(1) My bag is as big as your.

_____ ➡ _____

(2) I have to leave as early as possibly.

_____ ➡ _____

전략 2 비교급 강조 표현을 알아둘 것!

(1) 비교급 앞에 부사 **❶** [　　　], even, still, far, a lot 등을 써서 '훨씬'이라는 의미로 비교급을 강조할 수 있다.

He runs <u>much</u> **faster than** I. 그는 나보다 훨씬 더 빨리 달린다.

This book is <u>even</u> **easier than** that one. 이 책은 저 책보다 훨씬 더 쉽다.

(2) 형용사나 부사의 원급을 강조할 때는 **❷** [　　　]나 so를 쓴다.

You look <u>very</u> **tired** today. 너는 오늘 매우 피곤해 보인다.

I was <u>so</u> **angry** at him because of his lies.

나는 그의 거짓말 때문에 그에게 아주 화가 났다.

much 등의 부사는 비교급을 강조하는 것 이외에도 다양한 의미를 가지는 것에 유의해!

답 ❶ much ❷ very

필수 예제

다음 빈칸에 much가 들어갈 수 <u>없는</u> 것을 <u>2개</u> 고르면?

① Thank you very ＿＿＿＿＿.

② Can you talk ＿＿＿＿＿ faster than now?

③ She earns ＿＿＿＿＿ more money than I do.

④ This car is ＿＿＿＿＿ expensive, so I can't buy it.

⑤ Mr. Han is ＿＿＿＿＿ the kindest guy in the company.

문제 해결 전략

형용사나 부사의 **❶** [　　　] 을 강조할 때는 비교급 앞에 '훨씬'이라는 의미의 부사 much, even, still, far, a lot 등을 쓴다. 원급을 강조할 때는 '매우, 아주'라는 의미의 부사 **❷** [　　　]나 so를 쓴다.

답 ④, ⑤ / ❶ 비교급 ❷ very

확인 문제

1 다음 우리말을 영어로 바르게 옮긴 것은?

> 그 책은 내가 생각한 것보다 훨씬 더 어려웠다.

① The book was a lot difficult than I thought.

② The book was much more difficult than I thought.

③ The book was very difficult than I thought.

④ The book was still most difficult than I thought.

⑤ The book was even difficulter than I thought.

2 다음 빈칸에 들어갈 말을 〈보기〉에서 골라 쓰시오.

┌ 보기 ┐
lot   far   very
└

(1) This is ＿＿＿＿＿ delicious pasta.

(2) She played ＿＿＿＿＿ more beautifully than in the rehearsal.

전략 3 비교급, 최상급의 다양한 표현을 알아둘 것!

(1) The+비교급 ..., the+❶[____] ~. : …하면 할수록, 더 ~하다.

The more you read, **the smarter** you will be. 네가 더 많이 읽으면 읽을수록, 너는 더 똑똑해질 것이다.

(2) the+❷[____]+단수 명사(+that)+주어+have(+ever)+과거분사: (주어가) …한 중에 가장 ~한

She is **the best singer I have ever met.** 그녀는 내가 만난 중에 최고의 가수이다.

(3) one of the+최상급+복수 명사: 가장 ~한 …들 중 하나

Baseball is **one of the most popular sports** in Korea.
야구는 한국에서 가장 인기 있는 스포츠들 중의 하나이다.

> 「one of the+최상급+복수 명사」가 주어로 왔을 때 동사는 단수 동사를 써야 해!

답 ❶ 비교급 ❷ 최상급

필수 예제

다음 주어진 문장과 의미가 같은 것은?

> As you practice more, you get better at swimming.

① You practice the more, you get the better at swimmming.

② You practice the more, the better you get at swimming.

③ The more you practice, you get at swimming the better.

④ The more you practice, the better you get at swimming.

⑤ The more you practice, you get the better at swimming.

문제 해결 전략

'…하면 할수록, 더 ~하다.'라는 의미는 「❶[____]+비교급 ..., the+❷[____] ~.」으로 쓴다.

답 ④ / ❶ The ❷ 비교급

확인 문제

1 다음 밑줄 친 ①~⑤ 중 어법상 어색한 것은?

> *Star Wars* ① is one of ② the ③ most interesting ④movie that I've ⑤ seen.

①   ②   ③   ④   ⑤

2 다음 그림을 보고 괄호 안의 단어들을 대화의 빈칸에 바르게 배열하시오. (단, 필요 없는 단어 하나는 생략할 것)

A: Do you like the book?

B: Yes, it is _____

_____.

(I / ever / book / better / that / the / read / best / have)

전략 4 수동태의 시제와 형태를 알아둘 것!

(1) 주어가 어떤 일을 당하거나 어떤 행동의 대상이 되는 경우 수동태 문장을 쓴다.

수동태의 형태는 「주어+be동사+❶[   ]」(+by+목적격) ~.」이고, '~에 의해 …되다'라는 의미를 가진다.

This house **was built** by our grandparents. 이 집은 나의 조부모님에 의해 지어졌다.

These trees **were cut** by the government. 이 나무들은 정부에 의해 베어졌다.

(2) 조동사의 수동태: 주어+❷[   ]+be+과거분사(+by+목적격) ~.

The phones **should be turned off** before the movie starts.

전화기는 영화가 시작하기 전에 꺼야 한다.

> 행위자를 알 수 없거나 행위자가 일반적인 사람 또는 문맥으로 알 수 있을 때는 「by+목적격」을 생략하기도 해.

📋 ❶ 과거분사 ❷ 조동사

필수 예제

다음 그림 속 대화의 빈칸에 알맞은 것은?

Who made this cake?

This cake ____ by my brother.

문제 해결 전략

수동태의 동사는 「be동사+❶[   ]」로 나타내고, 시제는 ❷[   ]를 통해 나타낸다.

📋 ③ / ❶ 과거분사 ❷ be동사

① made ② is made ③ was made

④ were made ⑤ was making

확인 문제

1 다음 밑줄 친 부분 중 생략할 수 있는 것을 <u>모두</u> 고르면?

① He was killed at war <u>by someone</u>.

② The window was broken <u>by Frank</u>.

③ French is spoken in France <u>by people</u>.

④ This book was translated <u>by Mr. Pitt</u>.

⑤ The dinner was prepared <u>by the children</u>.

2 다음 능동태 문장을 수동태 문장으로 바꿔 쓰시오.

My friend will send a gift to me.

➡ _____

1 다음 빈칸에 알맞은 말이 순서대로 짝지어진 것은?

> • My hands are as _____ as ice.
> • Today is much _____ than yesterday.

① cold – cold   ② colder – cold

③ cold – colder   ④ coldly – coldest

⑤ cold – more colder

2 다음 중 어법상 어색한 문장을 2개 고르면?

① My hair is as long as yours.

② England is not so big as Canada.

③ Spanish is as interesting as French.

④ Curt's bicycle is not as expensive as Owen.

⑤ Jane read the comic book as fast as she can.

3 다음 밑줄 친 부분과 바꿔 쓸 수 있는 것을 모두 고르면?

> He talked <u>much</u> more quickly than I thought.

① very   ② even   ③ a lot of

④ far   ⑤ many

4 다음 우리말을 영어로 바르게 옮긴 것은?

> 우리가 더 높이 올라가면 올라갈수록, 공기는 더 신선해진다.

① Higher we go up, fresher the air becomes.

② The high we go up, the fresh the air becomes.

③ The higher we go up, the air becomes fresher.

④ We go up the higher, the air becomes the fresher.

⑤ The higher we go up, the fresher the air becomes.

5 다음 문장에서 어법상 <u>어색한</u> 부분을 찾아 바르게 고치시오.

> Seoul is one of the most beautiful city in the world.

_____ ➡ _____

6 다음 능동태 문장을 수동태 문장으로 바꿔 쓰시오.

(1) They built the bridge in 1486.

➡ _____

(2) This book can change your life.

➡ _____

전략 1 수동태의 부정문과 의문문의 형태를 알아둘 것!

(1) 수동태의 부정문

① be동사가 쓰인 경우: 주어+be동사+❶[   ]+과거분사(+by+목적격) ~.

The pets are not allowed in this park. 애완동물은 이 공원에 들어오면 안 된다.

② 조동사가 쓰인 경우: 주어+조동사+not+be+과거분사(+by+목적격) ~.

The dogs should not be brought in this shop. 개들을 이 가게 안에 데리고 와서는 안 된다.

(2) 수동태의 의문문

① 의문사가 없는 경우: Be동사+주어+과거분사(+by+목적격) ~? / 조동사+주어+be+과거분사(+by+목적격) ~?

Was this painting drawn by Picasso? 이 그림은 피카소에 의해 그려졌니?

② 의문사가 있는 경우: ❷[   ]+be동사+주어+과거분사(+by+목적격) ~?
/ 의문사+조동사+주어+be+과거분사(+by+목적격) ~?

Why was the meeting delayed? 그 모임은 왜 연기되었니?

> 조동사가 쓰인 수동태 부정문에서 not은 조동사와 be 사이에, 의문문에서 조동사는 주어 앞으로 보내!

답 ❶ not ❷ 의문사

필수 예제

다음 괄호 ①~⑤ 중 not이 들어갈 위치로 알맞은 곳은?

Knives (①) should (②) be (③) touched (④) by (⑤) children.

문제 해결 전략

be동사가 쓰인 수동태의 부정문은 not이 be동사 ❶[   ]에, 조동사가 쓰인 수동태의 부정문은 조동사와 be ❷[   ]에 쓴다.

답 ② / ❶ 뒤 ❷ 사이

확인 문제

1 다음 의문문을 수동태로 바르게 바꿔 쓴 것은?

When will he release the new album?

① When he will released the new album?

② When will be he released the new album?

③ When will the new album is released by him?

④ When will the new album be released by him?

⑤ When will be released the new album by him?

2 다음 문장에서 어법상 어색한 부분을 찾아 바르게 고쳐 문장을 다시 쓰시오.

(1) This story should be not forgotten.

➡ _____

(2) Did the monkey put in the cage by the zookeeper?

➡ _____

전략 2 수동태에서 by 이외의 전치사를 쓰는 경우를 기억할 것!

be interested in	~에 관심(흥미)이 있다		
be worried about	~에 대해 걱정하다		
be surprised ❶ ___	~에 놀라다		
be disappointed at(with)	~에 실망하다		
be based on	~에 근거하다		
be tired of	~에 싫증이 나다		
be made of / from	~로 만들어지다		
be filled with	~로 가득 차다	be covered with	~로 덮여 있다
be satisfied with	~에 만족하다	be pleased ❷ ___	~로 기쁘다
be known as / for / to	~로서 알려지다 / ~로 유명하다 / ~에게 알려져 있다		

be made of는 재료의 성질은 유지되고 형태만 변할 때 쓰고, be made from은 재료의 성질과 형태가 다 변할 때 써.

답 ❶ at ❷ with

필수 예제

다음 빈칸에 알맞은 말이 순서대로 짝지어진 것은?

• The bookshelf is filled _____ books.
• Are you interested _____ the English novel club?

① with – in
② of – with
③ with – by
④ by – from
⑤ as – in

문제 해결 전략

'~로 가득 차다'라는 의미는 be filled ❶ ___ 로, '~에 관심이 있다'라는 의미는 be interested ❷ ___ 으로 쓴다.

답 ① / ❶ with ❷ in

확인 문제

1 다음 중 밑줄 친 전치사의 쓰임이 어색한 것은?

① They're worried about injuries.
② James is known for his hard work.
③ I'm tired of eating the same soup.
④ Are you satisfied by the test results?
⑤ I was disappointed at his new movie.

2 다음 그림을 참고하여, 현재 상황을 묘사하는 문장을 완성하시오. (3단어)

➡ Look! The roof _____ snow.

전략 3 가정법 과거와 if 조건절을 구분할 것!

(1) 현재 사실과 반대되는 상황이나 실현 불가능한 일을 가정할 때 「If+주어+동사의 과거형 ~, 주어+조동사의 과거형(would/ could/should/might)+동사원형 .....」인 가정법 **❶ [   ]** 를 쓴다.

If I **knew** her phone number, I **could call** her.

내가 그녀의 전화번호를 안다면, 그녀에게 전화를 할 텐데.

(= As I don't know her phone number, I can't call her.)

나는 그녀의 전화번호를 모르기 때문에 그녀에게 전화를 할 수 없다.

> 가정법 과거의 if절에 be동사가 오는 경우 원칙적으로 were를 쓰지만, 구어체에서는 was를 쓰기도 해.

(2) if 조건절은 현재나 미래의 일을 알지 못할 때 가정하고, 가정법 과거는 실현 불가능한 일을 가정한다.

If I **win** the game, I **will be** very happy. (→ 경기에 이길지 아닐지 알지 **❷ [   ]**)

만약 내가 그 경기에 이긴다면, 나는 매우 기쁠 것이다.

If I **won** the game, I **would be** very happy. (→ 경기에 이길 가능성이 거의 없음)

만약 내가 그 경기에 이긴다면, 나는 매우 기쁠 텐데.

답 ❶ 과거 ❷ 못함

필수 예제

다음 주어진 문장을 가정법 과거로 바르게 바꾼 것은?

> As I don't have any money, I can't buy that shirt.

① If I had some money, I bought that shirt.

② If I had some money, I can buy that shirt.

③ If I had some money, I could buy that shirt.

④ If I have some money, I can buy that shirt.

⑤ If I have some money, I could buy that shirt.

문제 해결 전략

현재 사실과 **❶ [   ]** 되는 상황을 가정할 때 쓰는 가정법 과거는 「If+주어+동사의 과거형 ~, 주어+조동사의 **❷ [   ]** +동사원형 .....」의 형태로 쓴다.

답 ③ / ❶ 반대 ❷ 과거형

확인 문제

1 다음 중 어법상 <u>어색한</u> 문장은?

① If I had a dog, I would take a walk with it.

② If you won the lottery, what would you do?

③ You could answer the question if you read the book.

④ If you were not sick, I would invite you to the concert.

⑤ What would happen if the earth is flat?

2 다음 주어진 문장을 가정법 과거로 바꿀 때 빈칸에 알맞은 말을 쓰시오.

> As you are not here with me, I feel lonely.

➡ If you _____,

I _____.

전략 4 「I wish + 가정법 과거」 구문 정확히 알기!

(1) 현재 사실과 반대되는 상황이나 실현 가능성이 거의 없는 일에 대한 바람을 나타낼 때 '~라면 좋을 텐데'라는 의미로 I wish 다음에 가정법 ❶ [   ]를 쓴다.

(2) 형태: I wish+주어+동사의 ❷ [   ] ~.

> 어느 정도 가능성 있는 일에 대한 바람은 I hope로 표현하면 돼! I hope 뒤에는 현재나 미래 시제 모두 올 수 있어.

I wish I knew the answer. 내가 그 답을 알면 좋을 텐데.
(= I'm sorry (that) I don't know the answer.) 나는 그 답을 몰라서 유감이다.

답 ❶ 과거 ❷ 과거형

필수 예제

다음 빈칸에 알맞은 것은?

Bonjour!

I can't speak any French. I wish I _____ French.

① speak
② spoke
③ was spoken
④ have spoken
⑤ can speak

> **문제 해결 전략**
>
> 현재 사실과 ❶ [   ]되는 상황이나 실현 가능성이 거의 없는 일에 대한 바람을 나타낼 때 I wish 가정법 과거를 쓴다. 형태는 「I wish+주어+동사의 ❷ [   ] ~.」이다.
>
> 답 ② / ❶ 반대 ❷ 과거형

확인 문제

1 다음 주어진 문장과 의미가 같은 것은?

> I wish I had a million dollars.

① I'm sorry that I don't have a million dollars.
② I'm sorry that I didn't have a million dollars.
③ I was sorry that I had a million dollars.
④ I was sorry that I didn't have a million dollars.
⑤ I will be sorry if I don't have a million dollars.

2 다음 〈보기〉에서 알맞은 단어를 골라 빈칸에 알맞은 형태로 쓰시오. (단, 단어를 한 번씩만 쓸 것)

> ┌ 보기 ┐
> get   receive   live

(1) You live too far away. I wish you _____ near here.

(2) I hope I _____ a better grade next time.

(3) This room is too cold. I wish it _____ warmer.

2주 3일 필수 체크 전략 ❷

1 다음 문장을 아래의 지시대로 바꿔 쓰시오.

He was impressed by my letter.

(1) 부정문 ➡ ______________________

(2) 의문문 ➡ ______________________

문제 해결 전략

수동태의 부정문은 be동사 ❶ ______ 에 not을, 의문사가 없는 수동태의 의문문은 be동사를 주어 ❷ ______ 으로 보낸다.

답 ❶ 뒤 ❷ 앞

2 다음 중 어법상 어색한 문장은?

① How the table made by him?

② Was this poem written by you?

③ Who is suspected by the police?

④ This setting cannot be changed later.

⑤ This food was not cooked by my mom.

문제 해결 전략

의문사가 있는 수동태의 ❶ ______ 은 「의문사+❷ ______ +주어+과거분사(+by+목적격) ~?」의 어순으로 쓴다.

답 ❶ 의문문 ❷ be동사

3 다음 빈칸에 알맞은 말이 순서대로 짝지어진 것은?

• Wine is made ________ grapes.
• I'm really worried ________ global warming.

① at – of　② with – from

③ to – about　④ of – from

⑤ from – about

문제 해결 전략

수동태에서 행위자를 나타낼 때 주로 전치사 by를 쓰지만 다른 전치사를 쓰는 경우도 있다. '~로 만들어지다'라는 의미로 재료의 성질과 형태가 다 변할 때는 be made ❶ ______ 을 쓰고, '~에 대해 걱정하다'라는 의미는 be worried ❷ ______ 을 쓴다.

답 ❶ from ❷ about

4 다음 주어진 문장을 가정법 과거로 바꿀 때 빈칸에 알맞은 말을 쓰시오.

As it is raining, I will not go out.

➡ If _____ .

5 다음 우리말을 영어로 바르게 옮긴 것은?

만약 내가 시골에 산다면, 나는 더 행복할 텐데.

① If I live in the country, I am happier.
② If I live in the country, I would be happier.
③ If I lived in the country, I am happier.
④ If I lived in the country, I would happier.
⑤ If I lived in the country, I would be happier.

6 다음 그림을 보고, 괄호 안의 단어들을 대화의 빈칸에 알맞은 형태로 배열하시오.

A : How is Paris? Do you like it?
B : I love it! I wish _____ with me.
(be / here / you)

대표 예제 1

다음 두 문장을 한 문장으로 바꿀 때 빈칸에 알맞은 것은?

> Kay's father is 46 years old. Her mother is 43 years old.
> ➡ Kay's mother is _____ her father.

① as old as
② not as old as
③ as young as
④ not as young as
⑤ as older as

Tip

'❶ _____'이라는 의미의 원급 비교의 부정문을 쓸 때는 「not+as〔so〕+형용사〔부사〕의 ❷ _____+as」를 쓴다.

답 ❶ ~만큼 …하지 않은(않게) ❷ 원급

대표 예제 2

다음 우리말을 영어로 옮길 때 빈칸에 알맞은 것을 2개 고르면?

> 우리는 가능한 한 햇빛을 많이 쬐어야 한다.
> ➡ We need to get sunshine _____.

① as much as possible
② as many as possible
③ as more as possible
④ as much as we can
⑤ as much as you can

Tip

'가능한 한 ~하게'라는 의미는 「as+형용사〔부사〕의 원급+as ❶ _____」, 또는 「as+형용사〔부사〕의 원급+as+주어+ ❷ _____〔could〕」으로 쓸 수 있다.

답 ❶ possible ❷ can

대표 예제 3

다음 그림을 보고, 설명한 것 중 어색한 것은?

① The car is not as big as the bus.
② The plane is smaller than the bus.
③ The plane is not as small as the car.
④ The car is the smallest of the three.
⑤ The plane is the biggest of the three.

Tip

수준이 다른 두 대상을 비교할 때는 「형용사〔부사〕의 ❶ _____ +than」을 쓰고, 셋 이상 중에서 상태나 성질이 가장 클 때는 「❷ _____+형용사〔부사〕의 최상급+in〔of〕 …」을 쓴다.

답 ❶ 비교급 ❷ the

대표 예제 4

다음 빈칸에 알맞은 말이 순서대로 짝지어진 것은?

> • Ms. Gray is a _____ smart woman.
> • This hotel is _____ more expensive than that one.

① lot – much
② very – so
③ much – even
④ so – lots of
⑤ very – a lot

Tip

'훨씬'이라는 의미로 비교급을 ❶ _____할 때는 부사 much, even, still, ❷ _____, a lot 등을 쓴다.

답 ❶ 강조 ❷ far

대표 예제 5

다음 주어진 문장과 의미가 같은 것은?

> As you have more, you should help the others more.

① More you have, more you should help the others.

② The more as you have, the more you should help the others.

③ The more you have, you should help the others more.

④ The more you have, the more you should help the others.

⑤ The most you have, the most you should help the others.

Tip

'…하면 ❶ [   ], 더 ~하다.'라는 의미는 「The+비교급 …., ❷ [   ]+비교급 ~.」으로 쓴다.

🔑 ❶ 할수록 ❷ the

대표 예제 6

다음 문장에서 어법상 <u>어색한</u> 부분을 고쳐 문장을 다시 쓰시오.

> Jessie is one of the kindest student I've ever met.

➡ _____

Tip

'가장 ~한 …들 중 ❶ [   ]'라는 의미는 「one of the+최상급+❷ [   ] 명사」로 쓴다.

🔑 ❶ 하나 ❷ 복수

대표 예제 7

다음 그림을 보고, 대화의 빈칸에 알맞은 말을 고르면?

Who wrote the *Twilight* series?

They _____ by Stephenie Meyer.

① wrote   ② are written

③ are writing   ④ were writing

⑤ were written

Tip

수동태는 주어가 어떤 동작을 당하거나 행위의 ❶ [   ]이 될 때 쓴다. 형태는 「주어+be동사+❷ [   ](+by+목적격) ~.」로 쓴다.

🔑 ❶ 대상 ❷ 과거분사

대표 예제 8

다음 괄호 안에서 알맞은 것을 골라 순서대로 짝지은 것은?

> • Jack (sent / was sent) a gift to me.
> • The flowers (planted / were planted) by my mom.
> • I (followed / was followed) by a dog.

① sent – planted – was followed

② sent – were planted – followed

③ sent – were planted – was followed

④ was sent – planted – was followed

⑤ was sent – were planted – was followed

Tip

주어가 동사의 행위를 직접 할 때는 ❶ [   ] 문장을 쓰고, 주어가 동사의 행위를 당할 때는 ❷ [   ] 문장을 쓴다.

🔑 ❶ 능동태 ❷ 수동태

대표 예제 9

다음 밑줄 친 부분을 생략할 수 있는 것을 2개 고르면?

① My wallet was found <u>by Jill</u>.

② The door was broken <u>by someone</u>.

③ This film was created <u>by my friend</u>.

④ This car can be driven <u>by electricity</u>.

⑤ The traffic rules should be kept <u>by everyone</u>.

Tip

수동태에서 행위자는 「by+목적격」으로 나타낸다. 그러나 행위자가 ❶ [   ] 사람이거나 정확히 알 수 없는 경우 「by+목적격」을 ❷ [   ] 하기도 한다.

답 ❶ 일반적인 ❷ 생략

대표 예제 10

다음 능동태 문장을 수동태 문장으로 바르게 바꾼 것은?

> Can the ants kill the elephants?

① Be the elephants killed by the ants?

② Can the elephants be killed by the ants?

③ Can be the elephants killed by the ants?

④ Can the ants be killed by the elephants?

⑤ Are the elephants can be killed by the ants?

Tip

조동사를 포함한 수동태의 긍정문은 「주어+❶[   ]+be+과거분사(+by+목적격) ~.」의 형태로 쓰며, 부정문은 not을 조동사와 be 사이에, 의문사가 없는 의문문은 조동사를 문장의 맨 ❷[   ]에 둔다.

답 ❶ 조동사 ❷ 앞

대표 예제 11

다음 중 어법상 어색한 문장은?

① The song was not loved by the public.

② Were these paintings drawn by you?

③ What this thing is called in English?

④ That bottle was not recycled.

⑤ Should the car be fixed by me?

Tip

수동태의 부정문은 be동사 ❶[   ]에 not을, 의문문은 be동사를 주어 ❷[   ]으로 보낸다. 의문사가 있는 의문문은 의문사를 문장의 맨 ❸[   ]으로 보낸다.

답 ❶ 뒤 ❷ 앞 ❸ 앞

대표 예제 12

다음 중 빈칸에 들어갈 전치사가 나머지와 다른 하나는?

① We're pleased _____ her victory.

② I'm satisfied _____ today's dinner.

③ The bottle is filled _____ fresh water.

④ I'm tired _____ eating the same food all the time.

⑤ The desk was covered _____ dust.

Tip

수동태에서 by 이외에 다른 전치사를 쓸 수 있다. '~로 기쁘다'는 be pleased with로, '~에 만족하다'는 be satisfied with로, '~로 가득 차다'는 be filled ❶[   ]로, '~로 덮여 있다'는 be covered with로, '~에 싫증이 나다'는 be tired ❷[   ]로 쓴다.

답 ❶ with ❷ of

대표 예제 13

다음 빈칸에 알맞은 말이 순서대로 짝지어진 것은?

• London is known _____ Big Ben.
• This song is not well known _____ the fans of this musician.
• Mr. Tang is known _____ a rich man.

① to – by – as
② for – to – as
③ by – to – as
④ as – for – to
⑤ for – to – by

Tip

be known은 의미에 따라 다양한 전치사와 함께 쓸 수 있다. '~로 유명하다'는 be known ❶ [　　] 로, '~에게 알려져 있다'는 be known ❷ [　　] 로, '~로서 알려지다'는 be known as로 각각 표현한다.

圄 ❶for ❷to

대표 예제 14

다음 그림을 보고, 괄호 안의 단어를 이용하여 대화의 빈칸에 알맞은 말을 쓰시오. (4단어)

A: Can you help me now?
B: I want to, but I can't. I have to leave now. If _____, I could help you. (busy)

Tip

가정법 과거는 현재 사실과 ❶ [　　] 되는 상황을 가정할 때 쓰고, 형태는 「If+주어+동사의 ❷ [　　] ~, 주어+조동사의 과거형+동사원형 ....」이다.

圄 ❶반대 ❷과거형

대표 예제 15

다음 빈칸에 알맞은 말이 순서대로 짝지어진 것은?

That's not a good hotel. If I _____ you, I _____ there.

① was – will stay
② am – would stay
③ am – wouldn't stay
④ were – won't stay
⑤ were – wouldn't stay

Tip

가정법 과거는 현재 사실과 반대되는 상황이나 실현 ❶ [　　] 한 일을 가정한다. 가정법에서 if절에 be동사가 올 경우 be동사는 원칙적으로 ❷ [　　] 를 쓴다.

圄 ❶불가능 ❷were

대표 예제 16

다음 괄호 안의 동사를 빈칸에 알맞은 형태로 쓰시오.

(1) It's very hot, and I hate this weather. I wish it _____ not hot. (be)

(2) I need to call Hana, but I don't know her phone number. I wish I _____ her phone number. (know)

Tip

현재 실현 가능성이 거의 없는 일에 대한 바람을 나타낼 때 I wish 가정법 ❶ [　　] 를 쓴다. 이때 I wish 이하 절의 동사는 ❷ [　　] 으로 써야 한다.

圄 ❶과거 ❷과거형

1 다음 빈칸에 알맞은 것을 <u>모두</u> 고르면?

> Today is as _____ as yesterday.

① cold ② colder ③ best

④ hot ⑤ hotter

> **Tip**
>
> 두 개의 대상을 서로 비교하여 정도가 같을 때, 「**❶**_____」+형용사〔부사〕의 「**❷**_____」+as」를 쓴다.
>
> 目 **❶** as **❷** 원급

서술형

2 다음 그림을 보고, 괄호 안의 단어를 이용하여 크기를 비교하는 문장을 완성하시오.

〈solar system〉

Venus   Earth   Jupiter

(1) Venus is _____ the Earth. (small)

(2) Jupiter is _____ planet in our solar system. (big)

> **Tip**
>
> 다른 수준의 두 대상을 비교할 때는 「비교급+**❶**_____」을, 세 개 이상의 비교 대상 중 상태나 성질이 가장 클 때는 「**❷**_____+최상급(+단수 명사)+in〔of〕...」을 쓴다.
>
> 目 **❶** than **❷** the

3 다음 밑줄 친 부분을 강조하기 위해 쓸 수 <u>없는</u> 것은?

> This room is <u>darker</u> than that room.

① even ② much ③ very

④ far ⑤ a lot

> **Tip**
>
> '훨씬'이라는 의미로 비교급을 강조할 때는 부사 much, even, still, **❶**_____, a lot 등을, 형용사나 부사의 원급을 강조할 때는 **❷**_____나 so를 주로 쓴다.
>
> 目 **❶** far **❷** very

4 다음 우리말을 영어로 바르게 옮긴 것은?

> 그것은 내가 본 가장 지겨운 영화들 중 하나이다.

① It is the most boring film I've ever seen.

② It is one of the boring films I've ever seen.

③ It is one of the most boring film I've ever seen.

④ It is one of the most boring films I've ever seen.

⑤ It is one of most boring films I've ever seen.

> **Tip**
>
> '가장 ~한 …들 중 하나'라는 의미는 「**❶**_____ of the+최상급+**❷**_____ 명사」로 쓴다.
>
> 目 **❶** one **❷** 복수

5 다음 능동태를 수동태로 바꾼 것 중 <u>어색한</u> 문장은?

① Kevin took this picture.

⇒ This picture was taken by Kevin.

② People use silver for making spoons.

⇒ Silver is used for making spoons.

③ Columbus discovered America.

⇒ America was discovered by Columbus.

④ Somebody stole my camera in the hotel.

⇒ My camera was stole in the hotel.

⑤ Sara sent the letter to the wrong address.

⇒ The letter was sent to the wrong address by Sara.

Tip

주어가 어떤 일을 당하거나 행동의 대상이 될 때 수동태를 쓰고, 형태는 「주어+be동사+❶[　　　](+by+목적격) ~.」를 쓴다. 이때, 행위자를 알 수 없거나 일반적인 사람을 나타낼 때 「by+목적격」을 ❷[　　　]하기도 한다.

🔑 ❶과거분사 ❷생략

서술형

6 다음 능동태 문장을 수동태 문장으로 바꿔 쓰시오.

Penny will not invite Sam to the party.
➡ Sam _____.

Tip

조동사를 포함한 문장의 수동태 부정문은 「주어+조동사+❶[　　　]+❷[　　　]+과거분사(+by+목적격) ~.」로 쓴다.

🔑 ❶not ❷be

7 다음 중 어법상 어색한 문장은?

① Where can this computer be fixed?

② Why he was taken to the hospital?

③ Can this chair be moved to my room?

④ The work must be done by tomorrow.

⑤ The snacks are not allowed in the theater.

Tip

의문사가 있는 수동태의 의문문은 ❶[　　　]를 문장 맨 앞으로 보내고, ❷[　　　]를 주어 앞으로 보낸다.

🔑 ❶의문사 ❷be동사

8 다음 빈칸에 알맞은 말이 순서대로 짝지어진 것은?

• Her eyes were filled _____ tears.
• She's never surprised _____ anything.

① of – with　　② in – at　　③ with – at

④ from – at　　⑤ with – of

Tip

수동태 문장에서는 by 이외의 다양한 전치사를 쓰기도 한다. '~로 ❶[　　　]'는 be filled with로, '~에 놀라다'는 be surprised ❷[　　　]으로 쓴다.

🔑 ❶가득 차다 ❷at

9 다음 주어진 문장과 의미가 같은 것은?

As you don't live here, I can't see you often.

① If you live here, I can see you often.

② If you live here, I could see you often.

③ If you lived here, I can see you often.

④ If you lived here, I could see you often.

⑤ If you lived here, I could saw you often.

Tip

현재 사실과 ❶[　　　]되거나 실현 불가능한 일을 가정할 때 가정법 과거를 쓴다. 형태는 「If+주어+동사의 과거형 ~, 주어+조동사의 ❷[　　　]+동사원형 ....」으로 쓴다.

🔑 ❶반대 ❷과거형

서술형

10 다음 그림을 보고, 괄호 안의 단어들을 이용하여 대화를 완성하시오.

A: I can't believe it's still Wednesday.
B: Yeah, I wish _____. (be, Friday)

Tip

현재 사실과 반대되거나 실현 가능성이 거의 ❶[　　　] 일에 대한 바람을 나타낼 때 I wish 가정법 과거를 쓴다. 형태는 「I wish+주어+동사의 ❷[　　　] ~.」을 쓴다.

🔑 ❶없는 ❷과거형

1 다음 빈칸에 알맞은 말이 순서대로 짝지어진 것은?

> • I can play the piano as _____ as you can.
> • Tom sings _____ than Jessie.

① good – better ② well – good

③ good – well ④ well – better

⑤ best – better

2 다음 그림을 보고, fast를 이용하여 비교하는 문장이 되도록 각각 빈칸을 채우시오.

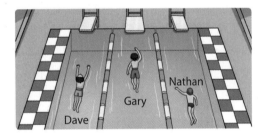

(1) Dave is _____ _____ Nathan.

(2) Gary is _____ _____ of the three.

3 다음 우리말을 영어로 바르게 옮긴 것은?

> 당신은 나이가 들면 들수록, 더 현명해진다.

① The old you get, the wise you become.

② The older you get, the wiser you become.

③ The older you got, the wiser you became.

④ You get the older, you become the wiser.

⑤ The wiser you get, the older you become.

4 다음 밑줄 친 far의 쓰임이 나머지와 다른 하나는?

① Mary lives <u>far</u> from the school.

② Mr. Jones is <u>far</u> older than my dad.

③ Russian is <u>far</u> more difficult than English.

④ Is my cooking <u>far</u> worse than her cooking?

⑤ Taking a bus is <u>far</u> cheaper than taking a taxi.

5 다음 빈칸에 알맞은 말이 순서대로 짝지어진 것은?

> *Hangeul* _____ in 1443. King Sejong _____ it to help people to read and write. Before its invention, Chinese characters _____ by Koreans.

① is invented – invented – was used

② is invented – was invented – were used

③ was invented – invents – was used

④ was invented – invented – is used

⑤ was invented – invented – were used

6 다음 문장을 의문문으로 바르게 바꾼 것은?

> The roof was damaged by the storm.

① Be the roof damaged by the storm?
② Was damaged the roof by the storm?
③ Was the roof damaged by the storm?
④ Were the roof damaged by the storm?
⑤ Did the roof be damaged by the storm?

7 다음 빈칸에 들어갈 말이 같은 것끼리 바르게 고른 것은?

> ⓐ This film was made _____ our school movie club.
> ⓑ I am tired _____ waiting in line.
> ⓒ The chairs in my house are made _____ oak trees.
> ⓓ She's not interested _____ any sports.

① ⓐ, ⓑ   ② ⓐ, ⓒ   ③ ⓐ, ⓑ, ⓓ
④ ⓑ, ⓒ   ⑤ ⓑ, ⓒ, ⓓ

8 다음 우리말과 의미가 통하는 문장을 2개 고르면?

> 만약 내가 키가 크다면, 농구를 잘할 수 있을 텐데.

① As I'm tall, I can play basketball well.
② As I'm not tall, I can't play basketball well.
③ If I were tall, I can play basketball well.
④ If I were tall, I could play basketball well.
⑤ If I were tall, I couldn't play basketball well.

9 다음 중 어법상 어색한 문장은?

① We don't have a car. If we had a car, we could travel more.
② I don't know the truth. I would tell you if I knew the truth.
③ I live in a city. If I lived in the coutryside, I would raise a dog.
④ It's sunny now. If it snowed, I could make a snowman.
⑤ What will you do if you were in my position?

서술형

10 다음 그림을 보고, 말풍선 안에 이루지 못한 소망을 나타내는 표현을 쓰시오.

_____
_____ _____ a better fisherman.

창의·융합·코딩 전략 ❶

1 다음 그림과 표를 보고, 괄호 안의 단어를 이용하여 세 사람을 비교하는 문장을 완성하시오.

	Chris	Mona	Ben
Height(cm)	175	160	165
Weight(kg)	60	45	70
Age	16	14	14

(1) Ben is _____ Chris. Mona is _____ of the three. (small)

(2) Chris is _____ Mona. Ben is _____ of the three. (heavy)

(3) Ben is _____ Mona. Chris is _____ of the three. (old)

2 다음 대화의 흐름에 맞도록 괄호 안의 단어들을 순서대로 배열하여 휴대 전화 메시지를 완성하시오. (단, 각각 필요 없는 단어 하나는 생략할 것)

How was the Ariana Grande concert? — Sue

It was (1) _____ to. (I / best / the / ever / concert / have / good / been) — Lily

That sounds nice! — Sue

I think she is (2) _____ I've ever seen. (the / people / one / most / of / person / talented) — Lily

I agree. The more I hear her sing, (3) _____. (more / her / I / most / like / the) — Sue

3 다음 인물들에 관한 정보와 힌트를 읽고, 아래의 표를 완성하시오.

┌─ Information ─┐
- Their ages are 25, 35, 40, 50.
- Their jobs are a vet, teacher, writer and pro-gamer.
- Their annual incomes are $1 million, $1.5 million, $2 million, and $3 million.

| HINT 1 | The pro-gamer earns the most. |

| HINT 2 | Molly is twice as old as Alex. |

| HINT 3 | The youngest earns the second highest salary. |

| HINT 4 | Junho is younger than Julia. |

| HINT 5 | The person who earns the least is the teacher. |

Name	Age	Job	Income ($)
Alex		writer	
Julia			3 million
Junho			
Molly			1 million

4 다음 A, B, C에서 각각 알맞은 단어를 고른 후, 〈보기〉와 같이 문장을 완성하시오.

A	B	C
Shakespeare	paint	Mona Lisa
King Sejong	write	the Statue of Liberty
Leonardo da Vinci	make	Romeo and Juliet
a French man	invent	Hangeul

┌─ 보기 ─┐
The Statue of Liberty was made by a French man.

(1) Mona Lisa _____

_____ .

(2) Romeo and Juliet _____

_____ .

(3) Hangeul _____

_____ .

┌ Tip ┐
배수사가 있는 원급 비교는 「❶ [　　　]+as+형용사(부사)의 원급+❷ [　　　]」로 쓴다.

[目] ❶ 배수사 ❷ as

┌ Tip ┐
수동태의 과거 시제는 「주어+be동사의 ❶ [　　　]+❷ [　　　](+by+목적격) ~.」이고 '~에 의해 …되었다'라는 의미이다.

[目] ❶ 과거형 ❷ 과거분사

5 다음은 A와 B 두 사람이 영화를 보고 나서 나눈 대화이다. 지시에 따라 빈칸을 채워 대화를 완성하시오.

Step 1 주어진 단어를 〈보기〉와 같이 수동태 구문으로 바꾸어 쓰시오.

> ┌ 보기 ┐
> interest ➡ be interested in

· disappoint ➡ _____

· base ➡ _____

· satisfy ➡ _____

Step 2 Step 1에서 바꾼 표현들을 이용하여 대화를 완성하시오.

> A: How was the movie?
> B: Great! I love the director. I am (1) _____ his movies all the time. How about you?
> A: I like his movies too, but I was (2) _____ this one.
> B: Oh, why?
> A: It was (3) _____ a true story, but was not that exciting.
> B: I see. For me, it was one of the best movies I've ever seen.

6 다음 포스터를 보고, 행사를 소개하는 글을 완성하시오.

International Winter Sea Penguin Swimming Festival

When: 10:00 a.m., January 1
Where: Jungmun Saekdal Beach in Jeju
Things to bring: a swimsuit and towel
How: Download the application and send it through e-mail(pengswim@geegle.com).

Hosted by Seogwipo City

Sign up for the winter sea swimming festival!

  The International Winter Sea Penguin Swimming Festival (1) _____ (will hold) on January 1, at the Jungmun Saekdal Beach in Jeju. The festival (2) _____ (hold) every year and (3) _____ (host) by Seogwipo City. It'll start at 10 a.m. and the participants should bring their own swimsuit and towel. You can download the application on the website. The application (4) _____ (can send) through e-mail (pengswim@geegle.com). Swim in the winter sea and have fun!

7 다음의 Mike와 John의 휴대 전화 메시지를 보고, 어법상 <u>어색한</u> 부분을 한 군데 찾아 쓰고, 바르게 고치시오.

Mike: I don't like my club members.

John: What makes you say that?

Mike: The people there are really negative.

John: Hmm .... If I were you, I'll stop going to the club.

Mike: Yeah, I will.

_____ ➡ _____

8 다음 그림의 상황에 맞게 괄호 안의 어구를 이용하여 말풍선 안에 알맞은 말을 쓰시오.

(1)

If I were you, _____.

(bring this umbrella)

(2)

If we _____, we _____.

(have a key, enter the house)

(3)

If it _____, I _____.

(be cheaper, buy it)

1 다음 〈보기〉에서 알맞은 말을 골라 영화 후기를 완성하시오. (단, who는 두 번 이용할 것)

┌ 보기 ┐

who   which   what   but also   if   although

📹 MOVIE BLOG ♡ ♡ ♡

Yesterday, I watched a sci-fi movie ❶ _____ my sister recommended. The movie is about a man ❷ _____ gets left alone on Mars. ❸ _____ he is in big trouble, he never gives up. To survive on Mars, he grows potatoes and makes water. In the end, he returns to the earth safely. ❹ _____ impressed me most in the movie was his courage. I believe this is a good movie not only for space travel fans ❺ _____ for anyone ❻ _____ is looking for a unique and exciting story.

↳ (ID) superhero22: It sounds like a great movie. I wonder ❼ _____ it is possible to grow potatoes on Mars!

 43   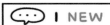 I NEW

2 다음 만화를 읽고, 우리말에 맞게 대화를 완성하시오.

1

Suho: Mina, I thought you went to the club meeting.

Mina: Well, the meeting ❶ _____ . (cancel) What are you studying? Math?

2

Suho: Yes, I have a math test next Friday. My teacher said that the test will be ❷ _____ (hard) the last one.

#3

Mina: Aren't you good at math?

Suho: Not really. My math grades are ❸ (very / much) lower than other subjects. I'm never ❹ _____ (satisfy) my math grades.

4

Suho: I really hate math. If I ❺ (have / had) a time machine, I would fly to next Saturday and skip the test.

신유형·신경향·서술형 전략

1
다음 그림을 보고, 〈조건〉에 맞게 Jean의 가족을 소개하는 글을 완성하시오.

> I'd like to introduce my family to you. The man (1) _____ (stand) behind the sofa is my dad. He is an engineer. The woman (2) _____ (sit) next to me is my mom. She is a teacher. The cat (3) _____ (lie) on the floor is our pet Nabi. It is three years old. I'm very happy to be with my family.

┤ 조건 ├
• 관계대명사를 이용할 것   • 괄호 안의 동사를 이용할 것
• 현재진행형으로 쓸 것

Tip

주격 관계대명사는 두 절을 연결하면서, 수식하는 절의 ❶[ ]를 대신하는 대명사 역할을 한다. 선행사가 사람이면 who, 사물이나 동물이면 which, 선행사에 관계없이 ❷[ ]을 쓴다.

🗒 ❶ 주어 ❷ that

2
다음 그림을 보고, 빈칸에 알맞은 접속사를 써서 문장을 완성하시오.

(1)

A: Where is the sugar?
B: I think _____ it's on the shelf.

(2)

I wonder _____ it will be sunny tomorrow.

Tip

명사절은 문장에서 주어, ❶[ ], 보어 역할을 하고, that, ❷[ ], whether 등과 같은 접속사들이 명사절을 이끈다.

🗒 ❶ 목적어 ❷ if

70 BOOK 2

>> 정답과 해설 47쪽

3 다음은 Sarah의 지난 주말 일과를 순서대로 나타낸 그림이다. 그림을 참고하여 알맞은 접속사를 〈보기〉에서 골라 Sarah의 일기를 완성하시오. (단, 〈보기〉의 단어를 한 번씩 다 쓸 것)

Tip

부사절 접속사는 절과 절을 연결하며, 시간, 이유, 조건, 양보 등 다양한 의미를 가진다. 부사절은 문장에서 ❶ ☐ 역할을 하며, ❷ ☐ 의 앞이나 뒤, 모두 올 수 있다.

🔖 ❶ 부사 ❷ 주절

┌ 보기 ┐

since   while   because   although   before   after

Sunny, July 7, 2022

Today, I went to the aquarium. (1) _____ I visited there, I had to buy a ticket. I bought it online (2) _____ it was cheaper. (3) _____ I was looking around there, I came across my friend Jane. (4) _____ last year, we haven't seen each other, so I felt very happy. (5) _____ we watched a dolphin show, we went out and had dinner together. (6) _____ we haven't met each other for a long time, I still felt close to her.

4 다음은 Tim과 Lily를 인터뷰한 내용이다. 이를 바탕으로 〈보기〉의 표현을 이용하여 빈칸을 채워 문장을 완성하시오. (단, 〈보기〉의 표현을 한 번씩 다 이용할 것)

Tip

상관접속사는 단어와 단어, 구와 구를 동등한 수준으로 연결시켜 준다. 'A와 B 둘 다'는 「❶ ☐ A and B」로, 'A와 B 둘 다 아닌'은 「neither A nor B」로, 'A가 아니라 B'는 「not A ❷ ☐ B」로 쓴다.

🔖 ❶ both ❷ but

	Tim	Lily
Q: How old are you?	15	15
Q: Do you wear glasses?	No.	No.
Q: Are you interested in sports?	No.	Yes.

┌ 보기 ┐

not A but B   both A and B   neither A nor B

(1) _____ are 15 years old.

(2) _____ wears glasses.

(3) _____ is interested in sports.

5 다음 메뉴판을 보고, 괄호 안의 단어를 이용하여 가격을 비교하는 문장을 완성하시오.

MENU

Chicken Sandwich	$4.00
Bulgogi Sandwich	$4.00
Tuna Salad	$3.00
Coke	$2.00
Set *A*	$6.00
= Chicken Sandwich+Tuna Salad	
Set *B*	$5.00
= *Bulgogi* Sandwich+Coke	

(1) The chicken sandwich is _____ _____ _____ the *bulgogi* sandwich. (expensive)

(2) Set *A* is _____ _____ _____ Set *B*. (expensive)

(3) Coke is _____ _____ on the menu. (cheap)

6 다음 능동태 문장을 수동태 문장으로 바꾼 학생들 중 <u>잘못</u> 바꾼 학생의 이름을 쓰고 문장을 바르게 고쳐 쓰시오.

Paul	We cleaned our dad's car. ➡ Our dad's car was cleaned by us.
Amy	Bees can sting you. ➡ You can be stung by bees.
Max	Did you write this story? ➡ Was this story written by you?
Stacy	When did he send this letter? ➡ When was sent this letter by him?
Kevin	She did not take the picture. ➡ The picture was not taken by her.

(1) 문장을 잘못 바꾼 학생: _____

(2) 바르게 고친 문장:

➡ _____

7 다음은 소라가 파리 여행을 가서 여행 가이드의 설명을 듣고 자신의 느낀 점을 일기에 정리한 글이다. 〈보기〉에서 알맞은 단어를 골라 빈칸에 어법에 맞게 고쳐 쓰시오. (단, 시제는 과거형으로 쓸 것)

┌ 보기 ┐
name   criticize   build   introduce

August 12
The trip to Paris was fantastic, especially the Eiffel Tower. It (1) _____ in 1889. It (2) _____ after the architect Gustav Eiffel. When it (3) _____ at first, some people (4) _____ it. Because they thought it was an ugly iron beast. Everybody loves it now. I think the Eiffel Tower is one of the greatest towers in the world.

Tip

주어가 행위를 당하거나 어떤 행동의 대상이 될 때 ❶ _____ 를 쓴다. 형태는 「주어＋be동사＋❷ _____」(＋by ＋목적격) ～.」의 형태로 쓴다. 반면 주어가 능동적으로 행위를 할 때는 능동태로 쓴다.

❶ 수동태 ❷ 과거분사

8 다음 각 그림을 참고하여, 상황을 나타내는 문장을 보고 가정법 과거로 바꿔 쓰시오.

(1)

As you don't exercise, you are not healthy.

➡ _____

(2)

As this soup is too salty, it doesn't taste good.

➡ _____

(3)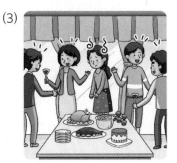

As I don't know people here, I feel lonely.

➡ I wish _____ .

Tip

현재 사실과 반대되는 상황이나 실현 불가능한 일을 가정할 때 가정법 과거를 쓴다. 형태는 「If＋주어＋동사의 과거형 ～, 주어＋조동사의 과거형＋❶ _____ ....」으로 쓴다. 실현 가능성이 거의 없는 일에 대한 바람을 나타낼 때 I wish 가정법 과거를 쓰고, 「I wish＋주어＋동사의 ❷ _____ ～.」으로 쓴다.

❶ 동사원형 ❷ 과거형

적중 예상 전략 | ①

1 다음 빈칸에 알맞은 말이 순서대로 짝지어진 것은?

> • I have a friend _____ lives in Canada.
> • Is this the doll _____ your cousin gave to you?

① who – whom   ② that – who

③ which – that   ④ who – which

⑤ whom – which

2 다음 중 빈칸에 알맞은 것은?

> The doctors and nurses _____ in this hospital are very kind.

① that works   ② who work

③ which works   ④ what work

⑤ work

3 다음 밑줄 친 that 중 생략할 수 없는 것은?

① Is this the watch that you were looking for?

② Everything that he said was a lie.

③ The dress that Sera is wearing looks nice.

④ We stayed at the hotel that we've always visited.

⑤ I like the people that are positive and bright.

4 다음 중 밑줄 친 that의 쓰임이 나머지와 다른 하나는?

① Juho can't find his bag that he lost in the subway.

② The girl that I met yesterday is from Mexico.

③ Look at the cake that Jake made!

④ I knew that he spread the rumors.

⑤ Is this the university that your parents graduated from?

5 다음 두 문장을 한 문장으로 바르게 바꾼 것을 모두 고르면?

> That is the man. I saw him in the bus.

① That is the man I saw in the bus.

② That is the man that I saw in the bus.

③ That is the man whom I saw in the bus.

④ That is the man which I saw in the bus.

⑤ That is the man who I saw him in the bus.

6 다음 빈칸에 들어갈 말이 나머지와 <u>다른</u> 하나는? (단, 대·소문자 무시)

① This is exactly _____ I want.

② Did you understand _____ she said?

③ I wonder _____ Kate will come or not.

④ We don't know _____ his name is.

⑤ _____ you need to do is to exercise more.

7 다음 빈칸에 what을 쓸 수 <u>없는</u> 것은? (단, 대·소문자 무시)

① _____ I really need is time.

② _____ he said to me is a secret.

③ Do you know _____ this word means?

④ Is that _____ you were looking for?

⑤ _____ she won the prize is surprising.

8 다음 중 밑줄 친 if(If)의 의미가 나머지와 <u>다른</u> 하나는?

① If it rains tomorrow, I will stay home.

② You can go home if you finish your work.

③ I don't know if she will come back home.

④ I will go on a picnic if the weather is nice.

⑤ If you sleep in class, your teacher will be angry.

9 다음 두 문장을 한 문장으로 바르게 바꾼 것을 <u>2개</u> 고르면?

> My sister has breakfast. And then she brushes her teeth.

① My sister brushes her teeth when she has breakfast.

② My sister has breakfast after she brushes her teeth.

③ My sister brushes her teeth after she has breakfast.

④ My sister has breakfast before she brushes her teeth.

⑤ My sister has breakfast while she brushes her teeth.

10 다음 밑줄 친 when(When)의 쓰임이 나머지와 <u>다른</u> 하나는?

① <u>When</u> you arrive home, please call me.

② They were surprised <u>when</u> they heard the news.

③ I'll be there for you <u>when</u> you need me.

④ <u>When</u> he makes a speech, he can't control his voice.

⑤ I want to know <u>when</u> his birthday is.

11 다음 빈칸에 공통으로 알맞은 것은?

> • _____ we were hungry, we ordered some food.
> • I have lived in Incheon _____ I was ten years old.

① After〔after〕
② As〔as〕
③ If〔if〕
④ Since〔since〕
⑤ Because〔because〕

12 다음 우리말을 영어로 바르게 옮긴 것을 2개 고르면?

> 만약 내일 눈이 오지 않으면, 우리는 만날 것이다.

① If it won't snow tomorrow, we will meet.
② If it doesn't snow tomorrow, we will meet.
③ Unless it snows tomorrow, we will meet.
④ Unless it will snow tomorrow, we will meet.
⑤ Unless it doesn't snow tomorrow, we will meet.

13 다음 빈칸에 알맞은 것은?

> _____ has to clean the house.

① Either Jane or I
② Both you and Kate
③ Either you or Jane
④ Neither you nor I
⑤ Both Owen and Jean

14 다음 빈칸에 알맞은 말이 순서대로 짝지어진 것은?

> • _____ she ran hard, she couldn't catch the bus.
> • We enjoyed the movie _____ the silly story.
> • _____ the noise from upstairs, I couldn't sleep at all.

① Despite – although – Because
② Despite – because – Because of
③ Although – despite – Because
④ Although – despite – Because of
⑤ Although – although – Because of

15 다음 중 빈칸에 들어갈 수 없는 것은?

> • He is good at not _____ baseball _____ also basketball.
> • I've known _____ Jamie and Chris for more than 10 years.
> • Neither he _____ his father can speak Korean.

① or
② nor
③ only
④ but
⑤ both

16 다음 문장에서 어법상 <u>어색한</u> 부분을 찾아 바르게 고쳐 쓰시오.

(1) The man who are wearing blue pants is a pilot.

_____ ➡ _____

(2) Can you tell me that you did during the spring break?

_____ ➡ _____

서술형

17 다음 두 문장을 관계대명사를 이용하여 한 문장으로 바꾸어 쓰시오.

(1) I know the girl. She is very smart.

➡ _____

(2) Where is the painting? John gave the painting to me.

➡ _____

서술형

18 다음 그림 속 상황과 일치하도록 대화의 빈칸을 완성하시오.

A: Mom, do you know _____
_____?
B: They are on the table!

서술형

19 다음 그림을 보고, 아래 글의 빈칸에 알맞은 접속사를 각각 쓰시오.

Jimin got up at seven thirty. She went to school _____ she had breakfast. _____ she played computer games, she did her homework.

서술형

20 다음 두 문장을 한 문장으로 바꿀 때 빈칸에 알맞은 말을 쓰시오.

Jina can't play tennis. Minho can't play tennis, either.

➡ _____ Jina _____ Minho can play tennis.

1 다음 그림과 일치하도록 할 때 빈칸에 알맞은 것은?

세진
165cm

재민
165cm

Sejin is _____ Jaemin.

① tall ② tall as ③ as tall as
④ taller than ⑤ not as tall as

2 다음 〈보기〉의 문장과 의미가 같은 것은?

┌ 보기 ┐
Money is not as important as health.

① Health is as important as money.
② Health is more important than money.
③ Money is more important than health.
④ Health is importanter than money.
⑤ Money is much important than health.

3 다음 밑줄 친 much의 의미가 다른 하나는?
① Do you have much bigger pants?
② You look much happier than yesterday.
③ Your English gets much better as you practice more.
④ You can eat as much as you want.
⑤ The car was much more expensive than I thought.

4 다음 그림을 보고, 잘못 설명한 문장은?

3kg   1kg   1kg

Paul   Sam   Lily

① Sam's bag is as heavy as Lily's.
② Lily's bag is not as big as Paul's.
③ Lily's bag is lighter than Sam's.
④ Paul's bag is heavier than Lily's.
⑤ Paul's bag is the biggest of the three.

5 다음 중 어법상 옳은 것을 바르게 고른 것은?

ⓐ Baseball is very more popular than volleyball in Korea.
ⓑ What is the longest river in the world?
ⓒ Taeho is one of the funniest student in our class.
ⓓ Please call me as quickly as possible.

① ⓐ, ⓑ ② ⓐ, ⓒ ③ ⓐ, ⓑ, ⓓ
④ ⓑ, ⓒ ⑤ ⓑ, ⓓ

6 다음 우리말을 영어로 바르게 옮긴 것을 <u>2개</u> 고르면?

> 가능한 한 빨리 집으로 와 주세요.

① Please come home as soon as possible.

② Please come home as soon as possibly.

③ Please come home as sooner as possible.

④ Please come home as soon as you can.

⑤ Please come home as soon as you could.

7 다음 중 어법상 <u>어색한</u> 문장을 바르게 고른 것은?

> ⓐ The worm was eaten by the bird.
> ⓑ The phones should turn off in the class.
> ⓒ The song was not sung by her.
> ⓓ Will be the package delivered by Friday?

① ⓐ, ⓑ   ② ⓐ, ⓓ   ③ ⓐ, ⓑ, ⓓ

④ ⓑ, ⓓ   ⑤ ⓒ, ⓓ

8 다음 우리말을 영어로 옮길 때 빈칸에 알맞은 것은?

> 그 피아노는 오늘 밤 유명한 피아니스트에 의해 연주되어질 것이다.
> ➡ The piano _____ a famous pianist tonight.

① will play by   ② will played by

③ will be play by   ④ will be played by

⑤ would be played by

9 다음 능동태 문장을 수동태 문장으로 바꾼 것 중 <u>어색한</u> 것은?

① A loud noise woke me up.

   ➡ I was woken up by a loud noise.

② The storm damaged the house.

   ➡ The house was damaged by the storm.

③ The children did not clean the room.

   ➡ The room did not cleaned by the children.

④ Did you give this toy to the baby?

   ➡ Was this toy given to the baby by you?

⑤ Where did he find the book?

   ➡ Where was the book found by him?

10 다음 빈칸에 들어갈 수 <u>없는</u> 단어는?

> • The table is covered _____ dust.
> • This restaurant is known _____ its delicious pasta.
> • I'm worried _____ my grandparents' health.
> • What sports are you interested _____ ?

① from   ② about   ③ for

④ in   ⑤ with

11 다음 빈칸에 알맞은 말이 순서대로 짝지어진 것은?

> • Skunks are known _____ smelly animals.
> • This coat is made _____ fake fur.
> • I am tired _____ hearing the same song.

① as – on – of　　② as – of – of

③ as – from – about　　④ to – from – of

⑤ for – by – with

12 다음 문장과 의미가 같은 것은?

> As I don't have a bike, I can't lend it to you.

① If I have a bike, I could lend it to you.

② If I have a bike, I could not lend it to you.

③ If I had a bike, I can lend it to you.

④ If I had a bike, I could lend it to you.

⑤ If I didn't have a bike, I could not lend it to you.

13 다음 우리말을 영어로 옮긴 문장의 밑줄 친 ①~⑤ 중 어법상 어색한 것은?

> 내가 아침에 일찍 일어난다면, 아침을 먹을 수 있을 텐데.
> → If I <u>got up</u> <u>early</u> in the morning, I <u>will</u>
> 　　　①　　②　　③　　　　　　　　④
> eat breakfast.
> 　⑤

14 다음 중 어법상 어색한 문장은?

① I wish he were here with us.

② I would ask for help if I were you.

③ I wish I can played the piano.

④ If you were in the space, what would you do?

⑤ If I finished my homework, I could go out with you.

15 다음 그림의 내용과 일치하도록 〈조건〉에 맞게 문장을 완성하시오.

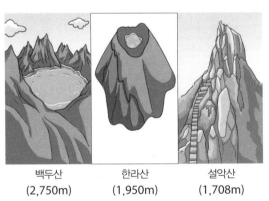

백두산　　　한라산　　　설악산
(2,750m)　(1,950m)　(1,708m)

> ┌ 조건 ┐
> • 원급, 비교급, 최상급을 각각 한 번씩 이용할 것
> • 형용사는 high를 이용할 것

(1) Mt. Seorak is _____ _____ _____ _____ the other two mountains.

(2) Mt. Halla is _____ _____ Mt. Seorak.

(3) Mt. Baekdu is _____ _____ mountain of the three.

16 다음 괄호 안의 단어들을 이용하여 주어진 우리말을 영어로 바르게 옮기시오. (10단어)

> 네가 더 많이 연습하면 연습할수록, 너는 그것을 더 잘 연주할 수 있다.

➡ _____

(practice, play)

17 다음 그림의 상황에 맞게 괄호 안의 단어를 이용하여 수동태 문장을 완성하시오. (단, 현재 시제로 쓸 것)

(1)

The door _____ _____. (lock)

(2)

Taking photos _____ _____ _____ here. (allow)

18 다음 능동태 문장을 수동태 문장으로 바꾸어 쓰시오.

(1) We will support you all the time.

➡ _____

(2) When did you plant this tree?

➡ _____

19 다음 그림의 상황에 맞게 괄호 안의 어구를 이용하여 대화를 완성하시오.

A: Are you enjoying your trip in Jeju?
B: It's not bad, but I would enjoy it more _____. (the weather, better)

20 다음 문장을 가정법 과거로 바꿔 쓰시오.

(1) It's very cold, so we can't play outside.

➡ _____
_____

(2) I don't know Chinese, so I can't talk with her.

➡ _____
_____

티칭 말고 코칭! 문법 전문 G코치

G코치
(Grammar Coach)

한눈에 보는 개념

이미지와 인포그래픽으로 구성한
용어/개념을 한눈에 보며
쉽고 재미있게 문법 이해!

연습으로 굳히기

다양한 유형으로 충분히 반복 연습하여
개념 이해도를 확인하고,
부족한 부분은 별책 부록 워크북으로 보충!

QR코드 짤강

QR코드로 용어와 개념에 관한
짧은 애니메이션 강의 무료 제공!
간단명료한 설명으로 문법 클리어!

G코치를 만나면 문법에 자신감이 생긴다! 예비중~중3 (Good Starter 1~2, Level 1~3)

book.chunjae.co.kr

교재 내용 문의 ······················· 교재 홈페이지 ▶ 중학 ▶ 교재상담

교재 내용 외 문의 ·················· 교재 홈페이지 ▶ 고객센터 ▶ 1:1문의

발간 후 발견되는 오류 ············ 교재 홈페이지 ▶ 중학 ▶ 학습지원 ▶ 학습자료실

실력 향상 필수학습!
고득점을 예약하자!

문법·쓰기

영어전략
중학2
BOOK 3 정답과 해설

천재교육

1주 문장의 형식 / 동사의 시제

해석 | 1 여: Sam, 너 화가 나 보여. 무슨 일이니? 남: Jake가 어젯밤에 내게 문자를 보내서 내가 그에게 답장을 보냈어. 그런데 걔는 내 메시지를 받지 못했다고 말하면서 나를 거짓말쟁이라고 부르는 거야. 그것이 나를 화나게 했어.
2 남: 저는 여러분이 제게 집중하시길 바랍니다. 이제 제가 이 모자를 토끼 위에 얹으면, ⋯. 짠! 여: 아, 토끼가 사라져버렸어.
a. 마술사는 토끼가 사라지게 만들었다. b. 마술사는 스스로를 사라지게 만들었다.
3 여: 나는 오랫동안 에펠탑에 가보고 싶었어. 너는 에펠탑을 본 적이 있니, Leo? 남: 아니, 없어.
4 여: Mike, 봐! 쟤 Emma 아니니? 남: 저 애는 Emma일 리가 없어. 그녀는 휴가차 중국에 갔어.

1주 1일 개념 돌파 전략 ❶
pp. 8~11

개념 1 Quiz　**해설 |** (1) 감각동사가 2형식 문장에 쓰일 때 주격보어로 형용사를 써야 한다.
(2) 수여동사 give가 쓰인 4형식 문장을 3형식 문장으로 전환시 전치사는 to를 쓴다.
해석 | (1) 그 사과는 달콤한 향이 난다.
(2) Jim은 나에게 선물을 주었다.
어휘 | sweetly 달콤하게, 향기롭게

개념 2 Quiz　**해설 |** 목적격보어는 목적어 바로 뒤에 위치한다.
해석 | (1) 그 문을 열어 두세요.

(2) 그는 나에게 그 책을 읽으라고 말했다.
어휘 | leave ~한 상태로 두다

개념 3 Quiz　**해설 |** (1) 지각동사의 목적격보어는 동사원형이나 현재분사를 쓴다.
(2) 준사역동사 get은 목적격보어로 to부정사를 쓴다. take out → to take out
해석 | (1) 우리는 몇몇 소년들이 농구를 하는 것을 보았다.
(2) 엄마는 나에게 쓰레기를 내다 버리도록 시키셨다.
어휘 | take out 가지고 나가다

> **1-2** me [모범답안] 그는 나에게 점심으로 치킨 샌드위치를 만들어 주었다.　**2-2** to make　**3-2** write

1-1 **해석 |** 나는 오늘 기분이 좋다.
1-2 **해설 |** 수여동사를 이용하여 4형식 문장을 쓸 경우, 간접목적어는 직접목적어 앞에 위치한다.
　어휘 | for lunch 점심으로
2-1 **해석 |** 엄마는 내가 많은 책을 읽기를 기대하신다.
2-2 **해설 |** 동사 want(원하다)는 5형식 문장으로 쓸 때, 목적격보어로 to부정사를 써야 한다.
　해석 | 나의 부모님은 내가 좋은 친구들을 사귀기를 원하신다.
3-1 **해석 |** 슬픈 영화는 사람들을 울게 만든다.
3-2 **해설 |** had는 사역동사이므로 목적격보어로 동사원형을 써야 한다.
　해석 | 선생님은 학생들에게 그들의 가장 기억에 남는 날에 관해 쓰라고 하셨다.
　어휘 | memorable 기억할 만한

개념 4 Quiz　**해설 |** (1) 5살 때 이후로 계속 피아노 강습을 받고 있는 상황이므로 현재완료 시제로 써야 한다.
(2) 명백한 과거 시점을 나타내는 부사 yesterday가 쓰였으므로 과거 시제로 써야 한다.
해석 | (1) Charlie는 5살 때 이후로 계속 피아노 강습을 받고 있다.
(2) 그는 어제 여기에 왔다.

개념 5 Quiz　**해설 |** (1) 과거부터 현재까지 노트북 컴퓨터를 사용해 오고 있으므로 현재완료 시제로 쓴다.
(2) 과거부터 현재까지 그를 만난 경험을 표현하고 있으므로 현재완료 시제로 쓴다.

개념 6 Quiz 해설 | 엄마가 쇼핑을 가서 현재 이곳에 없는 상태를 나타내므로 현재완료 결과 용법으로 쓸 수 있다.
해석 | 나의 엄마는 쇼핑을 가셔서, 지금 이곳에 안 계신다. → 나의 엄마는 쇼핑하러 가셨다.

4-2 ①　**5-2** have lived　**6-2** have

4-2 해설 | ① 현재완료는 명백한 과거 시점을 나타내는 부사구인 last year와 함께 쓸 수 없다. 따라서 He went to Paris last year.로 써야 한다.
해석 | ② 당신은 비행기를 타본 적이 있나요? ③ 나는 3년 동안 내 단짝 친구를 보지 못했다.

5-1 해설 | 그는 6년 동안 영어를 가르쳐 오고 있다.

5-2 해설 | 2020년부터 현재까지 쭉 서울에 살고 있는 상태이므로 현재완료 시제로 써야 한다.
해석 | 우리는 2020년 이후로 계속 서울에 살고 있다.

6-1 해설 | ·그 소녀는 그녀의 리허설을 막 끝냈다.
·Mike는 그의 개를 잃어버려서 슬프다.

6-2 해설 | 첫 번째 문장은 '(지금 막) ~했다'라는 의미를 나타내는 현재완료의 완료 용법이고, 두 번째 문장은 '~했다, ~해 버렸다'라는 의미를 나타내는 현재완료의 결과 용법이다.
해석 | ·Pam과 Susie는 지금 막 아침을 먹었다.
·모든 학생들이 이미 집에 가 버렸다.

1주 1일 개념 돌파 전략 ❷   pp. 12~13

CHECK UP

1 해석 | 내 친구는 나에게 그의 그림을 보여주었다.

2 해석 | 나의 선생님은 나에게 내 꿈을 따르라고 조언하셨다.

3 해석 | 그 노부인은 누군가가 앞문을 두드리는 것을 들었다.

4 해석 | 너는 동물원에 가본 적이 있니?

5 해석 | 나는 1년 전에 바이올린 수업을 받기 시작했고 여전히 바이올린 수업을 받고 있다. → 나는 1년 동안 바이올린 수업을 받고 있다.

6 해석 | 나의 노트북 컴퓨터가 사라졌다. 그것은 이제 여기에 없다. → 나의 노트북 컴퓨터가 사라지고 없다.

---

1 (1) for (2) of　2 ⑤　3 ①, ④　4 Have / have
5 have worked　6 has gone

1 해설 | (1) 동사 buy는 간접목적어가 문장 뒤로 이동할 때 전치사 for를 간접목적어 앞에 쓴다.
(2) 동사 ask는 간접목적어가 문장 뒤로 이동할 때 전치사 of를 간접목적어 앞에 쓴다.
해석 | (1) 우리 아버지는 내게 신발 한 켤레를 사주셨다.
(2) 그 기자는 Jake에게 많은 질문을 했다.
어휘 | a pair of ~의 한 쌍

2 해설 | ⑤ let은 사역동사로 동사원형을 목적격보어로 취한다.
해석 | ① 그 경비원은 우리에게 기다리라고 말했다. ② 나는 그가 행복했으면 좋겠다. ③ Harry는 나에게 자신을 도와달라고 요청했다. ④ 나의 부모님은 내가 하이킹 가는 것을 허락하셨다. ⑤ 내 이웃은 내게 그녀의 집에 들어오도록 허락했다.
어휘 | guard 경비원 allow 허락하다 neighbor 이웃

3 해설 | see는 지각동사이므로 동사원형이나 현재분사를 목적격보어로 취한다.
해석 | 우리는 몇몇 소년들이 농구를 하는 것을 보았다.

4 해설 | 현재완료 의문문은 「Have(Has)+주어(+ever)+과거분사 ~?」의 어순으로 쓰고, 대답은 긍정일 때는 「Yes, 주어+have(has).」로, 부정일 때는 「No, 주어+haven't(hasn't).」로 한다.
해석 | 남: 너는 최근에 Chris를 본 적 있니? 여: 응, 그래.
어휘 | recently 최근에

5 해설 | 2016년에 병원에서 일하기 시작했고, 현재에도 일하는 상태이므로 현재완료 계속 용법으로 표현한다.
해석 | 나는 2016년에 그 병원에서 일하기 시작했다. 나는 여전히 그 병원에서 근무한다. → 나는 2016년 이후로 그 병원에서 일해 왔다.

6 해설 | has been to ~는 '~에 다녀왔다'라는 의미로 경험을 나타내고, has gone to는 '~에 가서 지금 없다'라는 의미로 결과를 나타낸다.
해석 | Smith 씨는 직장에 갔다. 그는 이곳에 없다.

전략 1 [필수 예제]

해설 | taste는 '~한 맛이 나다'라는 의미의 감각동사로 형용사가 주격보어로 온다. ③ greatly는 '대단히'라는 의미의 부사이므로 빈칸에 적절하지 않다.

해석 | 이 딸기 케이크는 ① 달콤한 ② 좋은 ④ 환상적인 ⑤ 맛있는 맛이 난다.

[확인 문제]

1 ②　　**2** (1) friendly (2) strange

1 **해설** | ②의 felt는 feel의 과거형으로 감각동사이므로 형용사가 주격보어로 와야 한다. hungrily → hungry

　해석 | ① 그녀는 걱정스러워 보인다. ③ 이 오렌지는 신맛이 난다. ④ 그 음악은 평화롭게 들린다. ⑤ 치킨 수프는 좋은 냄새가 난다.

　어휘 | sour (맛이) 신, 시큼한　peaceful 평화로운

2 **해설** | look, sound는 감각동사로 2형식 문장에서 주격보어로 형용사가 와야 한다. 따라서 (1)은 friendly(친절한), (2)는 strange(이상한)가 알맞다.

　해석 | (1) 그 노부인은 친절해 보인다.

　(2) 그 이야기는 이상하게 들린다.

전략 2 [필수 예제]

해설 | 주어진 문장은 4형식을 3형식으로 바꾼 문장이다. 문장 뒤로 간 간접목적어 앞에 전치사 to가 쓰였으므로, ④ 전치사 for를 쓰는 동사 buy(-bought-bought)는 빈칸에 들어갈 수 없다.

해석 | Andy는 나에게 자전거를 ① 보내주었다 ② 빌려주었다 ③ 주었다 ⑤ 보여주었다.

[확인 문제]

1 ④

2 My grandmother tells me interesting stories.

1 **해설** | 첫 번째 문장에서 수여동사 cook은 4형식 문장을 3형식 문장으로 바꿀 때 전치사 for를 쓴다. 두 번째 문장에서 수여동사 teach는 4형식 문장을 3형식 문장으로 바꿀 때 전치사 to를 쓴다.

해석 | • 미나는 그녀의 여동생을 위해 스파게티를 요리해 주었다.

　• 나의 이모는 학생들에게 역사를 가르친다.

2 **해설** | 수여동사가 쓰인 4형식 문장의 어순은 「주어+수여동사+간접목적어+직접목적어」이다.

　해석 | 나의 할머니는 내게 재미있는 이야기들을 들려주신다.

전략 3 [필수 예제]

해설 | 지각동사 see, feel, watch, hear, listen to는 목적격보어로 동사원형이나 현재분사가 와야 한다. 따라서 ② to touch는 touch나 touching으로 고쳐야 한다.

해석 | ① 우리는 그녀가 나무를 심는 것을 보았다. ③ 나는 그가 그 방에 들어가는 것을 보았다. ④ 너는 미나가 샤워실에서 노래하는 것을 들었니? ⑤ 그녀는 그들이 그녀에 대해 말하는 것을 들을 수 있었다.

[확인 문제]

1 ④　　**2** watched / play (playing)

1 **해설** | ④ hear가 5형식 문장에서 지각동사로 쓰였으므로 목적격보어로 동사원형이나 현재분사가 와야 한다. 따라서 knocked를 knock 또는 knocking으로 고쳐야 한다.

　해석 | ① 나는 그가 그 건물을 나가는 것을 봤다. ② 나는 지호가 도서관에서 공부하는 것을 봤다. ③ 나는 그녀가 어젯밤에 집에 가는 것을 지켜보았다. ⑤ 그는 무엇인가 그의 어깨 위에서 움직이고 있는 것을 느꼈다.

　어휘 | knock 두드리다, 노크하다　shoulder 어깨

2 **해설** | watch가 5형식에서 지각동사로 쓰일 때 목적격보어로 동사원형이나 현재분사를 쓴다. 시제가 과거이므로 watch를 과거형으로 쓴다.

전략 4 [필수 예제]

해설 | force는 '~하도록 강요하다'라는 의미로 같은 의미의 사역동사를 이용한 문장으로 바꿀 때, 선택지 중 make를 이용한 문장으로 바꿔 쓸 수 있다. 사역동사 make는 목적격보어로 동사원형을 쓴다.

해석 | 그 경비원은 우리가 그 건물을 떠나도록 강요했다. = 그 경비원은 우리가 그 건물을 떠나도록 했다.

BOOK 1 정답과 해설

확인 문제

1 ①　**2** (1) go (2) to move

1 해설 | 사역동사 make나 have는 목적어와 목적격보어의 관계가 능동일 때 목적격보어로 동사원형을 쓴다. ③ ask는 목적격보어로 to부정사를 쓴다.

2 해설 | (1) 사역동사 let은 목적격보어로 동사원형을 취한다. (2) 준사역동사 get은 목적격보어로 to부정사를 취한다.
해석 | (1) 그 사장은 모든 직원들이 일찍 집에 가게 허락했다.
(2) 그 노부인은 그 남자들이 가구를 옮기게 했다.
어휘 | boss 사장 furniture 가구

1주 2일 필수 체크 전략 ❷　pp. 18~19

1 ②　**2** ④　**3** ④　**4** ⑤　**5** ②
6 made him clean the room

1 해설 | '~하게 들리다'라는 의미의 감각동사 sound의 주격보어로는 형용사를 써야 한다. ② anger는 '분노'라는 뜻의 명사이므로 형용사인 angry가 되어야 옳다.
해석 | 그 여성은 전화상으로 ① 피곤하게 ③ 행복하게 ④ 두려움에 떠는 것처럼 ⑤ 건강하게 들렸다.

2 해설 | 수여동사 buy가 쓰인 4형식 문장을 3형식 문장으로 바꿀 때 간접목적어 앞에 전치사 for를 쓴다.
해석 | Mark는 내게 예쁜 필통을 사주었다.

3 해설 | ④의 make는 5형식 문장에서 '~를 …하게 만들다'라는 의미로 쓰였고, 목적격보어로 형용사가 와야 한다. 따라서 부사 sadly를 형용사 sad로 고쳐야 한다.
해석 | ① 그들은 나를 'Little Joe'라고 부른다. ② 우리는 보통 우유를 차갑게 보관한다. ③ 나는 그 방이 연기로 가득 찬 것을 발견했다. ⑤ 규칙적으로 운동하는 것은 우리를 건강하게 만들 것이다.
어휘 | full of ~로 가득 찬

4 해설 | tell은 목적격보어로 to부정사를, 지각동사 see는 목적격보어로 동사원형이나 현재분사를 취한다.
해석 | • 나의 부모님은 내게 일찍 잠자리에 들라고 말씀하셨다.
• 나는 몇몇 사람들이 강에서 수영하는 것을 보았다.

5 해설 | ask, advise, want가 5형식에 쓰일 때 목적격보어로

to부정사가 와야 한다. 주어진 우리말 '요청하다'라는 의미에 맞는 동사로는 ask를 써야 한다.

6 해설 | 엄마가 Jimmy에게 방 청소를 시키는 상황이므로 사역동사 make를 이용하여 「make+목적어+목적격보어(동사원형)」의 어순으로 써야 한다.
해석 | Jimmy의 엄마는 그가 방 청소를 하도록 했다.

1주 3일 필수 체크 전략 ❶　pp. 20~23

전략 1 필수 예제

해설 | 주어가 3인칭 단수인 현재완료 시제이므로 「has+과거분사」의 형태가 되도록 한다. 따라서 빈칸에는 lose의 과거분사형인 lost가 들어가야 한다.
해석 | 그녀는 우산을 잃어버려서 새 것이 하나 필요하다.

확인 문제

1 ③　**2** (1) known (2) not finished (3) Has / been

1 해설 | B의 응답으로 보아, A의 빈칸에는 현재완료 의문문이 와야 함을 알 수 있다. 현재완료 의문문은 「Have(Has)+주어(+ever)+과거분사 ~?」로 쓴다.
해석 | A: 나는 내 개를 찾을 수가 없어. 너는 그것을 봤니?
B: 응, 봤어. 너의 오빠가 그것을 산책시키러 데리고 갔어.

2 해설 | (1)은 현재완료 긍정문으로 has 뒤에 과거분사 known을 써야 한다.
(2)는 '아직'이라는 의미의 부사 yet이 쓰인 것으로 보아 부정문이 자연스럽고, 현재완료 시제로 써야 하므로 have와 과거분사 finished 사이에 not을 써야 한다.
(3)은 현재완료 의문문으로 주어가 3인칭 단수이므로 앞에 Has를, 주어 뒤에 과거분사 been을 써야 한다.
해석 | (1) Tim은 작년 7월부터 Sera를 알고 지냈다.
(2) 나는 아직 내 과제를 끝내지 못했다.
(3) 그는 이전에 뉴욕에 갔다 온 적이 있니?

전략 2 필수 예제

해설 | 2018년에 부산으로 이사를 가서 여전히 살고 있다고 했으므로 현재완료 계속 용법으로 써야 한다. 주어가 3인칭 단수이므로 「has+과거분사」로 써야 하고, 2018년이라는 시점이 제시되었으므로 전치사 since를 쓴 ④가 답이 된다.

해석 | Mark는 2018년에 부산으로 이사를 갔다. 그는 여전히 부산에서 살고 있다. ④ Mark는 2018년 이후로 부산에서 살고 있다.

1 ④   **2** has learned / for

1 **해설** | 현재완료 계속 용법의 문장에서 기간을 나타내는 말 앞에는 for, 시점을 나타내는 말 앞에는 since가 알맞다.
해석 | • 그는 6년 동안 피아노를 연주해 왔다.
   • 나는 지난해 이후로 여기서 일해 오고 있다.

2 **해설** | 3년 전에 중국어를 배우기 시작해서 지금까지 배우는 상황이므로 현재완료 계속 용법으로 표현한다. three years는 기간을 나타내므로 전치사 for와 함께 쓴다.
해석 | 나는 지금부터 중국어를 배울 거야. / Jane은 3년 동안 중국어를 배워 오고 있다.

전략 3   필수 예제

해설 | 나머지는 모두 현재완료 경험 용법이고 ①은 현재완료 결과 용법이다. have(has) gone to는 '~에 갔다, 그래서 지금 이곳에 없다'라는 의미이다.
해석 | ① Sally는 스페인에 가 버렸다. ② 나는 말을 두 번 타본 적이 있다. ③ 그는 인도에 한 번 가본 적이 있다. ④ 나는 이전에 튀긴 곤충을 먹어본 적이 있다. ⑤ Henry는 여러 번 그 박물관을 방문한 적이 있다.
어휘 | fried 기름에 튀긴 insect 곤충

1 ⑤   **2** have / been / Yes / have

1 **해설** | ⑤는 「for+기간」의 표현에서 과거에 시작된 일이 현재까지 지속되는 것을 나타내므로 현재완료의 계속 용법임을 알 수 있다.
해석 | ① 너는 로마를 방문한 적이 있니? ② 그는 마라톤을 전혀 뛰어 본 적이 없다. ③ 그녀는 머리 염색을 세 번 한 적이 있다. ④ Peter는 그가 가장 좋아하는 배우를 한 번 만난 적이 있다. ⑤ 나는 오랫동안 조종사가 되기를 꿈꿔 왔다.
어휘 | dye 염색하다

2 **해설** | 이집트에 가본 경험을 묻는 질문과 긍정의 대답이 와야 한다.

해석 | A: Paul, 너는 이집트에 가본 적이 있니?
B: 응, 있어.

전략 4   필수 예제

해설 | 주어진 문장은 'White 씨가 한국을 떠나서 지금 이곳에 없다.'라는 의미이므로 과거의 일이 현재까지 영향을 미치는 현재완료 결과 용법으로 써야 한다. 주어가 3인칭 단수이므로 「has+과거분사」가 쓰인 ④가 답이 된다.
해석 | White 씨는 한국을 떠나서 지금 여기에 없다. ④ White 씨는 한국을 떠났다.

1 ④   **2** No / I haven't

1 **해설** | 과거에 시작된 파티가 이미 끝났다는 의미이므로 ④ 현재완료의 완료 용법을 쓴다. 주어가 3인칭 단수이므로 has를 쓰고, '이미'라는 뜻을 가진 부사 already는 보통 have(has)와 과거분사 사이에 쓴다.
어휘 | end 끝나다

2 **해설** | 미술 숙제를 아직 끝내지 못했느냐는 A의 질문에 B가 아직도 하고 있다고 답하고 있으므로 빈칸에는 아직 끝내지 못했다는 부정의 대답이 들어가야 한다. 현재완료로 물었으므로 현재완료 부정문으로 답해야 한다.
해석 | A: 너는 아직 미술 숙제를 끝내지 못했니? B: 응, 그래. 나는 아직도 숙제를 하고 있어.

1주 3일 필수 체크 전략 ❷   pp. 24~25

1 ⑤   **2** ⑤   **3** ③   **4** ③   **5** ⑤
6 have already cleaned my room

1 **해설** | ⑤ 어릴 때부터 지금까지 계속 친구라는 의미이므로 「have(has)+과거분사」 형태의 현재완료를 쓴다. 주어가 복수이므로 have를 써야 한다.
해석 | Paul과 Joe는 어릴 때부터 친구였다.

2 **해설** | 아빠가 캐나다에 가셨고 현재 이곳에 없다고 했으므로 ⑤ 결과의 의미를 가진 현재완료로 바꿔 쓸 수 있다.
해석 | 우리 아빠는 캐나다에 가셨다. 아빠는 지금 이곳에 안 계신다. → 아빠는 캐나다에 가 버리셨다.

3 해설 | ③ 현재완료 부정문은 have(has)와 과거분사 사이에 not이나 never를 써야 한다.

해석 | ① 그는 자신의 새 자전거를 잃어버렸다. ② 너는 내 블로그를 방문한 적이 있니? ④ 그녀는 치타를 한 번도 본 적이 없다. ⑤ 손님들이 벌써 도착했다.

어휘 | guest 손님

4 해설 | 첫 번째 문장의 빈칸은 '2015년 이후로'라는 의미가 되어야 하므로 since가 들어가고, 두 번째 문장의 빈칸은 '이틀 동안'이라는 의미가 되어야 하므로 for가 들어가야 한다.

해석 | • 우리는 2015년 이후로 이곳에 머물러 왔다.
• 이틀 동안 눈이 내렸다.

5 해설 | '~에 가본 적이 있니?'라는 의미는 과거부터 현재까지의 경험을 묻고 있으므로 현재완료 경험 용법으로 쓴다. 현재완료의 의문문은 「Have(Has)+주어(+ever)+과거분사 ~?」의 어순으로 쓴다.

6 해설 | 이미 방 청소를 끝냈다는 내용이 들어가야 하므로 현재완료 시제로 써야 한다. '이미'라는 의미의 부사 already는 주로 긍정문에 쓰이며, have와 과거분사 사이에 와야 한다.

해석 | Jake: 엄마, 저 TV 봐도 돼요?
엄마: 아니, 안 돼. 너는 먼저 네 방 청소를 해야 해.
Jake: 걱정하지 마세요. 저는 이미 제 방 청소를 했어요.

1주 4일 교과서 대표 전략 ❶ pp. 26~29

1 ② **2** for / to / of **3** sent him many letters
4 ① **5** ③ **6** ①, ③ **7** ③ **8** finish / to finish
9 ④ **10** ③ **11** ② **12** (1) I have never been to Denmark. (2) It has rained for three days. **13** ③
14 I have never seen such a beautiful scene. [모범답안] 나는 그렇게 아름다운 장면을 본 적이 없다.
15 ④ **16** She has lost her scarf.

1 해설 | sound(~하게 들리다)는 감각동사로 형용사가 주격보어로 와야 한다. 따라서 ② 명사 noise(소음)가 아닌 형용사 noisy(시끄러운)의 형태가 알맞다.

해석 | 그 음악은 ① 좋게 ③ 이상하게 ④ 아름답게 ⑤ 멋지게 들렸다.

2 해설 | 4형식 문장을 3형식 문장으로 바꿀 때 buy는 전치사 for를, tell은 to를, ask는 of를 각각 간접목적어 앞에 쓴다.

해석 | • 엄마는 나를 위해 배낭을 사주셨다.
• 수학 선생님은 우리에게 재미있는 이야기를 해주셨다.
• 나의 이웃은 나에게 부탁을 했다.

어휘 | favor 부탁, 호의

3 해설 | 수여동사 send가 쓰인 4형식 문장으로 「주어+수여동사+간접목적어+직접목적어」의 어순으로 써야 한다. 이 문장의 간접목적어는 him이고, 직접목적어는 many letters이다.

해석 | 그의 팬들은 그에게 많은 편지를 보냈다.

4 해설 | 나머지는 모두 목적어와 목적격보어의 관계인데 ①은 간접목적어와 직접목적어의 관계이다.

해석 | ① 그녀는 자신의 아들에게 케이크를 만들어줬다. ② 나는 그 책이 재미있다는 것을 알게 되었다. ③ 이 차는 너를 따뜻하게 해 줄 것이다. ④ 사람들은 뉴욕을 '빅 애플'이라고 부른다. ⑤ 그녀의 노래는 그녀를 세계적인 스타로 만들어줬다.

5 해설 | 5형식에서 want는 to부정사를 목적격보어로 취하고, 사역동사 let은 동사원형을 목적격보어로 취한다.

해석 | • 나는 네가 나의 축구팀에 합류하기를 원한다.
• 너는 내가 너의 동아리에 가입하도록 허락해줄래?

6 해설 | 5형식에 쓰인 feel은 지각동사로서 목적격보어로 동사원형이나 현재분사를 취한다.

해석 | 그들은 땅이 가라앉는(가라앉고 있는) 것을 느꼈다.

어휘 | sink 가라앉다

7 해설 | ③ get은 준사역동사로 to부정사를 목적격보어로 취한다. clean → to clean

해석 | ① 그들은 내가 가게에 들어가는 것을 허락하지 않았다. ② 수진이는 소라가 식물에 물 주는 것을 도왔다. ④ 나는 남동생이 간식을 가져오도록 했다. ⑤ Piper 부인은 그녀의 남편이 벽을 페인트칠하게 했다.

8 해설 | order는 동사원형이 아닌 to부정사를 목적격보어로 취한다.

해석 | 그의 상사는 그에게 그 일을 빨리 끝내라고 명령했다.

9 해설 | 3개월 동안 계속 테니스 수업을 받고 있다는 내용이므로 「have(has)+과거분사」의 현재완료 계속 용법으로 쓴다.

해석 | 나는 3개월 동안 테니스 수업을 받고 있다.

10 해설 | 타코를 먹어봤냐는 A의 질문에 B가 두 번 먹어봤다고

했으므로 빈칸에는 긍정으로 대답해야 한다. 현재완료로 물었으므로 대답 또한 현재완료 긍정으로 대답해야 옳다.

해석 | A: 너는 타코를 먹어본 적이 있니?

B: 응, 있어. 나는 그것을 두 번 먹어봤어.

어휘 | taco 타코 (멕시코 전통 요리)

11 해설 | 첫 번째 문장은 어제라는 특정 시점에 있었던 일이므로 과거 시제로 쓰고, 두 번째 문장은 어제부터 지금까지 계속되는 일이므로 현재완료로 쓴다. 따라서 답은 ②가 알맞다.

해석 | • 나는 어제 아팠다.

• 나는 어제부터 쭉 아프다.

12 해설 | (1) 덴마크에 가본 경험이 없다고 말하는 것이므로 gone이 아닌 been이 알맞다.

(2) 현재완료에서 지속된 기간은 '~ 동안'이라는 의미의 전치사 for로 표현한다.

해석 | (1) 나는 덴마크에 가본 적이 없다. 나는 언젠가 그곳을 방문하고 싶다.

(2) 3일 동안 비가 왔다. 나는 파란 하늘이 그립다.

어휘 | someday 언젠가 miss 그리워하다

13 해설 | 나머지는 모두 완료 용법이고 ③은 결과 용법이다.

해석 | ① 그는 공항에 도착했다. ② Anna는 아직 그녀의 전화기를 찾지 못했다. ③ Denny는 그의 고향으로 가 버렸다. ④ 그들은 막 식사를 끝냈다. ⑤ 너는 벌써 숙제를 다 했니?

어휘 | airport 공항 hometown 고향 meal 식사

14 해설 | 현재완료 시제이므로 have 뒤에는 see의 과거형 saw가 아닌 과거분사형 seen을 써야 한다.

어휘 | scene 장면

15 해설 | ④ last week(지난주)와 같이 명백한 과거를 나타내는 표현은 현재완료 문장에 쓸 수 없다.

해석 | 나는 국립미술박물관을 ① 한 번 ② 두 번 ③ 이전에 ⑤ 여러 번 방문한 적이 있다.

어휘 | national 국가의, 국립의

16 해설 | 과거에 스카프를 잃어버렸고, 그 결과 현재 갖고 있지 않다는 의미이므로 현재완료로 표현하는 것이 자연스럽다.

해석 | 그녀는 스카프를 잃어버렸고, 지금 그것을 가지고 있지 않다.

1 ④   **2** ③   **3** ④   **4** ②   **5** ①, ④
6 Chocolate always makes me happy.   **7** ③
8 ⑤   **9** has been / since   **10** (1) has finished
(2) has left

1 해설 | 2형식에서 look은 '~해 보이다'라는 의미의 감각동사로 형용사가 주격보어로 와야 한다. 따라서 ④ 부사 nicely는 쓸 수 없다.

해석 | 너 오늘 ① 아파 ② 멋져 ③ 피곤해 ⑤ 아름다워 보인다.

2 해설 | 수여동사 show가 쓰인 4형식 문장을 3형식 문장으로 바꿀 때 간접목적어가 문장 뒤로 가면서 간접목적어 앞에 전치사 to를 써야 한다.

해석 | 내 친구는 나에게 그녀의 가족 사진들을 보여주었다.

3 해설 | 5형식 문장에서 want는 to부정사를 목적격보어로 취하지만, 사역동사 make는 동사원형을 목적격보어로 취한다.

해석 | • 코치는 우리가 최선을 다하기를 원했다.

• 아빠는 내가 숙제를 하게 하셨다.

4 해설 | 나머지는 모두 5형식 문장이고, ②는 4형식 문장이다.

해석 | ① 나는 그 영화가 무서웠다. ② 그들은 Susan에게 선물을 사줬다. ③ 에어컨은 우리를 시원하게 해준다. ④ 그 부부는 그들의 아들을 지호라고 이름 지었다. ⑤ 엄마는 내가 컴퓨터 게임을 하도록 허락하셨다.

어휘 | scary 무서운

5 해설 | 5형식 문장에 쓰인 see는 지각동사이므로 동사원형이나 현재분사를 목적격보어로 취한다. 진행을 강조하고자 하는 경우 현재분사를 쓴다.

해석 | 나는 그 곰이 음악에 맞춰 춤추는(춤추고 있는) 것을 봤다.

6 해설 | 주어진 단어들은 「주어+동사+목적어+목적격보어」의 5형식 문장으로 배열해야 한다. 형용사가 목적격보어로 쓰였으며, 부사 always는 일반동사 앞에 와야 한다.

해석 | 초콜릿은 항상 나를 행복하게 만든다.

7 해설 | 〈보기〉와 같이 현재완료 계속 용법으로 쓰인 것은 ③이다. ①, ⑤ 경험 ② 완료 ④ 결과

해석 | 〈보기〉 나는 2010년부터 이 마을에서 살고 있다.

① 나는 부산에 두 번 가본 적이 있다. ② 너는 벌써 저녁을 먹었니? ③ 너는 얼마나 오랫동안 영어를 공부했니? ④ 그는 자신의 새 스마트폰을 잃어버렸다. ⑤ 그들은 서로 만난 적이 전혀 없다.

8 해설 | ⑤ yesterday(어제)와 같이 과거의 특정 시점을 나타내는 표현은 현재완료에 쓸 수 없다.
해석 | ① 나는 이전에 그 영화를 본 적이 있다. ② 그 콘서트는 아직 시작하지 않았다. ③ 그들은 막 그들의 일을 끝냈다. ④ 너는 다른 나라에 여행 가본 적이 있니?

9 해설 | Ann이 도서관에 9시부터 있었던 상황이므로 전치사 since와 현재완료를 써서 표현한다.
해석 | Ann은 9시에 도서관에 있었다. 그녀는 여전히 도서관에 있다. → Ann은 9시부터 도서관에 있어왔다.

10 해설 | (1), (2) 모두 현재완료 시제로 써야 하는데, 주어가 3인칭 단수이므로 「has+과거분사」의 형태로 쓴다.
해석 | (1) 그녀는 자신의 방 청소를 끝냈다.
(2) 그는 서울을 막 떠났다.

1주 누구나 합격 전략 pp. 32~33

1 ②　　2 ①　　3 They call their puppy Ben.　　4 ③
5 ②, ④　　6 ⑤　　7 ①　　8 I saw you sing (singing) on TV.　　9 ③　　10 He has been sick for two days. 또는 He has been sick since yesterday.

1 해설 | 감각동사 뒤에 명사(구)가 오는 경우 「감각동사+like+명사(구)」로 쓴다. 따라서 ②는 The baby looks like an angel.이 되어야 자연스럽다.
어휘 | pillow 베개　bitter (맛이) 쓴

2 해설 | ① get은 4형식 문장을 3형식 문장으로 바꿀 때 간접목적어 앞에 전치사 for가 필요하므로 빈칸에 알맞지 않다.
해석 | 그는 나에게 종이 한 장을 ② 주었다 ③ 빌려주었다 ④ 전해주었다 ⑤ 보여주었다.
어휘 | a piece of ~의 한 장

3 해설 | 명사가 목적격보어로 쓰인 5형식 문장으로 「주어+동사+목적어+목적격보어」의 어순이 되어야 한다.
해석 | 그들은 그들의 강아지를 Ben이라고 부른다.

4 해설 | ③ 그가 어디 갔는지 묻는 질문에 그는 중국에 가본 적이 있다고 답하는 것은 어색하다.
해석 | ① A: 너는 얼마나 오랫동안 이곳에 살았니? B: 나는 십 년 동안 이곳에 살았어.
② A: 피자 좀 먹을래? B: 아니, 괜찮아. 나는 방금 점심을 먹었어.
③ A: 그는 어디에 갔니? B: 그는 중국에 가본 적이 있어.
④ A: 너는 숙제를 끝냈니? B: 아니, 아직.
⑤ A: 너는 그동안 어떻게 지냈니? B: 잘 지냈어.

5 해설 | 「주어+수여동사+간접목적어+직접목적어」로 쓰인 4형식 문장이나 간접목적어를 문장 뒤로 보낸 3형식 문장을 고른다. ask는 4형식을 3형식으로 바꿀 때 간접목적어 앞에 전치사 of를 쓰는 동사이므로 답은 ②, ④가 알맞다.

6 해설 | ⑤ expect는 목적격보어로 to부정사가 와야 한다. be → to be
해석 | ① 나의 고양이는 나를 행복하게 해 준다. ② 그들은 나를 '책벌레'라고 부른다. ③ 나는 네가 언젠가 나를 방문해 주길 원한다. ④ 선생님은 내가 큰 소리로 책을 읽게 하셨다.
어휘 | bookworm 책벌레, 독서광　sometime 언젠가　aloud 크게, 큰 소리로　expect 기대하다　police officer 경찰관

7 해설 | 사역동사 let이 쓰였으므로 목적격보어로 동사원형이 와야 한다.
해석 | 저를 혼자 있게 해주세요.
어휘 | alone 홀로, 혼자서

8 해설 | 지각동사는 목적격보어로 동사원형이나 현재분사를 취한다. 진행의 의미를 강조할 때는 현재분사를 쓴다.
해석 | 나는 네가 TV에서 노래하는(노래하고 있는) 것을 봤어.

9 해설 | 〈보기〉와 같이 현재완료 경험 용법으로 쓰인 것은 ③이다. ① 결과 ② 완료 ④, ⑤ 계속
해석 | 〈보기〉 나는 독도에 가본 적이 없다. ① 호진이는 집을 떠났다. ② 영화가 막 시작했다. ③ Susan은 KTX를 두 번 타 봤다. ④ 그들은 2016년부터 이웃이었다. ⑤ 나는 3년 동안 일본어를 배우고 있다.

10 해설 | 현재완료 시제를 이용하여 Tom이 얼마나 오랫동안 아팠는지 묻고 있으므로 전치사 for나 since를 이용해서 현재완료 계속 용법으로 답한다.
해석 | 질문: Tom은 얼마나 오랫동안 아팠는가?
대답: 그는 이틀 동안(어제부터) 아팠다.

1 (1) looks brand-new (2) feels sick (3) smell sweet
2 (1) wrote a letter to them (2) made a cake for them (3) gave a big hug to them〔their children〕
3 (1) – (b) (2) – (a) (3) – (c) (1) to clean up the room (2) take out the textbooks (3) to take the medicine
4 (1) call〔calling〕 (2) cry〔crying〕 (3) open (4) to brush **5** 〈Step 1〉 (1) I watched someone put〔putting〕 something in a bag. (2) I heard someone scream〔screaming〕. (3) I saw someone leave〔leaving〕 the store. 〈Step 2〉 someone enter〔entering〕 the store / watched someone put〔putting〕 something in a bag / heard someone scream〔screaming〕 / saw someone leave〔leaving〕 the store **6** She has done her math homework 〔it〕 for an hour. **7** (1) has tried Korean food (2) has sung on stage (3) have not〔never〕 done bungee jumping **8** (1) joined the drama club (2) took an acting class (3) has practiced acting for

1 해설 | (1) look+형용사: ~해 보이다
(2) feel+형용사: ~한 느낌이 들다
(3) smell+형용사: ~한 냄새가 나다
해석 | (1) 그 차는 신형처럼 보인다.
(2) 그는 아픈 느낌이 든다.
(3) 그 꽃들은 달콤한 냄새가 난다.
어휘 | terrible 끔찍한 brand-new 신품의, 아주 새로운
2 해설 | 4형식 문장을 3형식 문장으로 바꿀 때, write와 give는 전치사 to가 필요하고, buy와 make는 전치사 for가 필요하다.
해석 | 어제는 어버이날이었다. 민지, 민수, 민호는 그들의 부모님을 위해 뭔가를 하고 싶었다. 먼저, 민지는 그들을 위해 멋진 양말을 사드렸다. 다음으로, 민수는 그들에게 편지를 썼다. 마지막으로, 민호는 그들을 위해 케이크를 만들어 드렸다. 그들의 부모님은 매우 행복했다. 그래서 그들을〔그들의 자녀들을〕 꼭 안아주었다.
어휘 | give a big hug 꼭 안다
3 해설 | 5형식 문장에서 tell과 advise는 목적격보어로 to부정사를 취하지만, 사역동사 make는 목적격보어로 동사원형을 취한다.

해석 | (1) 엄마는 나에게 그 방을 치우라고 말씀하셨다.
(2) 선생님은 학생들이 교과서를 꺼내게 하셨다.
(3) 의사는 그에게 약을 먹으라고 충고했다.
어휘 | take out 꺼내다 textbook 교과서 clean up 청소하다 medicine 약
4 해설 | (1), (2) 지각동사 hear, see는 목적격보어로 동사원형이나 현재분사를 취한다.
(3) 사역동사 make는 목적격보어로 동사원형을 취한다.
(4) 5형식에서 tell은 목적격보어로 to부정사를 취한다.
해석 | 3월 20일, 화요일
나는 치통이 있어서 치과에 갔다. 사람이 많이 있었다. 나는 내 차례를 기다렸다. 간호사가 내 이름을 부르는 것을 들었다. 드디어, 나는 진료실에 들어갔고 의자에 앉았다. 내 바로 옆 진료 의자에 있던 아이가 우는 것을 보고 나는 무서웠다. 치과 의사는 내 입을 벌리게 했고 썩은 이를 뽑았다. 끔찍했다! 그녀는 나에게 하루에 3번 이를 닦으라고 말했다.
어휘 | toothache 치통 turn 순서 scared 겁먹은 pull out 빼내다, 뽑다 rotten 썩은
5 해설 | 지각동사를 이용한 5형식 문장의 어순은 「주어+지각동사+목적어+목적격보어(동사원형 또는 현재분사)」이다.
해석 | 〈Step 2〉·그 소녀는 누군가 가게에 들어오는 것을 봤다. ·그 가게 주인은 누군가 가방 안에 물건을 넣는 것을 목격했다. ·그 소년은 누군가 비명을 지르는 것을 들었다. ·그 노인은 누군가 가게를 떠나는 것을 봤다.
어휘 | scream 비명을 지르다 owner 주인
6 해설 | 소라는 한 시간 전에 시작한 수학 숙제가 이제 끝났다고 했으므로 현재완료로 쓴다. 현재완료는 「have〔has〕+과거분사」의 형태로 쓴다.
해석 | 유진: 너 뭐 하고 있니, 소라야?
소라: 나는 수학 숙제를 하고 있어.
유진: 언제 그것을 시작했니?
소라: 한 시간 전에. 이제 끝났어!
질문: 소라는 얼마나 오랫동안 수학 숙제를 했는가?
대답: 그녀는 한 시간 동안 수학 숙제를〔그것을〕 했다.
7 해설 | (1) 경험을 나타내는 현재완료이고, Olivia가 한국 음식을 먹어본 적이 있으므로 긍정문으로 쓴다.
(2) Ray가 무대에서 노래를 해본 적이 있으므로 현재완료 긍정문으로 쓴다. sing의 과거분사형은 sung이다.
(3) Olivia와 Ray 둘 다 번지점프를 해보지 못했으므로 현재

완료 부정문으로 쓴다.

해석 | (1) Olivia는 한국 음식을 여러 번 먹어본 적이 있다.

(2) Ray는 무대 위에서 노래를 한 번 불러본 적이 있다.

(3) Olivia와 Ray는 전에 번지점프를 해 본 적이 (전혀) 없다.

어휘 | on stage 무대에 서서

8 해설 | (1), (2) 과거의 특정 시점에 일어난 일이므로 과거 시제로 쓴다.

(3) 과거(8일)에 일어난 일이 오늘(17일)까지 계속 되었으므로 현재완료 시제로 써야 하며, 기간을 나타낼 때는 전치사 for를 쓴다.

해석 | (1) 준호는 7월 4일에 연극 동아리에 가입했다.

(2) 준호는 지난 월요일에 연기 수업을 받았다.

(3) 준호는 10일 동안 연기를 연습했다.

어휘 | acting 연기

2주 to부정사 / 동명사 / 분사

해석 | 1 남: 저는 학생증 가져오는 것을 잊었어요. 여: 학생증이 없으면, 당신이 책을 빌리는 것은 불가능합니다.

2 남: 내가 드디어 마카롱 만드는 법을 배웠단다. 먹어보겠니? 여: 전 너무 배불러서 디저트를 못 먹겠어요.

3 남: 미소 짓고 있는 여자를 봐. 이것은 레오나르도 다 빈치가 그린 '모나리자'야. 여: 있잖아, 어떤 사람들은 모나리자의 미소 뒤에 숨겨진 의미가 있다고 생각해.

4 남: 영화 어땠니? 여: 너무 지루해서 나는 영화를 보는 동안 계속 잠이 들었어. 정말 실망스러워.

b. 영화는 실망스러웠다.

2주 1일 개념 돌파 전략 ❶ pp. 40~43

개념 1 Quiz 해설 | (1) 「It ~ to부정사 ....」 구문에서 일반적으로 to부정사의 의미상 주어는 「for+목적격」으로 나타낸다.

(2) 사람의 성품이나 태도를 나타내는 형용사가 오면 「of+목적격」으로 나타낸다.

해석 | (1) 우리가 축구하는 것은 재미있다.

(2) 나를 도와주다니 너는 참 친절하구나.

개념 2 Quiz 해설 | (1) '무엇을 ~할지'는 「what+to부정사」로 쓴다.

(2) '살 집'은 a house 뒤에 to live in으로 써야 한다.

(3) '무언가'라는 뜻으로 「형용사+to부정사」의 수식을 받는 대명사는 something이다.

내가 이 집을 사기에는 너무 가난해.

나는 이 집을 살 만큼 충분히 부자야.

개념 3 Quiz 해설 | (1) '너무 ~해서 …할 수 없다'라는 의미의 「so+형용사(부사)+that+주어+can't+동사원형」은 '~하기에는 너무 …한'이라는 의미의 「too+형용사(부사)+to부정사」로 바꿔 쓸 수 있다.

(2) '매우 ~해서 …할 수 있다'라는 의미의 「so+형용사(부사)+that+주어+can+동사원형」은 '~할 만큼 충분히 …한(하게)'이라는 의미의 「형용사(부사)+enough+to부정사」로 바꿔 쓸 수 있다.

해석 | (1) 내 남동생은 너무 어려서 운전을 할 수 없다.

(2) 유나는 매우 똑똑해서 영어 소설을 읽을 수 있다.

어휘 | novel 소설

1-2 for / of **2-2** where **3-2** enough to

1-1 해석 | 내가 자전거를 타는 것은 쉽다.

1-2 해설 | foolish는 '어리석은'이라는 의미의 형용사로 사람의 성품이나 태도를 나타내므로 의미상 주어를 「of+목적격」으로 써야 한다.

해석 | 그를 믿다니 너는 어리석었다.

어휘 | trust 믿다

2-1 해석 | A: 언제 떠나야 할지 내게 말해줘. B: 너는 한 시간 내에 떠나야 해.

어휘 | leave 떠나다 in an hour 한 시간 내에

2-2 해설 | 남자가 방문할 장소로 답하고 있으므로 '어디를 ~할지'라는 의미의 「where+to부정사」의 형태가 되어야 한다.

해석 | 여: 당신은 제주도에서 어디를 방문할지 결정했나요?

남: 나는 우도를 방문할까 생각 중이에요.

3-1 해석 | 나는 너무 피곤해서 더 이상 걸을 수 없다. = 나는 더 걷기에는 너무 피곤하다.

3-2 해설 | 「so+형용사(부사)+that+주어+can+동사원형」은 '매우 ~해서 …할 수 있다'라는 의미로 '~할 만큼 충분히 …한(하게)'이라는 의미의 「형용사(부사)+enough+to부정사」와 바꿔 쓸 수 있다.
해석 | 진수는 매우 키가 커서 꼭대기 선반에 닿을 수 있다.
어휘 | reach 닿다 shelf 선반, 책꽂이

개념 4 Quiz 해설 | (1) like는 목적어로 to부정사와 동명사를 모두 취할 수 있으므로 옳다.
(2) want는 to부정사를 목적어로 취하므로 옳다.
(3) finish는 동명사를 목적어로 취하므로 옳지 않다.
해석 | (1) 나는 등산을 좋아한다.
(2) 너는 지금 무엇을 하고 싶니?
(3) 너는 숙제하는 것을 끝냈니?

잠자는 아기는 내 여동생이다. / 침대 위에서 울고 있는 아기는 내 여동생이다.

개념 5 Quiz 해설 | (1) '춤을 추고 있는'이라는 뜻으로 능동, 진행의 의미가 들어가야 하므로 현재분사를 쓴다.
(2) '(~에 의해) 찍힌'이라는 수동의 의미가 들어가야 하므로 과거분사를 쓴다.
해석 | (1) 너는 무대에서 춤을 추고 있는 소년을 아니?
(2) 나는 우리 아빠에 의해 찍힌 이 사진이 무척 마음에 든다.

개념 6 Quiz 해설 | (1) 주어인 영화가 '지루한' 주체이므로 boring이 되어야 한다.
(2) 주어인 내가 '흥미를 느낀' 주체이므로 interested가 되어야 한다.

4-2 love, hate, continue   5-2 written / [모범답안] 너는 중국어로 쓰인 책들을 읽을 수 있니?   6-2 disappointed / disappointing

---

4-1 해석 | ① 꺼려하다 ② 좋아하다 ③ 시작하다

4-2 해설 | like, love, prefer, hate, start, begin, continue, intend 등 '좋아하다, 싫어하다, 시작하다, 계속하다, 의도하다' 등의 의미를 가진 동사는 목적어로 to부정사와 동명사 둘 다를 취할 수 있다. want는 to부정사만을 목적어로 취하고, enjoy와 give up은 동명사만을 목적어로 취한다.
어휘 | give up 포기하다

5-2 해설 | 중국어로 '쓰인'이라는 수동의 의미이므로 현재분사가 아닌 과거분사로 써야 한다.

6-2 해설 | A의 괄호는 주어인 You가 감정을 느끼는 주체이므로 '실망한'이라는 의미의 과거분사인 disappointed로, B의 괄호는 주어가 감정을 일으키는 주체이므로 '실망스러운'이라는 의미의 현재분사인 disappointing이 들어가야 한다.
해석 | A: 너 실망스러워 보여. 무슨 일 있니? B: 야구 경기가 실망스러웠기 때문에 기분이 좋지 않아.

2주 1일 개념 돌파 전략 ❷   pp. 44~45

CHECK UP

1 해석 | 우리가 오늘 그 과제를 끝내는 것은 불가능하다.

2 해석 | 당신은 그 기계를 어떻게 사용하는지 아나요?

3 해석 | 그 물은 우리가 마시기에 충분히 깨끗하다.
= 그 물은 매우 깨끗해서 우리는 그것을 마실 수 있다.

4 해석 | 나는 요리하는 것을 아주 좋아한다.

5 해석 | 나는 해변에서 떠오르는 태양을 보았다.

6 해석 | 그 소식은 놀라워서 우리는 모두 놀랐다.

---

1 (1) for (2) of   2 ④   3 ③   4 ⑤   5 (1) fallen (2) falling   6 (1) interesting (2) tired

---

1 해설 | (1) 「It ~ to부정사 ……」 구문에서 to부정사의 의미상 주어는 일반적으로 to부정사 앞에 「for+목적격」을 쓴다.
(2) 사람의 성품이나 태도를 나타내는 형용사 smart(똑똑한)가 쓰였으므로 「of+목적격」을 쓴다.
해석 | (1) 나는 새로운 게임을 하는 것이 신이 난다.

(2) 그 수수께끼를 풀다니 너는 똑똑하구나.

어휘 | riddle 수수께끼

2 **해설 |** '언제 ~할지'는 「when+to부정사」로 쓴다.

어휘 | go on a vacation 휴가를 가다

3 **해설 |** 「so+형용사(부사)+that+주어+can't+동사원형」은 '너무 ~해서 …할 수 없다'라는 뜻으로 「too+형용사(부사)+to부정사」로 바꿔 쓸 수 있다.

해석 | 그 방은 너무 작아서 우리는 그것을 공유할 수 없다.
= 그 방은 우리가 공유하기에는 너무 작다.

어휘 | share 공유하다, 나누다

4 **해설 |** ⑤ enjoy(즐기다)는 동명사를 목적어로 취한다.

해석 | 나는 만화책 읽기를 ① 좋아한다 ② 싫어한다 ③ 원한다 ④ 계획한다.

어휘 | comic book 만화책

5 **해설 |** (1) '떨어진 잎(낙엽)'이라는 완료의 의미가 되어야 하므로 과거분사로 쓰고, (2) '떨어지고 있는'이라는 진행의 의미가 되어야 하므로 현재분사로 쓴다.

해석 | (1) 그들은 낙엽 위에 앉았다.
(2) 우리는 하늘에서 떨어지는 별을 봤다.

어휘 | fallen leaves 낙엽

6 **해설 |** (1) 주어인 The movie가 '흥미로운, 재미있는 감정을 느끼게 하는' 주체이므로 현재분사 interesting을, (2) 주어 You가 '피곤함을 느끼는' 주체이므로 과거분사 tired를 쓴다.

해석 | (1) 그 영화는 매우 <u>재미있었다</u>.
(2) 너는 상당히 <u>피곤해</u> 보인다.

2주 2일 필수 체크 전략 ❶ pp. 46~49

전략 1 필수 예제

해설 | 빈칸 앞에 사람의 성품이나 태도를 나타내는 형용사 honest(정직한)가 쓰였으므로 의미상 주어는 「of+목적격」으로 써야 한다.

해석 | 진실을 말하다니 그는 정직했다.

어휘 | truth 진실

확인 문제

1 ④ **2** for / to

1 **해설 |** 나머지는 모두 전치사 for를 이용해서 to부정사의 의미상 주어를 표현해야 하지만 ④는 사람의 성품이나 태도를 나타내는 형용사 careless(조심성 없는)가 쓰였으므로 전치사 of가 들어가야 한다.

해설 | ① 그녀가 체중을 감량하는 것은 힘들었다. ② 나에게 스케이트보드 타기는 재미있다. ③ 우리가 규칙을 지키는 것은 중요하다. ④ 그가 창문을 깨다니 조심성이 없었다. ⑤ 네가 규칙적으로 운동하는 것은 필수적이다.

어휘 | lose weight 살이 빠지다 necessary 필수적인 regularly 규칙적으로

2 **해설 |** 일반적으로 to부정사의 의미상 주어는 to부정사 앞에 「for+목적격」으로 나타낸다.

해석 | 그가 피자를 만드는 것은 쉽다.

전략 2 필수 예제

해설 | '~하는 방법'은 의문사 how를 이용하여 「how+to부정사」로 써야 한다.

어휘 | train station 기차역

확인 문제

1 ④ **2** what to wear

1 **해설 |** B의 응답에서 시간을 말하고 있으므로 A의 빈칸에는 '언제 ~할지'라는 의미가 되도록 의문사 when이 들어가야 한다.

해석 | A: 그 약을 언제 먹어야 하는지 저에게 말해주실래요?
B: 당신은 그것을 2시에 먹어야 합니다.

어휘 | medicine 약

2 **해설 |** 문맥상 '무엇을 ~할지'라는 의미가 되어야 하므로 「what+to부정사」로 쓴다.

해석 | 나는 파티를 위해 <u>무엇을 입을지</u> 모르겠다.

전략 3 필수 예제

해설 | -thing, -body, -one 등으로 끝나는 대명사가 형용사와 to부정사의 수식을 동시에 받으면 「대명사+형용사+to부정사」의 어순으로 써야 하므로 답은 ③이 알맞다.

확인 문제

1 ③ **2** something important to tell you

1 **해설** | 이어지는 B의 응답에서 종이를 주고 있으므로 A는 B에게 '(~ 위에) 쓸 종이'를 달라고 부탁했음을 알 수 있다. 따라서 빈칸에는 to write on이 알맞다.

해석 | A: 저에게 쓸 종이 한 장 주실 수 있나요?

B: 물론이죠. 여기 종이 한 장이요.

2 **해설** | -thing, -body, -one 등으로 끝나는 대명사가 형용사와 to부정사의 수식을 동시에 받으면 「대명사+형용사+to부정사」의 어순으로 쓴다.

해석 | 나는 너에게 말할 중요한 무언가가 있다.

전략 4 　필수 예제

해설 | '~하기에는 너무 …한'이라는 의미는 「too+형용사(부사)+to부정사」의 어순으로 쓴다.

해석 | 그 차는 마시기에 너무 뜨겁다.

확인 문제

1 ① 　**2** enough / to pass

1 **해설** | '~하기에는 너무 …한'은 '너무 ~해서 …할 수 없다'라는 의미이므로 「too+형용사(부사)+to부정사」나 「so+형용사(부사)+that+주어+can't+동사원형」을 이용한다. ③은 문장 맨 뒤에 it을 써야 한다.

2 **해설** | '매우 ~해서 …할 수 있다'라는 의미의 「so+형용사(부사)+that+주어+can+동사원형」은 '~할 만큼 충분히 …한(하게)'이라는 의미의 「형용사(부사)+enough+to부정사」로 바꿔 쓸 수 있다.

해석 | 그 시험은 매우 쉬워서 모두가 그것을 통과할 수 있었다. → 그 시험은 모두가 통과할 만큼 충분히 쉬웠다.

2주 2일 필수 체크 전략 ❷ 　pp. 50~51

1 ① 　**2** ⑤ 　**3** ② 　**4** ③ 　**5** ②, ④
6 tall enough to be

1 **해설** | 빈칸에는 「It ~ to부정사 .....」 구문에서 의미상의 주어인 「for(of)+목적격」의 형태가 되도록 한다. 첫 번째 문장은 빈칸 앞에 일반적인 형용사가 쓰였으므로 for가 들어가고, 두

번째 문장은 빈칸 앞에 사람의 성품이나 태도를 나타내는 형용사 nice(착한)가 쓰였으므로 of가 들어가야 한다.

해석 | • 내가 과학을 공부하는 것은 어렵다.

• 네가 내 개를 돌봐준 것은 친절했다.

2 **해설** | ⑤ stupid(어리석은)는 사람의 성품이나 태도를 나타내는 형용사이므로 「of+목적격」으로 to부정사의 의미상 주어를 나타내야 한다.

해석 | ① 그녀가 경찰에 전화한 것은 현명했다. ② 우리가 건강한 음식을 먹는 것은 중요하다. ③ 그가 이름을 외우는 것은 쉽지 않다. ④ 네가 부모님께 말대꾸하는 것은 무례하다. ⑤ 내가 같은 실수를 한 것은 어리석었다.

어휘 | healthy 건강한　memorize 암기하다　talk back 말대답하다　make a mistake 실수를 하다

3 **해설** | ② why는 「의문사+to부정사」의 형태로 쓸 수 없다.

해석 | ① 그를 언제 방문할지 나에게 말해줘. ③ 나는 탁자를 어디에 둬야 할지 모르겠다. ④ 나는 너에게 영어로 말하는 법을 가르쳐줄 수 있다. ⑤ 너는 시장에서 무엇을 살지 결정했니?

4 **해설** | ③ 꾸밈을 받는 대명사인 something 뒤에 형용사가 오고, 이어서 to부정사가 와야 한다.

5 **해설** | '너무 ~해서 …할 수 없다'는 「too+형용사(부사)+to부정사」 또는 「so+형용사(부사)+that+주어+can't+동사원형」으로 쓴다. 이 문장에는 의미상 주어가 있으므로 to부정사 앞에 「for+목적격」의 형태로 써야 한다.

6 **해설** | '~할 만큼 충분히 …한(하게)'이라는 의미는 「형용사(부사)+enough+to부정사」의 어순으로 쓴다.

해석 | Tom은 농구선수가 될 만큼 충분히 키가 크다.

2주 3일 필수 체크 전략 ❶ 　pp. 52~55

전략 1 　필수 예제

해설 | 빈칸 뒤에 동명사가 목적어로 왔으므로 빈칸에는 동명사를 목적어로 취하는 동사가 아닌 ② plan이 답이 된다. plan은 to부정사를 목적어로 취한다. ①, ③은 동명사와 to부정사를 모두 목적어로 취하고, ④, ⑤는 동명사를 목적어로 취한다.

해석 | 나는 축구하는 것을 ① 좋아한다 ③ 싫어한다 ④ 즐긴다. / 나는 축구를 ⑤ 연습한다.

1 ②　　**2** (1) cleaning (2) to love (3) smoking

1 해설 | want는 목적어로 to부정사를 취하고, mind는 목적어로 동명사를 취하므로 답은 ②가 옳다.

해석 | • 너는 패션 디자이너가 되고 싶니?

• 나는 너를 기다리는 것을 개의치 않는다.

2 해설 | (1) finish와 (3) quit은 동명사를 목적어로 취하는 동사이고, (2) promise는 to부정사를 목적어로 취하는 동사이다.

해석 | (1) 너는 방 청소를 끝냈니?

(2) 나는 너를 영원히 사랑한다고 약속한다.

(3) 나의 아버지는 담배를 끊으셨다.

어휘 | forever 영원히 quit 그만두다 cigarette 담배

전략 2 ｜필수 예제｜

해설 | 영어로 '쓰인'은 수동의 의미이므로 과거분사 written으로 쓰고, written 이하의 수식어구가 앞의 명사 a poem을 꾸며주는 형태인 ⑤가 알맞다.

어휘 | poem 시

1 ⑤　　**2** found

1 해설 | ⑤ '잠긴' 문이라는 수동의 의미가 되어야 하므로 현재분사가 아닌 과거분사로 써야 한다. locking → locked

해석 | ① 나는 삶은 감자를 한 개 먹었다. ② 수영하는 개를 봐. ③ 미소 짓는 아기가 매우 사랑스럽다. ④ 너는 닭튀김 먹는 것을 좋아하니? ⑤ 그는 잠긴 문을 열 수 없었다.

어휘 | boiled 끓인, 삶은 fried 튀긴

2 해설 | 책상 아래에서 '발견된'이라는 수동의 의미가 되어야 하므로 과거분사 형태가 들어가야 한다. find의 과거분사형은 found이다.

해석 | 책상 아래에서 발견된 연필은 내 것이다.

전략 3 ｜필수 예제｜

해설 | 현재분사가 단독으로 쓰이지 않고 수식어구와 함께 분사구를 이루고 있으므로 명사를 뒤에서 수식해야 한다. 따라서 알맞은 위치는 ②이다.

해석 | 피아노를 치고 있는 남자는 나의 삼촌이다.

1 ④　　**2** These are the pictures taken by my father.

1 해설 | ④ '지루한 강의'라는 의미로 현재분사가 단독으로 명사를 수식하는 구조가 되어야 하므로 the boring lecture가 되어야 자연스럽다.

해석 | ① 너는 잃어버린 반지를 찾았니? ② 오늘 충격적인 소식이 있었다. ③ 우리 엄마는 이탈리아에서 만들어진 가방을 사셨다. ⑤ 나는 Vincent van Gogh에 의해 그려진 그림들을 아주 좋아한다.

어휘 | shocking 충격적인 lecture 강의

2 해설 | 과거분사가 단독으로 쓰이지 않고 수식어구와 함께 분사구를 이루고 있으므로 명사를 뒤에서 수식해야 한다.

전략 4 ｜필수 예제｜

해설 | 주어 I가 그 소식에 '실망한' 주체이므로 빈칸에는 disappoint의 과거분사형인 disappointed를 써야 한다.

해석 | 그 소식은 실망스러웠다. = 나는 그 소식에 실망했다.

어휘 | announcement 발표, 소식

1 ⑤　　**2** interested

1 해설 | 첫 번째 문장은 주어인 사고가 '충격적인' 것이므로 현재분사를, 두 번째 문장은 주어인 많은 사람들이 '충격을 받은' 것이므로 과거분사를 쓴다.

해석 | • 그 사고는 충격적이었다.

• 많은 사람들이 그의 죽음에 충격을 받았다.

어휘 | accident 사고 death 죽음

2 해설 | 주어 I가 너의 생각에 '흥미를 느끼는' 주체이므로 빈칸에는 interest의 과거분사형인 interested를 써야 한다.

해석 | 네 생각은 흥미롭게 들린다. = 나는 네 생각에 흥미를 느낀다.

2주 3일 필수 체크 전략 ❷　　pp. 56~57

1 ③　　**2** ③, ⑤　　**3** ③　　**4** ④　　**5** ⑤　　**6** satisfied

1 **해설** | '포기하다'라는 의미의 give up은 동명사를 목적어로 취한다.

해석 | 새로운 것들을 시도하는 것을 포기하지 마라.

2 **해설** | mind와 enjoy는 to부정사가 아닌 동명사를 목적어로 취한다.

해석 | 나는 파리에 가기를 ① 소망한다. / 나는 파리에 가는 것을 ② 아주 좋아한다 ④ 계획한다.

3 **해설** | 첫 번째 문장은 책들이 먼지에 '덮인'이라는 수동의 의미이므로 covered가 들어가고, 두 번째 문장은 그의 턱수염이 얼굴을 '덮고 있는'이라는 능동의 의미이므로 covering이 들어가야 한다.

해석 | • 그 책들은 먼지로 덮여 있었다.

• 그의 턱수염은 그의 얼굴 절반을 덮고 있었다.

어휘 | dust 먼지 beard (턱)수염

4 **해설** | ④ 현재분사구 wearing a red T-shirt가 명사 The girl을 뒤에서 수식해야 한다.

5 **해설** | ⑤ 주어 Everyone이 '흥분한' 감정을 느끼는 주체이므로 현재분사 exciting이 아니라 과거분사 excited가 되어야 한다.

해석 | ① 나는 요즘 피곤하다.

② 벌레들은 매우 성가시다.

③ 우리는 경보음에 놀랐다.

④ 시험 결과는 실망스러웠다.

어휘 | bug 벌레 result 결과

6 **해설** | 주어 I가 '만족스러움을 느끼는' 주체이므로 빈칸에는 satisfy의 과거분사형인 satisfied를 쓴다.

해석 | A: 음식이 어땠니? B: 모든 것이 아주 맛있었어. 나는 매우 만족스러워.

2주 4일 교과서 대표 전략 ❶ pp. 58~61

1 ④ 2 of / for 3 ① 4 ④ 5 ⑤ 6 ③
7 ② 8 big enough 9 ④ 10 ② 11 sleeping
12 breaking / broken 13 The girl wearing a red dress 14 ① 15 exciting 16 tired

1 **해설** | 「It ~ to부정사 …..」 구문에서 일반적으로 to부정사의 의미상 주어는 「for+목적격」으로 쓰므로 답은 ④이다.

해석 | Sarah는 캐나다 출신이다. 그녀가 영어를 말하는 것은 쉽다.

2 **해설** | 첫 번째 문장은 사람의 성품이나 태도를 나타내는 형용사 brave(용감한)가 쓰였으므로 전치사 of를 써서 to부정사의 의미상 주어를 표현한다. 두 번째 문장은 일반적인 경우이므로 전치사 for를 써서 to부정사의 의미상 주어를 표현한다.

해석 | • 사자와 싸우다니 그는 용감했다.

• 우리가 제시간에 그곳에 도착하는 것은 불가능하다.

3 **해설** | '~하는 방법'이라는 뜻은 ① 의문사 how가 들어가야 한다.

4 **해설** | ④ to work가 수식하는 명사 a partner가 전치사의 목적어이므로 to work 뒤에 전치사가 와야 한다. work with a partner가 자연스러우므로 to work 뒤에 전치사 with가 있어야 한다.

해석 | ① 나는 쓸 돈이 없다. ② 그녀는 입을 바지를 좀 샀다. ③ 너는 할 일이 많니? ⑤ 한국에는 방문할 많은 곳들이 있다.

어휘 | put on 입다 partner 파트너, 협력자

5 **해설** | 주어진 단어들을 바르게 배열하면 Do you need something cold to drink?이므로 네 번째 오는 단어는 something이다. -thing으로 끝나는 대명사를 형용사와 to부정사가 동시에 꾸며줄 때 to부정사는 형용사 뒤에 온다.

해석 | 당신은 마실 차가운 무언가가 필요한가요?

6 **해설** | '~하기에는 너무 …한'이라는 의미는 ③ 「too ~ to부정사 ….」로 쓴다.

어휘 | go out 외출하다

7 **해설** | 「too+형용사(부사)+to부정사」는 ② '너무 ~해서 …할 수 없다'라는 부정의 의미의 「so+형용사(부사)+that+주어+can't+동사원형」으로 바꿔 쓸 수 있다.

해석 | 그는 연설을 하기에는 수줍음이 너무 많다.

어휘 | shy 수줍음을 많이 타는 make a speech 연설하다

8 **해설** | 「so+형용사(부사)+that+주어+can+동사원형」은 '~할 만큼 충분히 …한(하게)'이라는 의미의 「형용사(부사)+enough+to부정사」로 바꿔 쓸 수 있다.

해석 | 그 피자는 매우 커서 우리는 그것을 나눠 먹을 수 있다.

어휘 | share 나누다, 공유하다

9 **해설** | ④ enjoy는 동명사만을 목적어 취하므로 첫 번째 문장의 빈칸에 들어갈 수 없다.

해석 | • 나는 무서운 영화 보는 것을 ① 좋아한다 ② 아주 좋아한다 ③ 싫어한다 ⑤ 더 좋아한다.

• 그는 좋은 음악 만드는 것을 ① 좋아한다 ② 아주 좋아한다 ③ 싫어한다 ④ 즐긴다 ⑤ 더 좋아한다.

어휘 | scary 무서운

10 해설 | ② mind(꺼리다)는 동명사를 목적어로 취한다. to open → opening

해석 | ① 나는 작년에 체중이 늘기 시작했다. ③ 너는 장래에 무엇이 되고 싶니? ④ 당신은 다리 떠는 것을 멈춰줄 수 있나요? ⑤ 너는 피아노 연습을 좀 더 해야 한다.

어휘 | gain weight 체중이 늘다 shake (몸을) 떨다

11 해설 | '잠을 자고 있는'이라는 능동과 진행의 의미가 들어가야 하므로 현재분사가 알맞다.

해석 | 잠을 자고 있는 아기를 봐. 그녀는 천사처럼 보인다.

12 해설 | B의 말에서 '고장 난' 자전거라는 수동의 의미가 되어야 하므로 현재분사 breaking을 과거분사 broken으로 고쳐야 한다.

해석 | A: 너는 지금 무엇을 하고 있니?
B: 나는 내 고장 난 자전거를 고치고 있어.

어휘 | fix 수리하다, 고치다

13 해설 | 현재분사가 구를 이루고 있으므로 앞에 있는 명사를 뒤에서 수식해야 한다.

해석 | 빨간 원피스를 입고 있는 소녀는 내 여동생이다.

14 해설 | ① 의미상 '빛나는' 별이라는 능동이자 진행의 의미가 되어야 하므로 과거분사 shone이 아니라 현재분사 shining이 되어야 한다.

해석 | ② 낙엽을 쓸자. ③ 나는 아침으로 삶은 달걀을 2개 먹었다. ④ 나는 벽에 걸려 있는 그림이 마음에 든다. ⑤ 사람들은 불타는 건물에서 뛰어나왔다.

15 해설 | 주어진 문장은 주어 We가 그 행사에 '흥분한' 것이므로 감정동사의 과거분사 형태를 썼다. 같은 의미로 문장의 주어 The event는 우리에게 '흥미진진'했다는 의미가 되어야 자연스럽다.

해석 | 우리는 그 행사에 흥분했다. = 그 행사는 우리에게 흥미진진했다.

16 해설 | 주어 You가 '피곤함을 느끼는' 주체이므로 과거분사 tired로 고쳐 써야 한다.

해석 | A: 너 정말 피곤해 보여.
B: 어젯밤에 잠을 잘 못 잤어.

2주 4일 교과서 대표 전략 ❷ pp. 62~63

1 ⑤ **2** doing / to do **3** ⑤ **4** reading **5** too young to watch the movie **6** (1) enough (2) so / that **7** ①, ④, ⑤ **8** ④ **9** disappointed

1 해설 | to부정사의 의미상 주어는 일반적인 경우 「for+목적격」의 형태를 쓰는데, 두 번째 문장의 stupid(어리석은)는 사람의 성품이나 태도를 나타내는 형용사이므로 of가 들어가야 한다.

해석 | • 내가 매일 운동하는 것은 힘들다.
• 그들이 불장난을 한 것은 어리석었다.

2 해설 | '무엇을 ~할지'는 「what+to부정사」로 쓴다.

해석 | 나는 해야 할 많은 숙제가 있다. 나는 무엇을 먼저 할지 모르겠다.

3 해설 | -thing, -body, -one 등으로 끝나는 대명사를 형용사와 to부정사가 동시에 꾸며줄 때, to부정사는 형용사 뒤에 온다.

4 해설 | 그림에서 소년이 책을 읽고 있으므로 빈칸에는 finish의 목적어인 동명사 reading이 들어가야 한다.

해석 | 나는 책 읽기를 끝내고, 축구를 했다.

5 해설 | 그림에서 소녀가 영화를 보기에는 너무 어리고 6단어라는 조건에 맞추기 위해서 '~하기에는 너무 …한'이라는 의미의 「too+형용사(부사)+to부정사」 구문으로 문장을 완성한다.

해석 | 그 소녀는 그 영화를 보기에는 너무 어리다.

6 해설 | (1) 그림에서 옷을 다 담을 만큼 가방이 충분히 크므로 「형용사(부사)+enough+to부정사」 구문이 되도록 한다.
(2) 그림에서 남자가 국이 짜서 먹지 못하고 있으므로 「so+형용사(부사)+that+주어+can't+동사원형」의 구문이 되도록 한다.

해석 | (1) 그 여행 가방은 모든 옷들을 담을 만큼 충분히 크다.
(2) 국이 너무 짜서 그는 그것을 먹을 수 없다.

어휘 | suitcase 여행 가방 hold 담다 salty 짠

7 해설 | ① love와 ④ begin은 목적어로 to부정사나 동명사 둘 다 올 수 있고, ② plan과 ⑤ decide는 to부정사만을 목적어로 취한다. ③ give up은 동명사만을 목적어로 취한다.

해석 | ① 나는 캠핑하러 가는 것을 아주 좋아한다. ④ 나의

아버지는 아침에 조깅을 하기 시작했다. ⑤ 나는 외국어 두 개를 배우기로 결심했다.

8 **해설** | ④ 분홍색으로 '페인트칠해진' 집이라는 의미이므로 과거분사 painted가 되어야 한다.

해석 | ① 나는 동물원에서 잠자는 곰 한 마리를 봤다. ② 그는 고장 난 자전거를 수리했다. ③ 한국에서 만들어진 차들은 인기가 많다. ⑤ 너는 저기 서 있는 남자를 아니?

어휘 | mend 수리하다 over there 저기에

9 **해설** | 빈칸에는 '실망한'이라는 의미가 들어가야 하므로 disappoint의 과거분사 형태가 들어가야 한다.

해석 | A: 나 수학 시험에 또 떨어졌어. 기분이 너무 안 좋아.
B: 실망하지 마. 너는 다음번에 더 잘할 수 있어.

2주 누구나 합격 전략　　　　　　pp. 64~65

1 ③　　2 ③　　3 how to get　　4 ②　　5 ③　　6 It was too heavy for me to carry.　　7 ②　　8 ②
9 ⑤　　10 (1) annoyed (2) annoying

1 **해설** | 「It ~ to부정사 .....」 구문에서 의미상 주어는 일반적으로 to부정사 앞에 「for+목적격」의 형태로 쓴다. 따라서 ③을 for 고쳐야 한다.

해석 | 나는 롤러코스터 타는 것이 재미있다.

2 **해설** | ③ rude는 '무례한'이라는 의미로 사람의 성품이나 태도를 나타내는 형용사이므로 for가 아닌 of로 to부정사의 의미상 주어를 표현해야 한다.

해석 | ① 그녀가 그를 떠난 것은 현명했다. ② 너는 드론 날리는 것이 쉽니? ④ 내 상황을 이해해주다니 너는 친절하구나. ⑤ 내가 내일까지 그 보고서를 끝내는 것은 불가능하다.

어휘 | fly a drone 드론을 날리다 situation 상황 report 보고서

3 **해설** | '어떻게 ~할지, ~하는 방법'이라는 의미로 어떤 일의 방법을 물을 때는 「how+to부정사」로 쓴다.

해석 | 공항에 어떻게 가나요? → 저에게 공항에 가는 방법을 말해주세요.

어휘 | airport 공항

4 **해설** | '호텔에 머물다'라는 의미는 stay at a hotel로 쓰므로 to부정사 뒤에 전치사 at이 와야 한다.

해석 | 여: 너는 무엇을 찾고 있니?
남: 나는 일본에서 머물 호텔을 찾고 있어.

어휘 | search for ~을 찾다 look for ~을 찾다

5 **해설** | '~할 만큼 충분히 …한(하게)'이라는 의미는 「형용사(부사)+enough+to부정사」의 어순으로 쓴다.

6 **해설** | 「too+형용사(부사)+to부정사」는 '~하기에는 너무 …한'이라는 의미를 가진다. 8단어라는 조건에 맞게 to부정사 앞에 의미상의 주어 「for+목적격(me)」을 쓰고, 시제가 과거이므로 be동사는 was를 쓴다.

해석 | A: 너는 왜 그 상자를 그곳에 두고 왔니?
B: 그것은 내가 옮기기에 너무 무거웠어.

7 **해설** | ② stop은 목적어로 to부정사가 아닌 동명사를 취한다. stop 뒤에 오는 to부정사는 to부정사의 부사적 용법 중 '~하기 위해'라는 의미의 목적으로 쓰인 경우이다.

해석 | ① 미나는 요리하는 것을 좋아한다. ③ 창문을 열어도 괜찮겠습니까? ④ 그녀는 매일 아침 커피 마시는 것을 그만두었다. ⑤ 일꾼들은 벽돌을 나르기 시작했다.

어휘 | worker 일꾼 brick 벽돌

8 **해설** | 현재분사구 playing the guitar가 수식을 받는 명사 boy 뒤에 위치해야 한다.

해석 | 기타를 연주하고 있는 귀여운 소년은 내 남동생이다.

9 **해설** | ⑤ 주어인 I가 '만족하는' 주체이므로 과거분사 satisfied로 써야 한다.

해석 | ① 나의 아버지는 중고차를 사셨다. ② 나는 영어로 쓰인 책을 읽을 수 있다. ③ 하늘을 날고 있는 비행기를 봐. ④ 나는 지루한 파티에 참석하고 싶지 않다.

어휘 | used 중고의, 사용된 attend 참석하다

10 **해설** | B의 언니가 말없이 티셔츠를 가져간 상황이므로 〈보기〉 중 '짜증나게 하다'라는 의미의 감정동사 annoy를 형용사형으로 고쳐 빈칸에 써야 한다. (1) 주어 you가 '짜증이 난' 주체이므로 빈칸에 과거분사 annoyed가 들어가야 한다. (2) 주어인 She가 '짜증스러운' 주체이므로 빈칸에 현재분사 annoying이 들어가야 한다.

해석 | A: 너 왜 짜증이 났니?
B: 우리 언니가 한마디 말도 없이 내 티셔츠를 가져갔어. 그녀는 정말 짜증 나.

어휘 | without a word 한마디 말도 없이

2주 창의·융합·코딩 전략 ❶, ❷ pp. 66~69

1 (1) for Jane to dance to the music (2) of Bill to make a speech in public (3) for Chris to run fast (4) of Kate to solve a(the) riddle　2 (1) because they were too small for her to wear (2) how to make old sneakers look new　3 He was too sick to go to school.　4 playing the piano / to swim (swimming) / to be a pianist　5 〈Step 1〉 two children building a sandcastle / a lot of stars shining in the sky 〈Step 2〉 swimming in the sea / building a sandcastle / shining in the sky
6 (1) stop watching TV (2) minds sharing his room　7 (1) polluting (2) killing (3) hurt
8 unexpected / amusing

1 **해설 |** (1), (3) 「It ~ to부정사 .....」 구문의 의미상 주어는 일반적으로 to부정사 앞에 「for+목적격」으로 나타낸다.
(2), (4) 사람의 성품이나 태도를 나타내는 형용사 brave(용감한), smart(똑똑한) 다음에는 to부정사 앞에 「of+목적격」으로 의미상 주어를 나타낸다.
해석 | (1) Jane이 음악에 맞춰 춤추는 것은 쉽지 않다.
(2) Bill이 사람들 앞에서 연설을 하다니 용감하다.
(3) Chris가 빨리 달리는 것은 어렵다.
(4) Kate가 수수께끼를 풀다니 똑똑하다.
어휘 | in public 대중 앞에서　riddle 수수께끼

2 **해설 |** (1) '~하기에는 너무 …한'이라는 의미이므로 「too+형용사(부사)+to부정사」로 나타낸다.
(2) '~하는 방법'은 「how+to부정사」로 쓴다.
해석 | 이것은 나의 새 운동화이지만, 사실 새것은 아니다. 나의 언니가 그것을 신기에는 너무 작아서 그것을 나에게 주었다. 나는 처음에 그 운동화를 좋아하지 않았다. 그때 나는 낡은 운동화를 새것으로 보이게 만드는 방법에 관한 영상을 보았다. 그래서 나는 운동화를 파랗게 칠했다. 이제, 그것은 내가 가장 좋아하는 것이다!
어휘 | sneakers 운동화　actually 실제로

3 **해설 |** '너무 ~해서 …할 수 없다'라는 의미의 「so+형용사(부사)+that+주어+can't+동사원형」은 '~하기에는 너무 …한'이라는 의미의 「too+형용사(부사)+to부정사」로 바꿔 쓸 수 있다.
해석 | 미나: 너 오늘 학교에 안 왔지. 무슨 일 있었니?

민호: 나는 너무 아파서 학교에 갈 수 없었어.
질문: 민호는 오늘 왜 학교에 가지 않았는가?
대답: 그는 학교에 가기에는 너무 아팠다.

4 **해설 |** enjoy는 동명사를 목적어로 취하고, like는 to부정사와 동명사 둘 다 목적어로 취한다. want는 to부정사를 목적어로 취한다.
해석 | 이 아이는 내 친구 수미이다. 그녀는 피아노 치는 것을 즐긴다. 그녀는 또한 수영장에서 수영하는 것을 좋아한다. 그녀는 장래에 피아니스트가 되기를 원한다.

5 **해설 |** 현재분사가 구를 이루어 앞의 명사를 수식하도록 한다.
해석 | 〈Step 1〉 많은 사람들이 바다에서 수영을 했다. / 두 명의 아이들이 모래성을 쌓았다. / 많은 별들이 하늘에서 반짝였다. / 예시) 바다에서 수영하는 많은 사람들 / 모래성을 쌓고 있는 두 명의 아이들 / 하늘에서 빛나는 많은 별들
〈Step 2〉 2022년 7월 5일 / 나는 가족과 함께 속초에 갔다. 나는 바다에서 수영을 하는 많은 사람들을 봤다. 나는 또한 모래성을 쌓고 있는 두 명의 아이들을 봤다. 밤에는, 하늘에서 빛나는 많은 별들을 볼 수 있었다.

6 **해설 |** (1) Ben이 TV를 끄겠다고 했으므로 빈칸에는 'TV 시청을 멈추다'라고 쓰는 것이 적절하다. stop은 동명사를 목적어로 취하므로 watching으로 쓴다.
(2) '방을 함께 쓰는 것을 꺼린다'라고 하는 것이 적절하며, '꺼려하다'라는 의미의 동사 mind 또한 동명사를 목적어로 취하므로 sharing으로 쓴다.
해석 | (1) Jessie: TV가 정말 시끄러워. 나는 공부에 집중을 못 하겠어. Ben: 미안해, Jessie. TV를 끌게.
→ Ben은 TV 시청을 멈출 것이다.
(2) 엄마: Steve, 네 방을 남동생과 같이 쓸 수 있겠니?
Steve: 아니요. 저는 제 방을 혼자 쓰고 싶어요.
→ Steve는 그의 남동생과 그의 방을 함께 쓰는 것을 꺼린다.
어휘 | concentrate on ~에 집중하다　turn off 끄다
alone 혼자

7 **해설 |** (1) 땅과 물을 '오염시키는'이라는 능동의 의미이므로 현재분사 polluting이 알맞다.
(2) 농작물에 해로운 곤충을 '죽이는'이라는 능동의 의미이므로 현재분사 killing이 알맞다.
(3) 동물과 사람이 '다치게 되는'이라는 수동의 의미이므로 과거분사 hurt가 알맞다. (hurt – hurt – hurt)
해석 | 농부들은 농작물을 기르기 위해 많은 화학 물질을 사용

한다. 그 화학 물질은 농작물을 먹는 해로운 곤충들을 죽인다. 불행히도, 그것들은 또한 땅과 물을 오염시킨다. 동물과 사람은 그 화학 물질 때문에 아플 수 있다. → 농부들은 농작물을 기르기 위해 땅과 물을 <u>오염시키는</u> 많은 화학 물질을 사용한다. 농작물을 먹는 해로운 곤충을 <u>죽이는</u> 화학 물질은 동물과 사람이 다치게 되는 원인이 될 수 있다.

어휘 | chemicals 화학 물질 grow 재배하다 crop 농작물 harmful 해로운 insect 곤충 unfortunately 불행히도 pollute 오염시키다 get sick 병이 나다

8 해설 | '종업원의 예상치 못한 대답이 상황을 재미있게 만들었다.'라는 흐름이 되어야 자연스럽다. '예상하다'라는 의미의 동사 expect의 부정형은 unexpect이며, '예상치 못한'이라는 수동의 의미가 되려면 unexpected로 써야 한다. '재미있게 하다'라는 의미의 동사 amuse는 '재미있는'이라는 의미의 능동의 현재분사 amusing으로 써야 한다.

해석 | 손님: 당신 손가락이 제 수프에 들어갔어요!

종업원: 걱정 마세요. 수프가 뜨겁지 않아요.

만약 종업원이 당신의 수프에 손가락을 넣으면 괜찮은가? 대부분의 사람들은 그 서비스가 형편없다고 생각할 것이다. 그 종업원은 손님에게 미안하다고 말해야 한다. 하지만 그는 그녀가 수프에 빠진 자신의 손가락을 걱정한다고 생각했다. 가끔 예상치 못한 대답이 상황을 재미있게 만들 수 있다.

어휘 | finger 손가락 guest 손님 situation 상황 expect 예상하다 amuse 재미있게 하다

BOOK 1 마무리 전략
pp. 70~71

1 ❶ The castle looks wonderful.
❷ Julia bought a box of chocolate for him.
❸ Dad showed some old photos to us.
❹ My parents allowed me to go to the concert.
❺ The police made him stop his car.
❻ They felt the building shake (shaking).
❼ Brad has kept a diary since last month.
❽ The kids have never ridden a horse.
❾ Kate cut her hair short a week ago.
❿ She has gone to London.
2 ❶ too exhausted to walk ❷ to sit on
❸ what to eat ❹ baked ❺ amazing / touched
❻ of / practicing

1 해설 | ❶ 감각동사 look은 주격보어로 형용사가 와야 한다.
❷~❸ 4형식 문장을 3형식 문장으로 바꿀 때 간접목적어와 직접목적어의 위치를 바꾸고, 간접목적어 앞에 전치사를 쓴다. 이때 전치사는 동사에 따라 달라지는데, 동사 buy는 전치사 for를 써야 하고, show는 전치사 to를 써야 한다.
❹ 동사 allow는 목적격보어로 to부정사를 써야 한다.
❺ 사역동사 make는 목적격보어로 동사원형을 써야 한다.
❻ 지각동사의 목적격보어로 동사원형 또는 현재분사를 쓸 수 있다.
❼ 현재완료는 「have(has)+과거분사」로 나타내며, 과거의 일이 현재까지 영향을 미칠 때 쓴다.
❽ '~한 적이 없다'라는 의미를 나타낼 때 「have(has)+never+과거분사」로 쓴다.
❾ 특정 과거 시점을 나타내는 부사 ago가 쓰였으므로 현재완료와 함께 쓸 수 없으며, 과거 시제로 고쳐야 한다.
❿ 결과를 나타내는 현재완료를 이용한다.

해석 | ❶ 그 성은 멋져 보인다. ❷ Julia는 그에게 초콜릿 한 상자를 사주었다. ❸ 아빠는 우리에게 오래된 사진을 몇 장 보여주셨다. ❹ 우리 부모님은 내가 콘서트에 가도록 허락하셨다. ❺ 경찰은 그가 차를 세우도록 했다. ❻ 그들은 건물이 흔들리는(흔들리고 있는) 것을 느꼈다. ❼ Brad는 지난달부터 일기를 써 오고 있다. ❽ 그 아이들은 말을 타 본 적이 없다. ❾ Kate는 일주일 전에 머리를 짧게 잘랐다. ❿ 그녀는 런던에 갔다. 그녀는 지금 여기 없다. → 그녀는 런던에 가 버렸다.

어휘 | castle 성 shake 흔들리다 keep a diary 일기를 쓰다

2 해설 | ❶ 「so+형용사(부사)+that+주어+can't+동사원형」은 '너무 ~해서 …할 수 없다'라는 의미로 「too+형용사(부사)+to부정사」와 바꿔 쓸 수 있다.
❷ 형용사적 용법으로 쓰인 to부정사는 '~하는, ~할'로 해석하며, 앞에 있는 명사(구)를 수식한다. 수식을 받는 명사(구)가 전치사의 목적어일 때 to부정사 뒤에 전치사를 쓴다.
❸ what I should eat은 '무엇을 먹어야 할지'라는 의미로 '무엇을 ~ 할지'라는 의미의 「의문사+to부정사」의 what to eat으로 바꿔 쓸 수 있다.
❹ 수동, 완료의 의미를 나타낼 때는 과거분사를 쓴다.
❺ 주어가 감정을 일으키는 주체일 때는 현재분사를 쓰고, 주어가 감정을 느끼는 주체일 때는 과거분사를 쓴다.
❻ 사람의 성품이나 태도를 나타내는 형용사 kind가 쓰였으

므로 의미상 주어는 「of+목적격」으로 나타낸다. keep은 동명사를 목적어로 취하는 동사이다.

해석 | ❶ 나는 너무 기진맥진해서 더 걸을 수 없어. ❷ 나도 그래. 앉을 벤치를 찾아보자. ❸ 나는 무엇을 먹어야 할지 결정을 못 하겠어. 모두 맛있어 보여. ❹ 나는 버터를 바른 구운 감자를 주문할 거야. ❺ 당신의 공연은 놀라웠어요. 전 정말 감동받았어요. ❻ 그렇게 말씀해 주시다니 고맙습니다. 저는 좋은 가수가 되기 위해 계속 연습할 거예요.

어휘 | exhausted 기진맥진한, 진이 다 빠진
performance 공연 touch 감동시키다, 마음을 움직이다

신유형·신경향·서술형 전략

pp. 72~75

1 (1) sweet (2) fresh (3) beautiful 2 has tasted / has never(not) tasted / has never(not) ridden / has ridden / have never(not) visited 3 (1) ④ (2) Minho bought a T-shirt for me. 또는 Minho bought me a T-shirt. 4 (1) pick up the balls (2) to fill up the water bottles (3) to practice more 5 where to vist / how to get(visit) / what to do 6 (1) The cat was fast enough to catch the mouse. (2) He is too busy to eat lunch. 7 (1) something cold to drink (2) somebody strong to help 8 disappointed / exciting

1 **해설** | (1) 감각동사 taste는 '~한 맛이 나다'라는 의미이고, (2) smell은 '~한 냄새가 나다'라는 의미이고, (3) sound는 '~하게 들리다'라는 의미이다. 모두 주격보어로 형용사가 온다는 것에 유의해야 한다.
해석 | (1) 그 사탕은 달콤한 맛이 난다.
(2) 공기에서 상쾌한 냄새가 난다.
(3) 그녀의 노래는 아름답게 들린다.

2 **해설** | 과거부터 현재까지의 경험이므로 「have(has)+과거분사」 형태의 현재완료를 이용한다. 경험을 말할 때 부정문은 보통 never를 이용한다.
해석 | Jenny는 불고기를 맛본 적이 있다. Mike는 불고기를 맛본 적이 한 번도 없다. Jenny는 스노보드를 타본 적이 한 번도 없다. Mike는 스노보드를 타본 적이 있다. Jenny와 Mike는 중국을 방문한 적이 한 번도 없다.

3 **해설** | ④ 수여동사 buy가 쓰인 4형식 문장을 3형식 문장으

로 바꿀 때 간접목적어 앞에 전치사 to가 아닌 for를 써야 한다.

해석 | 4월 8일 토요일
오늘은 내 생일이었다. 내 친구들은 나를 위해 깜짝 파티를 열어줬다. 그들은 또한 나에게 선물도 줬다. 수호는 나에게 필통을 사줬다. 미나는 그녀가 가장 좋아하는 책을 나에게 줬다. 민호는 나에게 티셔츠를 사줬다. 나의 가장 친한 친구인 유민이는 나에게 케이크를 만들어줬다. 나는 매우 행복했다.

어휘 | throw a party 파티를 열다 gift 선물

4 **해설** | 메모에 쓰인 명령문을 5형식 문장으로 변형해야 한다.
(1) 사역동사 make는 목적격보어로 동사원형을 쓴다.
(2) '~을 강요하다'라는 의미의 force는 목적격보어로 to부정사를 쓴다.
(3) '~하게 하다'라는 의미의 준사역동사 get은 목적격보어로 to부정사를 쓴다.
해석 | Jim, 공을 주워라. Chris, 물통을 채워라. John, 더 연습해라. ―코치가―
(1) 코치는 Jim에게 공을 주우라고 시켰다.
(2) 코치는 Chris에게 물통을 채우게 했다.
(3) 코치는 John에게 연습을 더 하도록 했다.
어휘 | pick up 줍다 fill up ~을 가득 채우다 force ~을 강요하다

5 **해설** | 휴가 계획을 묻는 A의 질문과 제주도를 가기로 했다는 B의 대답으로 보아 첫 번째 빈칸에는 '어디를 방문할지'라는 표현이 들어가야 한다. 비행기를 탈 것이라는 B의 두 번째 대답으로 보아 A의 두 번째 빈칸에는 '어떻게 갈지(방문할지)'라는 말이 알맞고, 바다에서 수영을 하라는 A의 충고로 보아 세 번째 빈칸에는 '무엇을 할지'라는 말이 들어가야 알맞다.
해석 | A: 너의 휴가 계획은 어떻게 되어 가니? 어디를 방문할지 결정했니? B: 응. 나는 제주도를 방문하기로 결정했어. A: 너는 그곳에 어떻게 갈지(방문할지) 결정했니? B: 나는 비행기를 탈 거야. A: 잘됐다. B: 하지만 그곳에서 무엇을 할지에 대해 아직 생각 중이야. B: 너는 바다에서 수영을 해야 해. 제주도에 있는 해변들은 정말 아름다워.

6 **해설** | 「so+형용사(부사)+that+주어+can+동사원형」은 '매우 ~해서 …할 수 있다'라는 의미로 「형용사(부사)+enough+to부정사」로 바꿔쓸 수 있고, 「so+형용사(부사)+that+주어+can't+동사원형」은 '너무 ~해서 …할 수 없다'라는 의미로 「too+형용사(부사)+to부정사」로 바꿔 쓸 수

있다.

해석 | (1) 그 고양이는 매우 빨라서 그 쥐를 잡을 수 있었다.

(2) 그는 너무 바빠서 점심을 먹을 수 없다.

7 해설 | '~할 무언가[누군가]'라는 뜻으로 대명사를 형용사와 to 부정사가 동시에 수식할 때 어순은 「대명사+형용사+to부정사」로 쓴다. (1) 그림에서 소년이 시원한 마실 것이 필요한 상황이므로 빈칸에는 something cold to drink가 알맞다. (2) 그림에서 소녀가 무거운 것을 들고 있으므로 도와줄 힘이 센 누군가가 필요한 상황이므로 빈칸에는 somebody strong to help가 알맞다.

해석 (1) 그 소년은 마실 차가운 무언가를 원한다.

(2) 그 소녀는 자신을 도와줄 힘이 센 누군가가 필요하다.

8 해설 | 첫 번째 빈칸은 앞 문장에서 영화가 그다지 재미있지 않았다고 했으므로 주어가 I인 남자가 영화에 실망감을 느낀 것이므로 disappoint의 과거분사형을 쓴다. 두 번째 빈칸은 앞 문장에서 영화가 좋았다고 했으므로 주어가 It인 영화가 흥미진진한 감정을 느끼게 한 것이므로 excite의 현재분사형을 쓴다.

해석 | 여: 영화 어땠니?

남: 그렇게 재미있지는 않았어. 나는 실망했어.

여: 정말? 나는 좋았어. 그 영화는 나에게 흥미진진했어.

적중 예상 전략 | ❶

pp. 76~79

1 ② 2 ③ 3 ④ 4 ② 5 ① 6 ② 7 ①, ③
8 ①, ④ 9 ③ 10 ④ 11 ④ 12 ④ 13 ①
14 ③ 15 ① 16 write a letter to them 17 (1) to wait a minute (2) take pictures 18 I have lived in Daejeon for five years. 19 (1) has read a book for an hour (2) have slept for an hour 20 Yes, I have. I have read it before.

1 해설 | '~해 보이다'라는 뜻을 가진 감각동사 look이 쓰인 2형식 문장이므로 주격보어로 형용사가 와야 한다. 따라서 ② 부사 greatly는 형용사 great가 되어야 옳다.

해석 | 그 남자는 ① 피곤해 ③ 불행해 ④ 배고파 ⑤ 흥분되어 보였다.

2 해설 | smell과 같은 감각동사 뒤에는 주격보어로 형용사를 써야 한다. 그림에서 소녀가 우유 냄새를 맡고 인상을 찌푸리고 있으므로 나쁜 냄새가 나는 상황임을 알 수 있다. 따라서

주격보어로 ③ 형용사 bad가 오는 것이 자연스럽다. ⑤ 「감각동사+like」 뒤에는 명사(구)가 와야 한다.

해석 | ③ 우유에서 상한(나쁜) 냄새가 난다.

어휘 | badly 심하게, 나쁘게

3 해설 | 동사 buy는 4형식 문장을 3형식 문장으로 바꿀 때 문장 뒤로 간 간접목적어 앞에 전치사 for를 쓴다.

해석 | 그는 우리에게 쿠키를 좀 사주었다.

4 해설 | ② 수여동사 find는 4형식 문장을 3형식 문장으로 바꿀 때 간접목적어 앞에 전치사 for가 필요하다.

해석 | ① 김 선생님은 우리에게 수학을 가르치신다. ② 너는 나에게 좋은 책 한 권을 찾아주겠니? ③ 엄마는 우리에게 맛있는 피자를 만들어 주셨다. ④ 그는 나에게 많은 질문을 했다. ⑤ 너는 나에게 돈 좀 빌려줄 수 있니?

어휘 | lots of 많은 lend 빌려주다

5 해설 | 나머지는 모두 「간접목적어+직접목적어」의 관계인 반면에 ①은 「목적어+목적격보어」의 관계이다.

해석 | ① 그 영화는 그녀를 스타로 만들었다. ② 그녀는 그에게 그녀의 사진들을 보여주었다. ③ 나의 이모는 나에게 책을 몇 권 보내주셨다. ④ Susan은 Jim에게 자신의 전화번호를 주었다. ⑤ 선생님은 나에게 몇 가지 질문을 하셨다.

어휘 | a few 약간의

6 해설 | ① make는 4형식 문장에서 뒤에 간접목적어와 직접목적어가 오고, ③, ④ 5형식 문장에서는 목적격보어로 명사, 형용사가 올 수 있다. ⑤ 사역동사로 쓰일 때는 목적격보어로 동사원형이 온다. 단, ② 목적격보어로 부사는 올 수 없다. happily → happy

해석 | ① 나는 그에게 가방을 만들어 주었다. ③ Tim은 그의 아들을 의사로 만들었다. ④ Jane은 그녀의 친구들을 행복하게 만들었다. ⑤ 우리 엄마는 내가 열심히 공부하게 만드셨다.

어휘 | pleased 기쁜

7 해설 | 목적격보어 자리에 동사원형이 왔고 의미상 사역동사가 자연스러우므로 답은 ①, ③이 된다. ② get은 '시키다'라는 뜻이 있지만 목적격보어로 to부정사를 취한다. ④ want와 ⑤ order 역시 목적격보어로 to부정사를 취한다.

해석 | 선생님은 학생들이 교실을 청소하도록 ① 하셨다 ③ 만드셨다.

어휘 | order 명령하다

8 해설 | 지각동사 feel의 목적격보어로는 동사원형이나 현재분사가 올 수 있다.

해석 | 나는 누군가 내 가방을 만지는(만지고 있는) 것을 느꼈다.

어휘 | touch 만지다

9 해설 | ③ 수여동사 cook이 쓰인 4형식 문장을 3형식 문장으로 바꿀 때 문장 뒤로 보낸 간접목적어 앞에는 전치사 for를 쓴다. → Dad cooked hamburgers for me.

어휘 | soft 부드러운 water plants 식물에 물을 주다

10 해설 | ④ 사역동사 have는 동사원형을 목적격보어로 취한다. to eat → eat

해석 | 일요일마다, 나의 아버지는 우리 가족을 위해 먹을 맛있는 무언가를 만들어 주신다. 그는 요리를 아주 좋아하신다. 하지만, 그는 훌륭한 요리사는 아니다. 지난 일요일에는, 아버지가 우리에게 크림 스파게티를 만들어 주셨다. 그것은 훌륭해 보였지만, 너무 짠 맛이 났다. 내 남동생은 그 스파게티를 먹고 싶어 하지 않았지만, 나는 그가 그것을 다 먹게 했다. 나는 아버지를 슬프게 만들고 싶지 않았다.

어휘 | salty 짠

11 해설 | 빈칸 뒤에 언젠가 그곳에 가보고 싶다는 말로 보아 빈칸에는 부정의 대답이 알맞다. 현재완료로 물었을 때 부정의 대답은 「No, 주어+haven't(hasn't)」로 한다. 따라서 답은 ④가 알맞다.

해석 | A: 너는 하와이에 가본 적이 있니?

B: 아니, 없어. 나는 언젠가 그곳에 가보고 싶어.

어휘 | someday 언젠가

12 해설 | 나머지는 모두 현재완료 경험 용법이고, ④는 현재완료 계속 용법이다.

해석 | ① 그녀는 전에 이 책을 읽어본 적이 있다. ② 너는 에버랜드에 가본 적이 있니? ③ 나는 베트남 쌀국수를 먹어본 적이 있다. ④ 그는 3년 동안 여기서 일해 오고 있다. ⑤ 나는 그런 무서운 영화를 본 적이 없다.

어휘 | noodle 국수 horrible 무서운, 끔찍한

13 해설 | ① yesterday는 명백한 과거를 나타내는 부사이므로 현재완료 문장에 쓸 수 없다. → I lost my cat yesterday.

해석 | ② 우리는 이미 아침을 먹었다. ③ 당신은 얼마나 오래 이 도시에 머무르고 있나요? ④ 그녀는 아직 숙제를 끝내지 못했다. ⑤ 나는 작년부터 피아노를 치고 있다.

14 해설 | 나머지는 모두 일반동사 과거형의 의문문과 부정문, 부가의문문에 쓰이는 did가 들어가고, ③은 현재완료 시제이고 주어가 you이므로 빈칸에는 Have가 들어가야 한다.

해석 | ① 너는 오늘 아침 몇 시에 학교에 갔니? ② 그는 지난 주말에 그의 조부모님을 뵈었니? ③ 너는 전에 캐나다에 가본 적이 있니? ④ 나는 어제 친구들을 만나지 않았다. ⑤ Kate는 너의 생일 파티에 오지 않았지, 그렇지?

15 해설 | 〈보기〉와 같이 '~해 버렸다'라는 의미의 결과 용법으로 쓰인 것은 ①이다. ② 경험 ③, ④ 계속 ⑤ 완료

해석 | 〈보기〉 나는 스마트폰을 잃어버렸다. ① 그는 일본으로 가버렸다. ② 나는 요가를 배워본 적이 없다. ③ 그녀는 지난 주부터 아프다. ④ 우리는 5년째 서로를 알고 지낸다. ⑤ 너는 벌써 숙제를 끝냈니?

어휘 | each other 서로

16 해설 | 수여동사 write가 쓰인 4형식 문장을 3형식 문장으로 바꿀 때 문장 뒤로 간 간접목적어 앞에 전치사 to를 쓴다.

해석 | 미나: 내일은 어버이날이야. 너는 부모님을 위해 무엇을 할 거니? Jake: 나는 그분들에게 편지를 쓸 거야.

어휘 | Parents' Day 어버이날

17 해설 | 〈보기〉의 advise와 (1)의 ask는 5형식 문장에서 목적격보어로 to부정사를 취하지만, (2)의 let은 사역동사이므로 목적격보어로 동사원형을 취해야 한다.

해석 | 〈보기〉 의사는 그에게 물을 많이 마시라고 충고했다.

(1) 점원은 그녀에게 잠깐 기다려 달라고 부탁했다.

(2) 그 여자는 그에게 사진 찍는 것을 허락했다.

18 해설 | 5년 전에 대전으로 이사했고 여전히 살고 있다고 했으므로, 과거에 발생한 일이 현재까지 계속되고 있는 현재완료 계속 용법으로 쓴다. 5년 전부터 현재까지 계속 대전에서 살고 있으므로 동사는 have lived로, '5년 동안'이라는 의미가 되기 위해 전치사 for를 이용하여 for five years로 써야 한다.

해석 | 나는 5년 전에 대전으로 이사를 했다. 나는 여전히 거기서 살고 있다. → 나는 5년 동안 대전에서 살고 있다.

19 해설 | 과거의 한 시점부터 지금까지 지속된 동작이나 상태를 나타내므로 「have(has)+과거분사」 형태의 현재완료 계속 용법을 쓴다.

해석 | 〈보기〉 한 시간 동안 비가 내렸다. (1) 그 소녀는 한 시간 동안 책을 읽었다. (2) 그 개들은 한 시간 동안 잠을 잤다.

20 해설 | A가 현재완료로 물었으므로 B는 have를 이용하여 답한다. 또한 경험에 대해서 말하고 있으므로 현재완료 경험 용법으로 쓴다.

해석 | A: 너는 '어린 왕자' 책을 읽어본 적이 있니?

1 ④	2 ②	3 ⑤	4 ②	5 ④	6 ②	7 ③
8 ⑤	9 ③	10 ④	11 ①	12 ②	13 ②	

14 ②, ⑤ **15** for me to cook **16** (1) where to visit (2) how to use **17** too short to **18** (1) listening to music (2) riding a (his) bike **19** (1) There is a girl reading a book. (2) There is a boy sleeping on the desk. **20** (1) amazing (2) amazed

1 해설 | 주어진 문장은 가주어 it, 진주어 to부정사 구문이므로 ④ making을 to make로 고쳐야 한다.
해석 | 새로운 친구들을 사귀는 것은 쉽지 않다.
어휘 | make a friend 친구를 사귀다

2 해설 | to부정사의 의미상 주어를 만드는 전치사로 나머지는 모두 for가 들어가지만 ②에는 사람의 성품이나 태도를 나타내는 말인 generous(관대한)가 쓰였으므로 of가 알맞다.
해석 | ① 내가 일찍 일어나는 것은 힘들다. ② 나를 용서하다니 너는 관대하다. ③ 그가 그 책을 이해하기는 어렵다. ④ 그녀가 혼자 그 일을 끝내는 것은 불가능하다. ⑤ 네가 옳은 결정을 하는 것은 필요하다.
어휘 | forgive 용서하다 decision 결정, 결심

3 해설 | ⓐ와 ⓒ는 사람의 성품이나 태도를 나타내는 형용사 brave(용감한), rude(무례한)가 쓰였으므로 to부정사의 의미상 주어는 「of+목적격」이 되어야 한다. ⓑ와 ⓓ는 일반적인 형용사 exciting(흥미진진한), dangerous(위험한)가 쓰였으므로 to부정사의 의미상 주어는 「for+목적격」이 되어야 한다.
해석 | ⓐ 그가 그 소녀를 구한 것은 용감했다. ⓑ 나에게 눈싸움을 하는 것은 흥미진진하다. ⓒ 네가 수업 중에 자는 것은 무례했다. ⓓ 그들이 강에서 수영하는 것은 위험하다.
어휘 | save 구하다 snowball fight 눈싸움

4 해설 | 대명사 someone을 형용사와 to부정사가 동시에 수식할 때는 「대명사+형용사+to부정사」의 어순이 되어야 한다.
어휘 | responsible 책임감 있는

5 해설 | '~하기에는 너무 …한'이라는 의미의 「too+형용사(부사)+to부정사」는 '너무 ~해서 …할 수 없다'라는 의미의 「so+형용사(부사)+that+주어+can't+동사원형」과 바꿔 쓸 수 있다. 시제가 현재임에 유의한다.

해석 | 그 집은 Jack이 안에 들어가기에 너무 작다. = 그 집은 너무 작아서 Jack이 안에 들어갈 수 없다.
어휘 | inside 안에

6 해설 | '~할 만큼 충분히 …한(하게)'이라는 의미의 「형용사(부사)+enough+to부정사」는 '매우 ~해서 …할 수 있다'라는 의미의 「so+형용사(부사)+that+주어+can+동사원형」으로 바꿔 쓸 수 있으므로 답은 ②가 된다.
해석 | 그는 그 문제를 풀 만큼 충분히 똑똑하다. = 그는 매우 똑똑해서 그 문제를 풀 수 있다.

7 해설 | to부정사의 명사적 용법으로 쓰이는 「의문사+to부정사」에서 의문사 how, when, what, where, which 등은 쓸 수 있지만, ③ 의문사 why는 쓸 수 없다.
해석 | ① 아무도 언제 여기를 떠나야 하는지 말하지 않았다. ② Jane은 장래에 무엇을 해야 하는지 안다. ④ John은 나에게 스파게티를 어떻게 요리하는지 설명했다. ⑤ 당신은 저에게 화장실을 어디에서 찾을 수 있는지 말해줄 수 있나요?
어휘 | future 장래, 미래 explain 설명하다 bathroom 화장실

8 해설 | ⑤ '닫힌 문'이라는 뜻이 되어야 하므로 현재분사가 아닌 과거분사 closed가 되어야 옳다.
해석 | ① 울고 있는 소녀를 봐. ② 우리는 꽁꽁 언 호수 위에서 스케이트를 탔다. ③ 성장하는 아이는 잘 먹어야 한다. ④ 그들은 저녁으로 튀긴 닭고기를 먹었다.
어휘 | frozen 언, 얼린 growing 성장하는 fried 튀긴 for dinner 저녁으로

9 해설 | ③ stop은 동명사를 목적어로 취한다. stop 뒤에 to부정사가 오면 '~하기 위해서'라는 의미의 to부정사의 부사적 용법 중 목적으로 해석한다. 따라서 두 문장의 의미는 같지 않다.
해석 | ① 나는 음악 감상을 좋아한다. ② 나는 그 기계를 쉽게 이용할 수 있다. = 내가 그 기계를 이용하는 것은 쉽다. ③ 그 운전자는 타이어를 교체하기 위해 멈췄다.≒그 운전자는 타이어 교체하는 것을 중단했다. ④ 그는 그 상황을 이해할 만큼 충분히 나이가 들었다. ⑤ 네가 돌아다니기에는 날이 너무 어둡다.
어휘 | machine 기계 change a tire 타이어를 교체하다 situation 상황 go around 돌아다니다

10 해설 | ⓐ는 '앉을 벤치'라는 의미가 되어야 하므로 to부정사 뒤에 전치사 on이 필요하다. ⓓ에서 finish는 동명사를 목적

어로 취하는 동사이므로 to clean을 cleaning으로 고쳐야 한다.

해석 | ⓑ 너는 케이크 만드는 방법을 아니? ⓒ 그는 최선을 다하기로 약속했다.

어휘 | look for ~을 찾다 do one's best 최선을 다하다

11 **해설 |** ① decide는 to부정사를 목적어로 취하는 동사이므로 going을 to go로 고쳐야 한다. ②, ④의 love, like는 to부정사, 동명사를 모두 목적어로 취하는 동사이다. ③ want는 to부정사를 목적어로, ⑤ mind는 동명사를 목적어로 취하는 동사이다.

해석 | ② 소라는 만화책 읽는 것을 아주 좋아한다. ③ 나는 가장 좋아하는 배우를 만나기를 원한다. ④ 나는 꽃 사진 찍는 것을 좋아한다. ⑤ 창문을 열어도 될까요?

어휘 | comic book 만화책

12 **해설 |** ② '만족감을 주는' 삶이라는 의미가 되어야 하므로 과거분사 satisfied(만족하는)가 아니라 현재분사 satisfying(만족감을 주는)이 되어야 옳다.

해석 | ① 그 이야기는 매우 지루했다. ③ 나는 영화를 만드는 데 흥미가 있다. ④ 우리는 그 소식을 듣고 놀랐다. ⑤ 그 충격적인 사고는 나를 슬프게 만들었다.

어휘 | accident 사고

13 **해설 |** ⓐ to부정사의 수식을 받는 명사가 전치사의 목적어이므로 talk 뒤에 전치사 to나 with가 필요하다.

ⓓ practice는 동명사를 목적어로 취한다. to play → playing

ⓔ '~할 만큼 충분히 …한(하게)'이라는 의미의 구문은 「형용사〔부사〕+enough+to부정사」의 형태로 쓰므로 healthy enough to run의 어순이 되어야 옳다.

해석 | ⓑ 내가 너에게 마실 뜨거운 무언가를 가져다줄게. ⓒ 네가 정직한 것은 중요하다.

어휘 | healthy 건강한

14 **해설 |** ②, ⑤의 try와 remember는 동명사와 to부정사 둘 다를 목적어로 취하지만 의미가 달라진다. ② 「try+동명사」는 '(시험 삼아) 한번 해보다'라는 의미이고, 「try+to부정사」는 '~을 하려고 노력하다'라는 의미이다. ⑤ 「remember+동명사」는 '~한 것을 기억하다'라는 의미이고, 「remember+to부정사」는 '~할 것을 기억하다'라는 의미이다.

해석 | ① 눈이 오기 시작했다. ② 그녀는 시험 삼아 한번 연필로 써 보았다. / 그녀는 연필로 쓰려고 노력했다. ③ Tom은

정크푸드 먹는 것을 싫어한다. ④ 나는 한 시간 전에 걷기 시작했다. ⑤ 나는 가장 친한 친구를 만난 것을 기억한다. / 나는 가장 친한 친구를 만날 것을 기억한다.

어휘 | junk food 정크 푸드(인스턴트 음식이나 패스트푸드)

15 **해설 |** to부정사의 의미상 주어는 일반적으로 to부정사 앞에 「for+목적격」으로 쓴다.

해석 | 나는 요리를 잘 못 한다. → 내가 요리하는 것은 어렵다.

16 **해설 |** (1) '어디를 방문할지'라는 의미가 되어야 하므로 where to visit로, (2) '어떻게 사용하는지'라는 의미가 되어야 하므로 how to use로 쓴다.

해석 | (1) 나는 부산에서 어디를 방문할지 결정할 수 없다.
(2) 나는 이 복사기를 어떻게 사용하는지 모른다.

어휘 | copy machine 복사기

17 **해설 |** 그림에서 소년이 키가 작아서 롤러코스터를 못 타는 상황이므로 '~하기에는 너무 …한'이라는 의미의 「too+형용사〔부사〕+to부정사」를 써야 한다.

해석 | 그 소년은 롤러코스터를 타기엔 키가 너무 작다.

18 **해설 |** 지각동사의 목적격보어로는 동사원형이나 현재분사가 올 수 있는데, 진행의 의미를 강조할 때 주로 현재분사를 쓴다.

해석 | 〈보기〉 나는 나무 위에서 노래하고 있는 새 두 마리를 볼 수 있다.
(1) 나는 음악을 듣고 있는 소녀를 볼 수 있다.
(2) 나는 자전거를 타고 있는 소년을 볼 수 있다.

19 **해설 |** 분사가 단독으로 쓰이지 않고 구를 이루어 명사를 수식할 때는 명사 뒤에서 수식한다.

해석 | 〈보기〉 칠판을 지우고 있는 소년이 있다.
(1) 책을 읽고 있는 소녀가 있다.
(2) 책상 위에서 자고 있는 소년이 있다.

어휘 | erase 지우다 blackboard 칠판

20 **해설 |** (1) 주어가 감정을 일으키는 주체이므로 '놀라운'이라는 능동의 의미인 현재분사 amazing을 쓴다.
(2) 주어가 감정을 느끼는 주체이므로 '(~로) 놀란'이라는 수동의 의미인 과거분사 amazed를 쓴다.

해석 | (1) 그 불꽃놀이는 놀라웠다.
(2) 우리는 불꽃놀이에 놀랐다.

어휘 | firework 불꽃놀이 amaze 놀라게 하다

BOOK 2 정답과 해설

1주 관계사 / 접속사

해석 | 1 여: Jake, 내가 만든 이 포스터를 봐. 우리는 밴드의 기타 연주자를 찾고 있어.

남: 내겐 기타를 매우 잘 치는 사촌이 있어.

2 여: Ben, 크리스마스트리를 함께 장식하자.

남: 잠깐만요. 제가 먼저 해야 하는 일은 산타 할아버지에게 편지를 쓰는 것이에요. 산타 할아버지, 여기 제가 원하는 것 목록이 있어요.

3 남: 축하합니다! 당신이 우승자입니다.

여: 비록 나는 최선을 다했지만 1등 상을 탈 수 없었어. 난 내가 왜 떨어졌는지 알고 싶어.

4 남: 우리 엄마는 여배우로서뿐만 아니라 영화감독으로도 일하셔.

여: 와, 대단하신걸!

1주 1일 개념 돌파 전략 ❶

pp. 6~9

나는 외모가 훌륭한 왕자님을 만나길 원해.

개념 1 Quiz 해설 | (1) 선행사가 사람(the boy)이므로 주격 관계대명사 who를 쓴다.

(2) 선행사가 사물(The shirt)이므로 주격 관계대명사 that을 쓴다.

해석 | (1) 나는 Jean에게 이야기하고 있는 소년을 안다.

(2) 탁자 위에 있는 셔츠는 내 것이다.

그는 내가 파티에서 만난 왕자님이야.

개념 2 Quiz 해설 | (1) 선행사가 사물(the watch)이므로 목적격 관계대명사 that이 올 수 있다.

(2) 관계대명사 who가 관계사절의 목적어를 대신하는 것이므로 her는 삭제해야 한다.

해석 | (1) 그는 내가 선물로 준 시계를 잃어버렸다.

어휘 | gift 선물

개념 3 Quiz 해설 | what은 선행사를 포함하는 관계대명사이므로 the thing that을 what으로 바꿀 수 있다.

해석 | 너는 그가 말한 것을 이해하겠니?

1-2 ① **2-2** This is the sweater which(that) my mom made for me. **3-2** What they want to know

---

1-1 해석 | 우리는 공원 가까이에 있는 집으로 이사했다.

어휘 | move 이사하다 be close to ~에 가깝다

1-2 해설 | 빈칸에는 관계사절의 동사가 들어가는 자리로, 선행사 anyone이 단수이므로 동사도 3인칭 단수형인 ① knows가 들어가야 한다.

해석 | 너는 러시아 역사에 대해 많이 알고 있는 누군가를 아니?

2-1 해석 | 나는 그 영어 수업을 들을 것이다. Sam이 그 영어 수업을 추천했다.

→ 나는 Sam이 추천한 영어 수업을 들을 것이다.

어휘 | recommend 추천하다

2-2 해설 | 두 문장에서 목적어 the sweater가 반복되고 있으므로, 뒤 문장의 the sweater를 목적격 관계대명사로 바꾸어 한 문장으로 연결한다. 이때, sweater는 사물이므로 관계대명사 which나 that을 쓴다.

해석 | 이것은 그 스웨터이다. 나의 엄마가 나를 위해 그 스웨터를 만들어 주셨다. → 이것은 나의 엄마가 나를 위해 만들어 주신 그 스웨터이다.

3-1 해석 | 제가 어제 한 일에 대해서 사과드립니다.

3-2 해설 | '~하는 것'이라는 의미로 선행사를 포함하는 관계대명사 what이 이끄는 절은 문장의 주어, 목적어, 보어 역할을 한다. 주어 자리이고 선행사가 없으므로 What they want to know의 어순으로 써야 한다.

해석 | 그들이 알고 싶은 것은 진실이다.

개념 4 Quiz 해설 | (1) that 이하 절은 동사 believe의 목적어 역할을 하고, (2) 의문사 where가 이끄는 간접의문문은 문장의 주어 역할을 한다.

해석 | (1) 나는 그녀가 상을 탔다는 것을 믿을 수 없다.

(2) 그가 어디를 방문했는가는 중요하지 않다.

어휘 | win the prize 상을 타다

개념 5 Quiz 해설 | '~한 이래로, ~ 때문에'라는 의미를 나타내는 접속사는 since이다.

해석 | • 세호가 부산으로 이사 간 이래로 나는 그를 보지 못했다.

• 나는 아팠기 때문에, 학교에 갈 수 없었다.

개념 6 Quiz 해설 | (1) 'A와 B 둘 다'라는 의미는 「both A and B」로 쓴다.

(2) 'A와 B 둘 다 아닌'이라는 의미는 「neither A nor B」로 쓴다.

4-2 whether (if) he needs help or not **5-2** unless you feel tired **6-2** ①

4-1 해석 | 나는 네가 이 쿠키를 좋아할지 아닐지 궁금하다.

4-2 해설 | whether나 if는 문장 끝에 or not과 함께 쓰여 '~인지 아닌지'라는 의미를 갖는 명사절을 이끄는 접속사이다.

5-1 해석 | 만약 비가 오지 않는다면, 우리는 밖에서 야구를 할 것이다.

5-2 해설 | '만약 ~하지 않는다면'이라는 의미의 if ~ not 대신에 접속사 unless를 쓸 수 있다.

해석 | 네가 피곤하지 않다면 산책을 가자.

어휘 | go for a walk 산책을 가다

6-1 해석 | 그는 영어를 자연스러울 뿐만 아니라 유창하게 말한다.

어휘 | naturally 자연스럽게 fluently 유창하게

6-2 해설 | 'A가 아니라 B'라는 의미는 「not A but B」로 쓰고, 'A와 B 둘 다'라는 의미는 「both A and B」로 쓴다.

해석 | • 우리는 스페인이 아니라 포르투갈을 방문했다.

• 나는 축구와 농구를 둘 다 하곤 했다.

어휘 | used to ~하곤 했다

1주 1일 개념 돌파 전략 ❷
pp. 10~11

CHECK UP

1 해석 | 나는 너를 기쁘게 만들 소식을 가지고 있다.

2 해석 | 나는 마침내 네가 이야기했던 소녀를 만났다.

어휘 | finally 마침내

3 해석 | 내가 지금 먹기 원하는 것은 달콤한 후식이다.

4 해석 | 눈이 올지 어떨지 확실하지 않다.

5 해석 | 나는 매우 피곤함을 느꼈지만, 잠에 들 수 없었다.

6 해석 | 그와 나는 둘 다 중학생이다.

---

1 ③ 2 ③ 3 That / What (The thing which (that)) 4 (1) That he is rich / 주어 (2) that I don't know any French / 보어 (3) if he can come to the party tonight / 목적어 5 ① 6 Eric as well as you wants to join our club.

---

1 해설 | 주격 관계대명사 which가 관계사절의 주어 역할을 하고 있으므로 ③ it은 불필요하다.

해석 | 나는 너에게 훌륭한 교훈을 줄 책을 가지고 있다.

어휘 | lesson 교훈

2 해설 | 목적격 관계대명사는 두 절을 연결하면서 관계사절의 목적어 대신 쓴다. 따라서 목적격 관계대명사 다음에는 주어, 동사가 와야 하는데, ③은 주어 없이 동사가 바로 온 것으로 보아 주격 관계대명사로 쓰인 that이다.

해석 | ① 내가 어제 본 영화는 재미있었다. ② 이것은 내 아버지가 나를 위해 사주신 컴퓨터이다. ③ 그녀는 큰 주머니가 있는 재킷을 샀다. ④ 나는 어젯밤 꾼 꿈을 기억할 수 없다. ⑤

너는 그 작가가 쓴 책을 읽어 봤니?

어휘 | author 작가

3 **해설 |** 주어 역할을 하는 명사절에서 do의 목적어가 없으므로, That 아니라 선행사를 포함하는 관계대명사 What으로 고쳐야 한다.

해석 | 당신이 해야 할 것은 당신 삶에 대해 감사함을 느끼는 것이다.

어휘 | thankful 감사해하는

4 **해설 |** (1) 문장의 맨 앞에 쓰여 주어 역할을 한다.

(2) be동사의 보어 역할을 한다.

(3) 동사 wonder의 목적어 역할을 한다.

해석 | (1) 그가 부자라는 것은 나에게 중요하지 않다.

(2) 사실은 내가 프랑스어를 전혀 모른다는 것이다.

(3) 그가 오늘 밤 파티에 올 수 있을지 궁금하다.

어휘 | matter 중요하다

5 **해설 |** ① 부사절을 이끄는 접속사 as는 '~하는 동안에, ~ 때문에'라는 두 가지 의미를 가진다.

해석 | • 내가 거기 도착하는 동안에 회의가 시작되었다.

• 지난밤 늦게까지 깨어 있었기 때문에, 나는 매우 피곤하다.

어휘 | meeting 회의 stay up 깨어 있다

6 **해설 |** 'A뿐만 아니라 B도'라는 의미의 「not only *A* but also *B*」는 「*B* as well as *A*」로 바꿔 쓸 수 있다. 이때 동사의 수는 B에 일치시킨다.

해석 | 너뿐만 아니라 Eric도 우리 동아리에 가입하고 싶어 한다.

1주 2일 필수 체크 전략 ❶ pp. 12~15

전략 1 [필수 예제]

해설 | 선행사가 the man으로 사람이고 빈칸 이하 절에 주어가 없으므로 빈칸에는 주격 관계대명사 who나 that이 와야 한다.

해석 | 너는 옆집에 막 이사 온 남자와 이야기를 나눠 봤니?

어휘 | move 이사하다

[확인 문제]

1 ①, ④ **2** Marie Curie is the scientist who(that) won the Nobel prize twice.

1 **해설 |** 선행사가 사람(children)이고 빈칸 이하 절에 주어가 없으므로 빈칸에는 주격 관계대명사 who 또는 that을 써서

문장을 연결한다. 선행사가 복수이므로 관계사절의 동사는 복수형 동사가 와야 한다.

해석 | 부모님들은 무대에서 춤을 추는(추고 있는) 자신의 아이들을 위해 박수를 치고 있다.

어휘 | clap 박수치다

2 **해설 |** 주어진 두 문장은 the scientist를 선행사로 하고, 주격 관계대명사 who나 that으로 문장을 연결한다.

해석 | 마리 퀴리는 과학자이다. 그녀는 노벨상을 두 번이나 수상했다.

어휘 | scientist 과학자 prize 상

전략 2 [필수 예제]

해설 | 주어진 두 문장은 the watch를 선행사로 하고 목적격 관계대명사 which나 that으로 연결한다. 이때 뒤에 오는 관계사절의 목적어 it은 삭제해야 한다. 또한 목적격 관계대명사는 생략이 가능하다. 따라서 답은 ①, ⑤이다.

해석 | 나는 시계를 잃어버렸다. 나의 아빠는 내 생일 선물로 그것을 사주셨다. ①, ⑤ 나는 아빠가 내 생일 선물로 사주신 시계를 잃어버렸다.

[확인 문제]

1 ①, ⑤ **2** The man whom you saw yesterday

1 **해설 |** ①, ⑤의 밑줄 친 부분은 목적격 관계대명사이므로 생략할 수 있다. 나머지는 모두 주격 관계대명사이므로 생략할 수 없다.

해석 | ① 우리가 먹은 음식은 너무 매웠다. ② 너는 책꽂이에 있는 책을 나에게 가져다 줄 수 있니? ③ 드럼을 친 소녀는 Jenny였다. ④ 벽에 걸려 있는 사진은 나의 오빠가 그렸다. ⑤ Jack은 내가 믿을 수 있는 유일한 사람이다.

어휘 | spicy 매운 shelf 책꽂이 trust 신뢰하다

2 **해설 |** '네가 어제 본 남자'라는 의미로 목적격 관계대명사 whom이 이끄는 절이 선행사 the man을 수식하는 구조가 되도록 한다. 선행사가 사람이므로 관계대명사 which는 쓸 수 없다.

해석 | 네가 어제 본 남자는 새로 오신 스페인어 선생님이셨다.

전략 3 [필수 예제]

해설 | 첫 번째 문장은 선행사가 사물이고, 빈칸 이하 절에 목적어

가 없으므로 빈칸에는 목적격 관계대명사가 들어가야 한다. 두 번째 문장은 선행사가 사람이고, 빈칸 이하 절에 주어가 없으므로 주격 관계대명사가 들어가야 한다. 따라서 공통으로 들어갈 수 있는 것은 ③ that이다.

해석 | • 그것은 내가 전에 잃어버린 펜이다.

• 나는 모임에 늦는 사람을 좋아하지 않는다.

확인 문제

1 ④ 2 ③

1 **해설 |** ④ 선행사가 a girl and a cat으로 사람과 동물을 모두 지칭하고 있으므로 관계대명사는 that만 쓸 수 있다.

해석 | ① 이것은 서울로 가는 기차이다. ② 우리가 어제 본 영화는 굉장했다. ③ 내가 방문했던 동물원은 아주 컸다. ④ 나는 공원에서 놀고 있던 소녀와 고양이를 보았다. ⑤ 그녀는 매우 편안해 보이는 소파에 누워 있다.

어휘 | awesome 굉장한 comfortable 편안한

2 **해설 |** ③의 that은 know의 목적어인 명사절을 이끄는 접속사 that이고, 나머지는 모두 선행사를 꾸며주는 관계대명사이다. ① 목적격 관계대명사 ②, ④, ⑤ 주격 관계대명사

해석 | ① 내가 방문했던 도시는 매우 현대적이었다. ② 우리는 매일 밤 짖는 개로 인해 짜증이 났다. ③ 그녀는 Dave가 이미 떠났다는 것을 모른다. ④ 벽에 걸려있는 저 물건은 뭐니? ⑤ 가장 높이 날고 있는 연이 내 것이다.

어휘 | modern 현대적인 annoy 짜증나게 하다 bark (개가) 짖다 hang 걸다

전략 4 필수 예제

해설 | 나머지는 모두 선행사를 포함하는 관계대명사 what이고, ②는 '무엇'이라는 의미를 가진 의문사 what이다.

해석 | ① 여기에 네가 해야 하는 것이 있다. ② 너는 무엇을 찾고 있니? ③ 당신이 산 것을 나에게 보여주세요. ④ 그가 연설에서 말한 것은 이치에 맞지 않는다. ⑤ 그녀는 그녀가 약속하는 것을 항상 지킨다.

어휘 | look for ~을 찾다 make sense 이치에 맞다

확인 문제

1 ⑤ 2 what happened last night

1 **해설 |** ⑤ 관계대명사 what은 선행사를 포함하므로 앞에 선

행사 the bag을 삭제해야 한다. 또는 what을 목적격 관계대명사 that 또는 which로 바꾸거나 what을 삭제해야 한다.

해석 | ① 이 보고서는 내가 어제 쓴 것이다. ② 나는 Jim에게 내가 만든 것을 보여주었다. ③ 내가 그에 대해 좋아하는 것은 그의 정직함이다. ④ 내가 좋아하는 것은 로맨틱 영화이다.

어휘 | honesty 정직 be into 좋아하다

2 **해설 |** believe의 목적어 자리에 절이 왔고 선행사가 없으므로, that을 선행사를 포함하는 관계대명사 what으로 바꿔야 한다.

해석 | 아무도 지난 밤에 일어난 일을 믿지 않을 것이다.

1주 2일 필수 체크 전략 ❷ pp. 16~17

1 ② 2 ①, ②, ⑤ 3 ④ 4 ② 5 ②, ④
6 (1) that you were born in (2) What he said is not true.

1 **해설 |** 빈칸 이하 절에 주어가 없으므로 빈칸에는 주격 관계대명사가 와야 하고, 선행사로 the only가 왔으므로 ② that이 알맞다.

해석 | 나는 그 시험에 합격한 유일한 소녀이다.

2 **해설 |** 선행사가 사물(the house)이고, 관계사절의 목적어 역할을 하는 목적격 관계대명사가 필요하므로 which나 that을 쓴 문장이 답이 된다. 또한 목적격 관계대명사는 생략이 가능하다. 따라서 이에 부합하는 답은 ①, ②, ⑤이다.

3 **해설 |** ④에서 주격 관계대명사 that이 이끄는 절의 선행사는 the library로 단수이므로 관계대명사절의 동사도 단수가 되어야 한다. 따라서 were는 was가 되어야 옳다.

해석 | ① 피자를 만들고 있는 여자는 나의 이모이다. ② 그는 100달러가 넘는 화려한 바지를 가지고 있다. ③ 제가 블루베리 토핑이 있는 케이크를 살 수 있을까요? ⑤ 나무 아래 앉아 있던 소년들은 나의 오빠들이다.

어휘 | fancy 화려한 topping 고명, 토핑 recently 최근에

4 **해설 |** 첫 번째 문장은 주어 역할을 하는 명사절에서 be의 목적어가 없으므로 선행사를 포함하는 관계대명사 What이 빈칸에 와야 한다. 두 번째 문장은 선행사 the book이 사물이고, 빈칸 이하 절에 목적어가 없으므로 목적격 관계대명사 which나 that이 와야 한다. 따라서 답은 ②가 옳다.

해석 | • 그녀가 되고 싶어 하는 것은 화가이다.

• 나는 소민이가 추천한 책이 좋지 않았다.

어휘 | recommend 추천하다

5 **해설 |** ②, ④의 밑줄 친 부분은 목적격 관계대명사로 생략이 가능하지만 ①, ③, ⑤의 밑줄 친 부분은 주격 관계대명사로 생략할 수 없다.

해석 | ① 그녀가 5개 국어를 할 수 있는 그 소녀이니? ② 내가 들고 있던 가방은 너무 무거웠다. ③ 나는 수영을 아주 잘하는 친구가 있다. ④ 네가 물어본 질문들은 너무 어렵다. ⑤ 너는 우리 동아리에 가입하고 싶어 하는 사람을 알고 있니?

6 **해설 |** (1) 선행사 the house를 목적격 관계대명사 that이 이끄는 관계사절이 수식하는 문장으로 배열한다.

(2) '~하는 것'이라는 의미의 선행사를 포함하는 관계대명사 what이 이끄는 절이 주어가 되도록 배열한다.

해석 | (1) 이곳이 네가 태어난 집이니?

(2) 그가 말한 것은 사실이 아니다.

1주 3일 필수 체크 전략 ❶

pp. 18~21

전략 1 필수 예제

해설 | 동사 wonder 뒤에는 목적어 역할을 하는 명사절을 이끄는 접속사가 와야 하는데, 의미상 '나는 ~인지 어떤지 궁금하다'라는 의미가 되기 위해 if나 whether가 필요하다. 따라서 답은 ②가 알맞다.

해석 | 나는 그가 내 생일 파티에 올 수 있는지 어떤지 궁금하다.

확인 문제

1 ④ **2** (1) Although (2) while

1 **해설 |** ④의 where은 '어디에'라는 의미로 간접의문을 이끄는 의문사이고, 나머지는 모두 부사절을 이끄는 접속사이다.

해석 | ① 집에 오면 손을 씻어라. ② 나는 이 셔츠가 좋긴 하지만 살 수는 없다. ③ 네가 도움이 필요하면, 나에게 전화해도 돼. ④ 너는 그 개가 어디 있는지 아니? ⑤ 그가 도착하기 전에 너는 방을 떠나야 한다.

2 **해설 |** (1)은 앞 절과 뒤 절의 내용이 대조되므로 '(비록) ~이지만'이라는 의미의 양보의 접속사 although가, (2)는 두 절의 내용이 동시에 일어나고 있으므로 '~하는 동안에'라는 의미

의 시간의 접속사 while이 알맞다.

해석 | (1) 비록 나는 늦게 일어났지만, 학교에 늦지 않았다.

(2) 내가 TV를 보는 동안 엄마는 잠이 드셨다.

어휘 | be late for ~에 늦다 fall asleep 잠이 들다

전략 2 필수 예제

해설 | '네가 이따가 쇼핑몰에 간다면'이라는 의미로 if는 조건을 나타내는 부사절 접속사로 쓰였으며, 조건을 나타내는 부사절은 미래의 의미이더라도 현재형을 써야 한다. 따라서 will을 삭제해야 한다.

해석 | 네가 이따가 쇼핑몰에 간다면, 내가 너를 거기에 데려다 줄 것이다.

확인 문제

1 ② **2** will depart / exercises

1 **해설 |** 첫 번째 문장에서의 when은 시간의 부사절을 이끌고 있으므로 미래의 의미이더라도 현재 시제를 쓰고, 두 번째 문장에서의 when은 know의 목적어 역할을 하는 명사절을 이끄는 접속사이므로 시제가 미래이면 미래 시제로 써야 한다. 따라서 답은 ②가 적절하다.

해석 | • 우리가 서로 만날 때 내가 그것을 너에게 줄 것이다.

• 나는 그들이 언제 떠날 것인지 모른다.

2 **해설 |** 첫 번째 문장에서의 if는 '~인지 어떨지'라는 의미로 know의 목적어가 되는 명사절을 이끌고 있으므로 시제가 미래이면 동사를 미래 시제로 쓴다. 두 번째 문장에서의 if는 '만약 ~라면'이라는 의미로 조건을 나타내는 부사절을 이끌고 있으므로 미래의 의미이더라도 현재 시제를 쓴다.

해석 | • 날씨가 너무 좋지 않아서 우리는 비행기가 뜰지 아닐지 모른다.

• 만약 그가 매일 운동을 한다면, 그는 건강해질 것이다.

어휘 | depart 떠나다, 출발하다

전략 3 필수 예제

해설 | ②는 빈칸 뒤에 구의 형태가 왔으므로 이유를 나타내는 전치사 because of나 due to가 와야 하고, 나머지는 모두 빈칸 뒤에 「주어+동사」로 이루어진 절이 왔으므로 이유를 나타내는 접속사 because가 들어가야 한다.

해석 | ① 나는 매우 피곤했기 때문에 일찍 집에 갔다. ② Sam은

그의 건강 문제 때문에 다이어트 중이다. ③ 그 원피스는 비쌌기 때문에 나는 그것을 사지 못했다. ④ 그는 아팠기 때문에 모임에 오지 않았다. ⑤ 창문이 더러웠기 때문에 우리는 그것들을 청소해야 했다.

어휘 | be on a diet 다이어트 중이다

확인 문제

1 ③   **2** because(since / as) it was full

1 **해설 |** ③ In spite of는 전치사로 뒤에 구의 형태가 와야 하는데 절이 왔으므로 같은 의미를 가진 접속사 Though나 Although 등으로 바꿔야 한다.
   해석 | ① Kate는 요리하기를 좋아해서 주로 집에서 식사한다. ② Tom은 열심히 공부했지만 시험에서 낙제했다. ④ 비록 이 책이 인기 있더라도 나는 읽고 싶지 않다. ⑤ 심한 폭풍우 때문에 콘서트가 취소되었다.
   어휘 | storm 폭풍우 cancel 취소하다

2 **해설 |** 지하철을 못 탄 이유를 설명하고 있는데, 괄호 안 어구에 be동사가 쓰였으므로 이유를 나타내는 접속사 because나 since, as 등이 이끄는 부사절을 이용하여 문장을 완성한다.
   해석 | A: 너는 학교에 왜 늦었니? B: 지하철이 꽉 찼기 때문에 나는 탈 수 없었어.
   어휘 | get on ~을 타다

전략 4 [필수 예제]

해설 | 빈칸에는 'A와 B 둘 다'라는 의미로 형용사 useful(유용한)과 educational(교육적인)을 이어주는 상관접속사 both가 알맞다.
해석 | 수업 시간에 과학 기술을 사용하는 것은 유용하고 교육적이기도 한 것으로 보인다.
어휘 | technology (과학) 기술 educational 교육적인

확인 문제

1 ②, ③   **2** (1) and / or (2) either / neither

1 **해설 |** 'A뿐만 아니라 B도'라는 의미는 「not only A but also B」나 「B as well as A」로 쓴다. 이때 동사의 수는 B에 일치시킨다.

2 **해설 |** (1) 두 번째 문장에서 둘 다 할 수는 없다고 했으므로

'A 또는 B 둘 중 하나'라는 의미의 「either A or B」가 되도록 고친다.
   (2) Jake가 지하철만 타고 다닌다고 했으므로 'A와 B 둘 다 아닌'이라는 의미의 「neither A nor B」가 되도록 고친다.
   해석 | (1) 나는 배우나 영화감독이 되고 싶다. 나는 둘 다는 할 수 없다.
   (2) Jake는 택시도 버스도 타고 가지 않는다. 그는 오직 학교에 지하철만 타고 다닌다.
   어휘 | actor 배우 movie director 영화감독

주3일 필수 체크 전략 ❷   pp. 22~23

1 ①, ⑤   **2** ④   **3** ②   **4** ①   **5** ②   **6** Neither Jane(she) nor I

1 **해설 |** wonder 뒤에 목적어 역할을 하는 명사절이 와야 하며, '~인지 아닌지'는 「if(whether) ~ or not」으로 쓸 수 있다. 또한 명사절의 시제가 미래이면 미래 시제로 쓸 수 있다. 따라서 알맞은 답은 ①, ⑤이다.

2 **해설 |** 첫 번째 문장은 빈칸 이하 절이 '그녀는 다리가 부러졌기 때문에'라는 의미로 앞 절에 대한 이유에 해당하므로 이유의 부사절 접속사 because나 since, as가 들어갈 수 있다. 두 번째 문장은 '실수를 했지만 이겼다'라는 대조의 의미가 연결 되었고, 빈칸 뒤에 명사구가 왔으므로 전치사 despite나 in spite of가 와야 한다.
   해석 | • 그녀는 다리가 부러졌기 때문에 걸을 수 없다.
   • 나의 실수에도 불구하고, 우리 팀이 경기에 이겼다.

3 **해설 |** ②는 간접의문문에 쓰인 의문사 when(언제)이고, 나머지는 모두 부사절을 이끄는 접속사이다.
   해석 | ① 100℃까지 물을 데우면, 그것은 끓는다. ② 너는 언제 영화가 시작할 것인지 아니? ③ 네가 수업에 또 빠지면 너의 아빠는 화를 낼 것이다. ④ 나는 쇼핑하는 동안에 Steve를 만났다. ⑤ 나는 커피를 마실 때 항상 두통이 온다.
   어휘 | boil 끓다 skip 빠지다, 빼먹다 headache 두통

4 **해설 |** if 이하 절은 '만약 네가 시도하지 않는다면'이라는 의미로, '만약 ~하지 않는다면'이라는 의미의 if ~ not은 ① unless로 바꿔 쓸 수 있다.
   해석 | 만약 네가 시도하지 않는다면 너는 아무것도 할 수 없다.

어휘 | give it a try 시도하다

5 **해설 |** although는 '(비록) ~이지만'이라는 의미로 대조되는 내용의 두 절을 연결한다. ②는 '피곤했기 때문에 하루 종일 쉬었다'라는 이유나 결과의 내용이므로 알맞지 않다.
해석 | 비록 나는 피곤했지만 ① 체육관에 갔다 ③ 나의 모든 집안일을 끝냈다 ④ 가족들을 위해 저녁식사를 준비했다 ⑤ 엄마의 정원 손질을 도와드렸다.
어휘 | gym 체육관 chore 집안일 supper 저녁식사 gardening 원예, 정원 손질

6 **해설 |** 그림에서 고양이가 꽃병을 깬 것으로 추측되므로 Sera의 대화 빈칸에는 'Jane과 자신 둘 다 그러지 않았다'라는 의미가 되도록 써야 자연스럽다. 따라서 'A와 B 둘 다 아닌'이라는 의미의 「neither *A* nor *B*」를 이용하여 문장을 완성한다.
해석 | 엄마: 누가 이 꽃병을 깼니? Sera: Jane(그녀)과 저 둘 다 안 했어요.
어휘 | vase 꽃병

1주 4일 교과서 대표 전략 ❶　　pp. 24~27

1 ③　2 (which) I gave him yesterday　3 ②
4 ④　5 ④　6 Sally thought about what her friend said to her.　7 ②　8 ③　9 ②, ④　10 ③
11 (1) When you meet Jack later (2) if you visit the museum　12 ①, ④　13 ①, ⑤　14 ④　15 (1) is (2) likes (3) work　16 not only humid but also hot

1 **해설 |** 빈칸 이하 절이 선행사 a restaurant를 꾸며주는 관계사절이고 빈칸 이하에 주어가 없으므로 빈칸에는 주격 관계대명사가 와야 한다. 선행사가 사물이므로 which나 that이 와야 하고, 선행사가 단수이므로 be동사는 is를 써야 한다. 따라서 답은 ③이 알맞다.
해석 | 나는 24시간 문을 여는 식당을 안다.

2 **해설 |** 빈칸 이하 절이 선행사 the T-shirt를 꾸며주는 관계사절이 되도록 한다. '내가 어제 그에게 준'이라는 의미의 절이 필요하고, 선행사가 사물이므로 목적격 관계대명사 which를 쓰고 그 이하에 I gave him yesterday를 연결시킨다. 이때 목적격 관계대명사는 생략이 가능하다.

3 **해설 |** ②의 that은 목적격 관계대명사로 생략이 가능하다. 나머지는 주격 관계대명사로 생략할 수 없다.

해석 | ① 그녀는 눈이 큰 개를 가지고 있다. ② 내가 좋아하는 빵집이 이 근처에 있다. ③ 나에게 말을 걸었던 남자는 Parker 씨였다. ④ 늦게 오는 사람이 이 방을 청소할 것이다. ⑤ 나는 칠판에 쓰인 단어를 잊어버렸다.
어휘 | board 칠판

4 **해설 |** ④ that 이하 절에 주어가 없으므로 that은 주격 관계대명사로 쓰였다. 나머지는 모두 that 이하 절에 목적어가 없으므로 that은 목적격 관계대명사로 쓰였다.
해석 | ① Mary는 John이 많이 좋아하는 소녀이다. ② 나는 Anne이 메고 있는 가방이 마음에 든다. ③ 이것은 우리 할아버지가 지으신 집이다. ④ 그것들은 소파 아래서 발견된 동전들이다. ⑤ 나는 엄마가 나에게 사주신 스마트폰이 마음에 들지 않는다.
어휘 | coin 동전

5 **해설 |** ④에서 주어 The boy가 단수이기 때문에 문장 전체의 동사는 단수인 is로 써야 한다.
해석 | ① 나는 낭만적인 영화를 선호한다. ② 그는 고장 난 자전거를 고쳤다. ③ Sue는 매우 비싼 자동차를 가지고 있다. ④ 열쇠를 잃어버린 소년은 나의 남동생이다. ⑤ 저기 서 있는 소녀는 나의 누나이다.
어휘 | prefer 선호하다 fix 고치다 expensive 비싼

6 **해설 |** what은 선행사를 포함하는 관계대명사로 the thing(s) which(that)와 바꿔 쓸 수 있다.
해석 | Sally는 그것에 대해 생각해 보았다. 그녀의 친구는 그것을 그녀에게 말했다. → Sally는 그녀의 친구가 그녀에게 말한 것에 대해 생각해 보았다.

7 **해설 |** 첫 번째 문장에서는 pay attention to의 목적어가 되는 절을 이끄는 선행사를 포함하는 관계대명사가 필요하고, 두 번째 문장에서는 주어절을 이끄는 선행사를 포함하는 관계대명사가 필요하므로 두 빈칸에는 what이 공통으로 들어가야 한다.
해석 | • 선생님이 말씀하시는 것에 집중하세요.
• 중요한 것은 우리의 건강이다.
어휘 | pay attention to ~에 집중하다 health 건강

8 **해설 |** ③은 주어 역할을 하는 명사절을 이끄는 접속사 that이 들어가고, 나머지는 모두 선행사를 포함하는 관계대명사 what이 들어간다.
해석 | ① 이것이 그가 말했던 것이다. ② 너는 네가 읽은 것을 이해할 수 있니? ③ 그녀가 어제 왔다는 것이 나를 놀라게

했다. ④ 그는 내가 정말 갖기 원했던 것을 나에게 주었다. ⑤ 네가 본 것은 유명한 그림이다.

9 해설 | 빈칸 이하 절에 or not이 온 것으로 보아 빈칸에는 or not과 함께 쓰여 '~인지 아닌지'라는 의미가 되는 명사절을 이끄는 접속사인 if나 whether가 와야 자연스럽다.

해석 | 나는 비옷을 입어야 할지 말아야 할지 모르겠다.

10 해설 | ③의 that은 선행사 The glasses를 수식하는 관계사 절을 이끄는 목적격 관계대명사이고, 나머지는 모두 명사절을 이끄는 접속사 that이다. ①, ⑤는 목적어절, ②는 주어절, ④ 는 보어절을 각각 이끈다.

해석 | ① 나는 그가 영리하다고 생각한다. ② 그가 유명 영화 배우가 되었다는 것이 나를 놀라게 했다. ③ 그녀가 산 안경은 매우 특이하다. ④ 문제는 우리가 길을 잃었다는 것이다. ⑤ 그들은 그 소문이 사실이라고 믿는다.

어휘 | unique 독특한 lose one's way 길을 잃다 rumor 소문

11 해설 | 시간과 조건의 부사절에서는 미래의 의미이더라도 현 재 시제로 표현하므로 (1)의 밑줄 친 절의 동사는 meet, (2) 의 밑줄 친 절의 동사는 visit로 고쳐야 한다.

해석 | (1) 네가 나중에 Jack을 만나면, 이 책을 그에게 전 해줘.

(2) 네가 박물관을 방문할 거면 Chris에게 정보를 물어봐.

어휘 | hand 건네주다

12 해설 | 그녀가 운 이유는 영화가 슬펐기 때문이므로 because 가 이끄는 부사절은 the movie was sad가 와야 한다. because가 이끄는 절은 문장의 앞, 뒤에 다 올 수 있으므로 ①, ④가 적절하다.

해석 | 영화가 슬펐기 때문에 그녀는 울었다.

13 해설 | '(만약) ~하지 않는다면'이라는 의미는 if ~ not 또는 unless로 바꿔 쓸 수 있다. if 이하 절은 '네가 방을 치우지 않 는다면'이 들어가야 하고, 주절에는 '쿠키를 주지 않을 것이다' 라는 의미의 문장이 들어가야 한다. if 조건절에서는 미래의 의미이더라도 현재 시제로 써야 한다.

14 해설 | 주어진 두 문장은 결과와 이유의 관계로 볼 수 있으므 로, 이유를 나타내는 부사절을 이끄는 접속사 ④ since가 적 절하다. ①은 뒤에 구의 형태가 와야 한다.

해석 | 나는 기뻤다. 내 여동생이 피아노 대회에서 상을 탔다. → 내 여동생이 피아노 대회에서 상을 탔기 때문에 나는 기 뻤다.

15 해설 | (1) 'A 또는 B 둘 중 하나'라는 의미의 「either A or B」 와 (2) 'A뿐만 아니라 B도'라는 의미의 「B as well as A」가 주 어 자리에 올 때 동사의 수는 B에 일치시킨다. (3) 'A와 B 둘 다'라는 의미의 「both A and B」가 주어 자리에 오면 동사는 복수로 쓴다.

해석 | (1) 당신이나 그 둘 중 하나가 옳다.

(2) 나뿐만 아니라 Jill도 책을 읽기 좋아한다.

(3) 그와 그녀 둘 다 같은 사무실에서 일한다.

어휘 | office 사무실

16 해설 | 그림에서 소년이 땀을 흘리며 더워하고 있으므로 소년 의 말에서 humid와 hot을 이용하여 'A뿐만 아니라 B도'라 는 의미의 「not only A but also B」 구문으로 문장을 완성 한다.

해석 | A: 거기 날씨는 어때? B: 습할 뿐만 아니라 더워.

어휘 | humid 습한

1주 4일 교과서 대표 전략 ❷　　　pp. 28~29

1 ③　2 who(that) is　3 ③　4 ①　5 What / that　6 because of　7 ②　8 ②　9 ②　10 Not / but

1 해설 | 선행사가 동물(The panda)이므로 관계대명사는 which나 that을 쓴다.

해석 | 판다는 중국에 사는 동물이다.

2 해설 | 선행사가 사람(the student)이고 빈칸 뒤에 주어가 없으므로 주격 관계대명사 who 또는 that을 써야 한다. 동 사의 수는 선행사에 일치시키므로 be동사 단수형 is가 알 맞다.

3 해설 | ①, ④는 주격 관계대명사로 생략할 수 없지만, ③ 목 적격 관계대명사는 생략 가능하다.

해석 | 나는 작년에 서울로 이사 간 친구를 만났다. 그녀는 내 가 아는 가장 친절한 사람이었다. 나는 여전히 그녀가 보낸 편 지를 가지고 있다.

4 해설 | ①은 간접의문문을 이끄는 의문사이자 명사절의 주어 로 쓰인 which(어느 것)이고, 나머지는 모두 관계대명사로 쓰인 which이다. ②, ③은 목적격 관계대명사, ④, ⑤는 주 격 관계대명사이다.

해석 | ① 나는 어느 것이 네가 가장 좋아하는 색깔인지 궁금하다. ② 저것은 내가 졸업한 학교이다. ③ 내가 산 컴퓨터가 고장 났다. ④ 그녀는 독일에서 만들어진 차를 가지고 있다. ⑤ 울타리 위에 앉아 있는 고양이들을 봐.

어휘 | graduate from ~을 졸업하다 fence 울타리

5 해설 | 주어 자리의 명사절은 주어가 없는 불완전한 문장이므로 선행사를 포함하는 관계대명사 what이 와야 하고, 보어 자리의 명사절은 완전한 문장이므로 명사절 접속사 that이 와야 한다.

해석 | 중요한 것은 네가 최선을 다하는 것이다.

어휘 | do one's best 최선을 다하다

6 해설 | 주어진 문장은 이유를 나타내는 접속사 because 뒤에 「주어+동사」로 이루어진 절이 왔고, 같은 의미의 문장은 빈칸 뒤에 명사구가 왔으므로 빈칸에는 이유를 나타내는 전치사인 because of가 와야 한다.

해석 | 비가 내리고 있었기 때문에 나는 회의에 늦었다.

7 해설 | Sean은 축구를 하기 전에 독서를 했으므로 ②의 빈칸에는 Before를, 나머지는 모두 after〔After〕가 들어간다.

해석 | ① 그는 숙제를 한 후에 독서를 했다. ② 그는 축구하러 가기 전에 책을 읽었다. ③ 그는 축구를 한 후에, 휴식을 취했다. ④ 그는 휴식을 취한 후에 저녁을 먹었다. ⑤ 그는 저녁을 먹은 후에, TV를 시청했다.

8 해설 | 시간과 조건의 부사절에서는 미래를 현재 시제로 나타내므로, 첫 번째 문장의 will be는 are로, 세 번째 문장의 will grow는 grow로 바꿔야 한다.

해석 | • 나는 언제 기차가 떠날 것인지 알고 싶다.
• 네가 서두르지 않는다면 너는 그 콘서트를 놓칠 것이다.

어휘 | depart 떠나다 grow up 자라다

9 해설 | 첫 번째 문장에서는 '프랑스와 영국 둘 다'라는 의미로 「both A and B」가, 두 번째 문장에서는 'Maria뿐만 아니라 Jane도'라는 의미로 「not only A but also B」가 오는 것이 적절하다. 이때 also는 생략이 가능하므로 답은 ②가 된다.

해석 | • 프랑스와 영국 둘 다 유럽에 있다.
• Maria뿐만 아니라 Jane도 그 동아리에 가입했다.

10 해설 | 그림에서 Kate는 스케이트를 잘 타고 Danny는 잘 못 타므로 'A가 아니라 B'라는 의미의 「not A but B」를 쓴다.

해석 | Danny가 아니라 Kate가 스케이트를 잘 탄다.

어휘 | be good at ~을 잘 하다

---

1 ③　**2** (1) who〔that〕 is playing the piano
(2) which〔that〕 were　**3** ①　**4** ④　**5** ①　**6** ③
7 Although〔Though〕　**8** ①　**9** ②, ⑤　**10** ②

1 해설 | 주격 관계대명사 who가 관계사절의 주어 역할을 하고 있으므로 ③ they는 불필요하다.

해석 | 우리는 도움이 필요한 사람들을 도와주는 사람들을 존경한다.

어휘 | respect 존경하다 those in need 도움을 필요로 하는 사람들

2 해설 | (1) 선행사가 사람(The woman)이므로 관계대명사 who나 that을 쓰고, 단수이고 시제가 현재진행형이므로 뒤에 is playing을 쓴다.
(2) 선행사가 사물(the apples)이므로 관계대명사 which나 that을 쓰고, 복수이고 시제가 과거이므로 뒤에 were를 쓴다.

어휘 | stage 무대

3 해설 | '~하는 것'이라는 의미로 the thing(s) that〔which〕 대신에 선행사를 포함하는 관계대명사 what을 쓸 수 있다.

해석 | 이것은 내가 찾고 있던 것이다.

4 해설 | 〈보기〉와 ④의 밑줄 친 that은 목적격 관계대명사로 쓰였다. ①은 지시형용사, ②, ⑤는 명사절을 이끄는 접속사, ③은 주격 관계대명사로 쓰였다.

해석 | 〈보기〉 수박은 내가 가장 좋아하는 과일이다. ① 하늘에 저 푸른 점이 보이니? ② 그가 가수가 되었다는 것은 우리를 놀라게 했다. ③ 큰 정원이 있는 집은 우리의 꿈의 집이다. ④ 네가 찾고 있던 책이 여기에 있다. ⑤ 너는 네가 리더라는 것을 알아야 한다.

어휘 | watermelon 수박 dot 점 leader 리더, 지도자

5 해설 | 빈칸은 동사 know의 목적어 자리이므로 명사절이 와야 하는데, ①은 that 이하 절에 주어가 없이 불완전한 것으로 보아 관계사절이므로 빈칸에 들어갈 수 없다. ②~④는 간접의문문이고, ⑤는 명사절을 이끄는 접속사인 whether가 쓰인 절이다.

해석 | 나는 ② 비행기가 언제 떠나는지 ③ 그들이 왜 경기에 졌는지 ④ 우리가 이제 무엇을 해야 하는지 ⑤ Ann이 Tom과 헤어졌는지 아닌지 알고 싶다.

어휘 | break up with ~와 헤어지다

6 해설 | 첫 번째 문장의 빈칸은 '~하는 동안에'라는 시간의 의미를 나타내는 접속사가, 두 번째 문장의 빈칸에는 '~하는 반면에'라는 대조의 의미를 나타내는 접속사가 들어가야 하므로 ③ while(While)이 알맞다.

해석 | • 나는 버스를 기다리는 동안 주로 신문을 읽는다.

• 나는 그의 의견에 동의하지 않은 반면에, 나머지 모두는 그를 지지했다.

어휘 | opinion 의견 support 지지하다

7 해설 | 그림에서 외국인이 음식을 매워했지만 결국 다 먹었으므로 '비록 ~이긴 하지만'이라는 의미의 양보의 접속사 although나 though를 써서 문장을 완성한다.

해석 | 비록 음식이 매우 매웠지만, 그는 그것을 다 먹었다.

어휘 | spicy 매운 eat up 다 먹다

8 해설 | ①에서 after 뒤에 구의 형태가 왔기 때문에 이 문장에서 after는 전치사로 쓰였다. 나머지는 모두 절과 절을 연결하는 접속사로 쓰였다.

해석 | ① 너를 만난 이후에 나는 항상 행복하다. ② 나는 몸이 아파서 하루 종일 침대에 있었다. ③ 나는 교실을 나가는 도중에 Jenny를 만났다. ④ 네가 바쁘지 않다면 나를 도울 수 있기를 바란다. ⑤ 날씨가 추웠기 때문에, 우리는 밖으로 나갈 수 없었다.

9 해설 | '만약 ~하지 않는다면'이라는 조건을 나타내는 부사절에서는 if ~ not이나 unless를 이용하여 문장을 나타낸다. 조건의 부사절에서는 미래의 의미이더라도 현재 시제로 표현하기 때문에 ②, ⑤가 알맞다.

어휘 | mad 화가 난

10 해설 | 첫 번째 문장에서 「not only A but also B」의 경우 B에 동사의 수를 일치시키므로 has, 두 번째 문장에서 「both A and B」는 복수 취급하므로 복수 동사 are, 세 번째 문장에서 「not A but B」의 경우 B에 동사의 수를 일치시키므로 is가 되어야 하므로 답은 ②가 알맞다.

해석 | • Jane뿐만 아니라 Ken도 외국에서 공부를 해 왔다.

• 너와 나는 같은 동아리에 가입할 것이다.

• 나는 부가 아니라 건강이 우리의 인생에서 가장 중요한 것이라고 생각한다.

어휘 | abroad 해외에 wealth 부, 재산

1주 창의·융합·코딩 전략 ❶, ❷　　pp. 32~35

1 (1) which(that) she needs for the exam (2) who (that) lent him an umbrella (3) which(that) will be held on August 3
2 (1) that you do regularly (2) a person whom you know well and like (3) what is measured by a clock
3 (1) where he was at 10 p.m. (2) (that) he was at a restaurant (3) who he was there with
4 what she(Nabi) ate
5 (1) after she does her homework(before she plays computer games) (2) before she reads books (after she has(eats) dinner)
6 because (as/since) he has to look after her
7 (1) If you come with children under age 5 (2) if you bring your student card
8 (1) Both Kevin and Jack are from Canada.
(2) Not only Bob but (also) Sora wears glasses.

1 해설 | (1) 선행사가 사물이므로 목적격 관계대명사 which나 that이 이끄는 절을 쓴다.

(2) 선행사가 사람이므로 주격 관계대명사 who나 that이 이끄는 절을 쓴다.

(3) 선행사가 사물이므로 주격 관계대명사 which나 that이 이끄는 절을 쓴다.

해석 | (1) 분실! 저는 수학 교과서를 찾고 있어요! 저는 시험을 위해 그것이 필요해요.

(2) 찾습니다! 저는 한 소녀를 찾고 있어요. 그녀는 저에게 우산을 빌려주었어요.

(3) 주목! 우리 학교 밴드는 콘서트를 위한 드럼 연주자가 필요해요. 그것은 8월 3일에 열릴 거예요.

(1) Kelly는 시험에 필요한 수학 교과서를 찾고 있다.

(2) Mike는 그에게 우산을 빌려준 소녀를 찾고 있다.

(3) Sera의 학교 밴드는 8월 3일에 열릴 콘서트를 위한 드럼 연주자가 필요하다.

어휘 | textbook 교과서 lend 빌려주다

2 해설 | (1) 선행사가 사물(something)이므로 목적격 관계대명사 that으로 연결한다. '습관'이라는 의미의 habit에 대한 설명은 you do regularly(규칙적으로 하다)가 알맞다.

(2) 선행사가 사람(a person)이므로 목적격 관계대명사

whom으로 연결한다. '친구'에 대한 설명은 you know well and like(네가 잘 알고 좋아하는)가 알맞다.

(3) 〈보기〉에서 남은 관계대명사 what을 써야 한다. what은 선행사를 포함하는 관계대명사이다. '시간'에 대한 설명은 what is measured by a clock(시계로 측정되는 것)으로 써야 알맞다.

해석 | (1) 습관은 <u>네가 규칙적으로 하는</u> 무언가이다.

(2) 친구는 <u>네가 잘 알고 좋아하는</u> 사람이다.

(3) 시간은 <u>시계로 측정되는</u> 것이다.

어휘 | habit 습관 measure 측정하다 regularly 규칙적으로

3 해설 | (1)은 ask의 목적어 자리이기 때문에 명사절 역할을 하는 간접의문문 where he was at 10 p.m.을 쓴다.

(2)는 said의 목적어 자리로 명사절 접속사 that이 이끄는 절인 that he was at a restaurant를 쓴다. 이때 that은 생략 가능하다.

(3)은 remember의 목적어 자리이기 때문에 명사절 역할을 하는 간접의문문 who he was there with를 쓴다. 이때 주어의 인칭과 동사의 형태가 바뀌는 것에 주의한다.

해석 | 당신의 이름은 무엇입니까? → Carl Evans입니다. / 당신은 밤 10시에 어디에 있었습니까? → 저는 식당에 있었습니다. / 당신은 누구와 그곳에 있었습니까? → 기억이 나지 않습니다. / 탐정의 보고서: 나는 Carl Evans를 심문했다. 나는 그에게 (1) <u>그가 밤 10시에 어디에 있었는지</u>를 물었다. 그는 (2) <u>자신이 식당에 있었다</u>고 대답했다. 그러나 그는 (3) <u>그가 누구와 함께 있었는지</u> 기억하지 못했다. 나는 그가 진짜 거기 있었는지 아닌지 의심스럽다.

어휘 | detective 탐정 interview 면담하다, 심문하다 doubt 의심하다

4 해설 | 내용의 흐름상 고양이가 무엇을 먹었는지 모른다는 말이 알맞으므로 본문 맨 끝의 what did she eat?을 간접의문문으로 쓴다. 따라서 의문사 what 다음에 「주어+동사」의 어순인 she(Nabi) ate으로 써야 한다.

해석 | 준수가 집에 돌아왔을 때, 그는 그의 고양이 나비가 행복하게 자고 있는 것을 본다. 나비의 밥그릇은 아직 가득 차 있다. 나비는 배가 고프면 잠을 잘 수 없다. 만일 나비가 고양이 사료를 먹지 않았다면, 무엇을 먹은 것일까? / 준수는 그의 고양이가 먹이를 먹지 않은 채 자고 있는 것을 본다. 그는 고양이가(나비가) <u>무엇을 먹었는지</u> 모른다.

5 해설 | (1), (2) 둘 다 '~하기 전에'라는 의미의 시간을 나타내는 접속사 before와 '~한 이후에'라는 의미의 시간을 나타내는 접속사 after를 이용하여 나타낼 수 있다.

해석 | (1) 수지는 <u>숙제를 한 이후에</u> 저녁을 먹는다. / 수지는 <u>컴퓨터 게임을 하기 전에</u> 저녁을 먹는다.

(2) 수지는 <u>책을 읽기 전에</u> 컴퓨터 게임을 한다. / 수지는 <u>저녁을 먹은 이후에</u> 컴퓨터 게임을 한다.

6 해설 | Brian은 어린 여동생을 돌봐야 하기 때문에 유진이의 집에 그녀를 데리고 가기를 원한다.

해석 | 유진: 안녕, Brian.

Brian: 안녕, 유진아. 무슨 일이니?

유진: Emma와 나는 봉사 활동 계획을 세울 거야. 우리와 같이 할래?

Brian: 물론이지. 내가 어린 여동생을 데리고 가도 될까? 나는 그녀를 돌봐야 해.

유진: 물론이지. 우리 집에 오후 5시까지 와.

Brian: 알았어. 그때 보자.

→ Brian은 <u>어린 여동생을 돌봐야</u> 하기 때문에 그녀를 데리고 가기를 원한다.

7 해설 | (1), (2)의 빈칸 모두 조건을 나타내는 것이므로 조건을 나타내는 접속사 if를 이용하여 문장을 완성한다.

해석 | 도서전 / 때: 9월 5일, 시간: 오전 9시 ~ 오후 5시, 장소: 매디슨 거리 – 5세 이하 어린이와 함께 오시면 책 한 권을 무료로 드립니다! – 학생증을 가지고 오세요! 10퍼센트 할인해 드립니다. 저희는 여러분을 환영합니다!

A: Sandy, 너 도서전에 관한 포스터 봤니? B: 아니, 아직! 좋은 혜택들이 있니? A: (1) <u>5세 이하의 어린이와 함께 가면</u>, 책 한 권을 무료로 받을 수 있어. B: 좋네! A: 그리고, (2) <u>학생증을 가지고 가면</u>, 10퍼센트 할인을 받을 수 있어. B: 우리 반드시 거기에 가야겠다!

어휘 | book fair 도서전 avenue 거리 discount 할인 benefit 혜택

8 해설 | (1) 둘 다 캐나다 출신이므로 「both A and B」를 쓰고, 동사는 복수 동사인 are를 쓴다.

(2) Bob뿐만 아니라 소라도 안경을 쓰고 있으므로 「not only A but (also) B」를 쓰고, 동사는 B에 일치시킨다. 소라가 3인칭 단수이므로 동사도 단수형인 wears를 쓴다.

해석 | (1) <u>Kevin과 Jack 둘 다 캐나다 출신이다.</u>

(2) <u>Bob뿐만 아니라 소라도 안경을 쓴다.</u>

2주 비교 / 수동태 / 가정법

해석 | 1 지나는 보미만큼 빠르지 않다.

2 여: 이것은 내가 본 것 중 가장 아름다운 풍경이야. 바다가 보이는 방이 산이 보이는 방보다 훨씬 더 아름다워.

3 남: 무슨 일이니? 여: Brian이 Jim에게 태클을 당했어. 나는 Jim이 옐로카드를 받아야 한다고 생각해.

4 남: 만약 내게 고양이가 있다면, 매일 함께 놀아줄 텐데.

2주 1일 개념 돌파 전략 ❶ pp. 38~41

개념 1 **Quiz** 해설 | 원급 비교는 as와 as 사이에 형용사나 부사의 원급을 쓴다.

(2) '가능한 한 ~하게'라는 의미의 「as ~ as possible」은 as와 as 사이에 형용사나 부사의 원급을 쓴다.

해석 | (1) Pitt 씨는 우리 아빠와 연세가 같다.

(2) 너는 그것을 가능한 한 빨리 말할 수 있니?

개념 2 **Quiz** 해설 | (1) 비교급을 강조할 때는 비교급 앞에 much, even, still, far, a lot 등을 써야 한다.

(2) 최상급 앞에는 the가 와야 한다.

해석 | (1) 이 구두는 저 구두보다 훨씬 더 비싸다.

(2) Jake는 우리 학교에서 가장 키가 큰 학생이다.

개념 3 **Quiz** 해설 | (1) 주어가 행동을 당하는 수동태로, be동사 다음에 과거분사 taken이 와야 한다.

(2) 그 퀴즈가 나에 의해 풀릴 수 있으므로 조동사를 포함한 수동태인 can be solved로 써야 한다.

해석 | (1) 나는 Kate에 의해 콘서트에 데려가졌다.

(2) 그 퀴즈는 나에 의해 풀릴 수 있다.

1-2 ② 2-2 much larger than that red shirt (one)
3-2 The thief will be caught by the police officer.

1-1 해석 | 나는 너만큼 빨리 달릴 수 있다.

1-2 해설 | 원급 비교는 as와 as 사이에 형용사나 부사의 원급을 쓰는데, 이 문장에서는 보어 자리가 빈칸이므로 형용사의 원급인 ②가 알맞다.

해석 | 다른 사람들의 의견은 너의 것만큼 중요하다.

어휘 | opinion 의견

2-1 해석 | Fred는 Tom보다 더 키가 크다.

2-2 해설 | 서로 다른 수준의 두 대상을 비교할 때 「형용사(부사)의 비교급+than」을 쓴다. 이때 비교급을 강조할 때는 부사 much, even, still, far, a lot 등을 비교급 앞에 쓴다.

해석 | 이 노란색 셔츠는 큰 사이즈이다. 저 빨간색 셔츠는 작은 사이즈이다. → 이 노란색 셔츠는 저 빨간색 셔츠보다 훨씬 더 크다.

3-1 해석 | Thomas Edison은 전구를 발명했다. → 전구는 Thomas Edison에 의해 발명되었다.

어휘 | invent 발명하다 light bulb (백열) 전구

3-2 해설 | 조동사 will이 쓰인 조동사 수동태 문장으로 바꿔 쓴다. 능동태의 목적어를 수동태의 주어로, 동사는 「조동사+be+과거분사」로, 주어는 「by+목적격」으로 바꾸어 수동태 문장을 쓸 수 있다.

해석 | 경찰관이 그 도둑을 잡을 것이다. → 그 도둑은 경찰관에 의해 잡힐 것이다.

어휘 | police officer 경찰관 catch(-caught-caught) 잡다, 붙잡다 thief 도둑

개념 4 **Quiz** 해설 | (1) 조동사 수동태의 부정문은 「주어+조동사+ not+be+과거분사(+by+목적격) ~.」의 어순으로 쓴다.

(2) 의문사가 없는 경우 수동태의 의문문은 be동사를 문장의 맨 앞으로 보낸다.

해석 | (1) 그 피자는 그에 의해 배달될 것이다.

(2) 이 방은 아이들에 의해 청소되었다.

이 책상은 나무로 만들어졌다.   이 치즈는 우유로 만들어졌다.

개념 5 **Quiz** 해설 | 수동태 be filled, be pleased는 전치사 by가 아닌 with와 함께 쓰인다.

해석 | • 내 가방은 책으로 가득 차 있다.

• 그들은 그 소식에 기뻐했다.

개념 6 **Quiz** 해설 | 현재 사실과 반대되는 상황을 가정하는 가정법 과거에서는 if절에 동사의 과거형을 쓴다.

해석 | 나는 지금 돈이 하나도 없다. 만약 내가 돈이 좀 있다면, 저

노트북 컴퓨터를 살 텐데.

어휘 | laptop 노트북 컴퓨터

CHECK UP

1 해석 | Dave는 너만큼 힘이 세다.

2 해석 | 여름에는 겨울보다 낮이 더 길다. 오늘은 1년 중 가장 긴 날이다.

3 해석 | 나는 너를 위해 이 노래를 만들었다. → 이 노래는 나에 의해 너를 위해 만들어졌다.

4 해석 | 그는 왜 이 시를 썼니? → 이 시는 왜 그에 의해 쓰여졌니?

어휘 | poem 시

5 해석 | 나의 오빠는 항상 자신감으로 가득 차 있다.

어휘 | pride 자신감

6 해석 | 만약 Jenny가 우리와 여기에 있다면, 나는 이 파티를 즐길 텐데.

4-2 (1) was not broken by (2) the window be opened by me **5-2** ③ **6-2** (1) know / knew (2) am / were

---

4-1 어휘 | doll 인형

4-2 해설 | (1) 수동태의 부정문은 「주어+be동사+not+과거분사(+by+목적격) ~.」의 형태로 쓴다.

(2) 조동사가 쓰인 문장의 수동태 의문문은 「조동사+주어+be+과거분사(+by+목적격) ~?」의 형태로 쓴다.

어휘 | vase 꽃병

5-1 해석 | • 그들은 힘든 일에 싫증이 났다.

• 이 스웨터는 양모로 만들어졌다.

어휘 | wool 털, 양모

5-2 해설 | '~에 관심이 있다'라는 의미는 be interested in으로, '~에 대해 걱정하다'라는 의미는 be worried about으로 쓴다. 따라서 답은 ③ from이 된다.

해석 | • 나는 운동하는 데 관심이 없다.

• 너는 기말고사가 걱정되니?

어휘 | final term 기말고사

6-1 해석 | 만약 네가 제시간에 도착한다면, 너는 Joe를 만날 수 있을 텐데.

어휘 | on time 제시간에

6-2 해설 | (1) 운전면허증이 없다고 했으므로, 운전하는 방법을 '안다면'이라고 현재 사실에 대한 반대 상황을 가정하는 내용의 가정법 과거를 쓴다. 가정법 과거에서 if절에는 동사의 과거형을 쓰므로 know를 knew로 고쳐야 한다.

(2) 실현 가능성이 거의 없는 일에 대한 바람을 나타낼 때는 '~라면 좋을 텐데'라는 의미의 I wish 가정법 과거를 쓰므로 am을 were로 고쳐야 한다.

해석 | (1) 나는 운전면허증이 없다. 만약 내가 운전하는 방법을 안다면, 더 자주 여행할 텐데.

(2) 나는 하늘을 날 수 없다. 내가 새라면 좋을 텐데.

어휘 | driver's license 운전면허증

---

1 ③ 2 ③ 3 (1) cooking → cooked (2) will cooked → will be cooked 4 ② 5 ④ 6 If I had enough time, I could go to see a movie with you.

---

1 해설 | '…만큼 ~하지 않은(않게)'이라는 의미의 원급 비교의 부정은 「not+as(so)+형용사(부사)의 원급+as」로 쓴다. 그림에서 일본은 미국만큼 크지 않으므로 답은 ③이 알맞다.

해석 | 일본은 미국만큼 크지 않다.

2 해설 | '이 지갑은 저 지갑만큼 비싸지 않다.'라는 말은 이 지갑이 저 지갑보다 덜 비싸다(less expensive), 혹은 저 지갑이 이 지갑보다 더 비싸다(more expensive)라는 비교급 문장으로 바꿔 쓸 수 있으므로, 답은 ③이 알맞다.

해석 | 이 지갑은 저 지갑만큼 비싸지 않다. = 이 지갑은 저 지갑보다 덜 비싸다. = 저 지갑은 이 지갑보다 더 비싸다.

어휘 | wallet 지갑 expensive 비싼

3 해설 | (1) 첫 번째 문장에서 주어인 This fish가 요리되는 것으로 수동의 의미이므로 수동태 문장으로 써야 한다. 따라서 be동사 was 다음에 과거분사 cooked가 와야 한다.

(2) 두 번째 문장은 조동사의 수동태로 「주어+조동사+be+과거분사(+by+목적격) ~.」의 형태로 써야 하므로 will cooked를 will be cooked로 고쳐야 한다.

해석 | 이 생선은 우리 엄마에 의해 요리되었다. 그 국은 우리

아빠에 의해 요리될 것이다.

4 **해설** | 의문사가 있는 수동태의 의문문은 「의문사+be동사+주어+과거분사(+by+목적격) ~?」의 어순으로 써야 한다. 시제가 현재이므로 답은 ②가 알맞다. 이때 능동태의 주어인 you는 수동태에서 문장 맨 뒤에 by you로 쓰거나 생략 가능하다.

해석 | 당신은 이 태블릿 PC를 주로 언제 사용하나요? → 이 태블릿 PC는 주로 언제 당신에 의해 사용되나요?

5 **해설** | '~로 유명하다'라는 의미는 be known for로 쓴다. be known as: ~로서 알려지다 / be known to: ~에게 알려져 있다

어휘 | course 과정, 강좌, 강의

6 **해설** | 현재 사실에 반대되는 상황이나 실현 불가능한 일을 가정할 때 가정법 과거인 「If+주어+동사의 과거형 ~, 주어+조동사의 과거형+동사원형 .....」으로 쓴다.

해석 | 나는 충분한 시간이 없어서, 너와 함께 영화를 보러 가지 못한다. → 만약 내가 충분한 시간이 있다면, 너와 함께 영화를 보러 갈 수 있을 텐데.

2주 2일 필수 체크 전략 ❶ pp. 44~47

전략 1 필수 예제

해설 | as와 as 사이에는 형용사나 부사의 원급이 들어가야 한다. 이 문제가 다음 문제보다 더 쉽다는 말은 이 문제가 다음 문제만큼 '어렵지는' 않다는 의미이므로 답은 ④가 알맞다.

해석 | 이 문제는 다음 문제보다 더 쉽다. = 이 문제는 다음 문제만큼 어렵지는 않다.

확인 문제

1 ②, ④ **2** (1) your / yours (2) possibly / possible

1 **해설** | ② 내 개가 더 작으므로 원급 비교의 부정문을 이용해서 not as big as로 나타낼 수 있다. ④ Jack의 개 나이가 더 적으므로 비교급 표현을 이용해서 younger than으로 나타낼 수 있다.

해석 | ① 내 개는 Jack의 개보다 더 크다. ② 내 개는 Jack의 개만큼 크지 않다. ③ 내 개는 Jack의 개만큼 나이를 먹었다. ④ Jack의 개는 내 개보다 더 어리다. ⑤ Jack의 개는 내 개보다 나이가 더 많다.

2 **해설** | (1) 「as+형용사(부사)의 원급+as」는 동등한 수준의 두 대상을 비교하는 것이다. my bag의 비교 대상은 your bag이므로 your를 소유대명사 yours로 고쳐야 한다.
(2) '가능한 한 ~하게'라는 의미는 「as+형용사(부사)의 원급+as possible」로 쓰므로 possibly를 possible로 고쳐야 한다.

해석 | (1) 내 가방은 너의 것만큼 크다.
(2) 나는 가능한 한 일찍 떠나야 한다.

전략 2 필수 예제

해설 | much가 ①에서는 very의 수식을 받는 '많이'라는 의미로 쓰였고, ②, ③에서는 비교급 앞에서 '훨씬'이라는 의미로 쓰였다. ④는 형용사 원급을 수식하는 very가 들어가야 하고, ⑤는 부사가 불필요하다.

해석 | ① 정말 감사합니다. ② 너는 지금보다 훨씬 더 빨리 말할 수 있니? ③ 그녀는 내가 버는 것보다 훨씬 더 많은 돈을 번다. ④ 이 차는 매우 비싸서 나는 그것을 살 수 없다. ⑤ 한 씨는 그 회사에서 가장 친절한 남자이다.

어휘 | earn 벌다 company 회사

확인 문제

1 ② **2** (1) very (2) far

1 **해설** | '훨씬'이라는 의미로 비교급을 강조하는 부사 much, even, still, far, a lot 등은 비교급 앞에 와야 하고, 형용사 difficult의 비교급은 more difficult로 써야 하므로 답은 ②가 알맞다.

2 **해설** | (1)의 빈칸에는 형용사의 원급을 강조하는 very가, (2)의 빈칸에는 '훨씬'이라는 의미로 비교급을 강조하는 far가 와야 한다.

해석 | (1) 이것은 아주 맛있는 파스타이다.
(2) 그녀는 리허설때 보다 훨씬 더 아름답게 연주했다.

어휘 | rehearsal 리허설, 예행연습

전략 3 필수 예제

해설 | 주어진 문장은 '네가 더 많이 연습할수록, 너는 수영을 더 잘하게 된다.'라는 의미이므로, '…하면 할수록, 더 ~하다.'라는 의미의 「The+비교급 ..., the+비교급 ~.」으로 바꿔 표현할 수 있다. 따라서 답은 ④가 알맞다.

해석 | 네가 더 많이 연습할수록, 너는 수영을 더 잘하게 된다.

확인 문제

1 ④　　**2** the best book that I have ever read

1 해설 | 「one of the+최상급」 다음에는 복수 명사가 와야 하므로 ④에서 movie를 movies로 고쳐야 한다.
해석 | '스타워즈'는 내가 본 가장 재미있는 영화들 중 하나이다.

2 해설 | '(주어가) …한 중에 가장 ~한'이라는 의미의 문장은 「the+최상급+단수 명사(+that)+주어+have(+ever)+과거분사」의 어순으로 써야 한다. 따라서 비교급 better는 필요하지 않다.
해석 | A: 너는 그 책이 마음에 드니? B: 응, 그것은 내가 읽은 것 중 최고의 책이야.

전략 4 | 필수 예제

해설 | 빈칸 앞의 주어 This cake가 행동의 대상이 되므로 수동태 문장이 되어야 한다. 따라서 빈칸에는 「be동사+과거분사」가 들어가야 하는데, 주어가 3인칭 단수이고 시제가 과거이므로 답은 ③이 알맞다.
해석 | 여: 누가 이 케이크를 만들었니? 남: 이 케이크는 나의 형에 의해 만들어졌어.

확인 문제

1 ①, ③　　**2** A gift will be sent to me by my friend.

1 해설 | 수동태에서 행위자를 나타내는 「by+목적격」은 ①과 같이 행위자를 알 수 없거나, ③처럼 일반적인 사람일 때는 생략 가능하다.
해석 | ① 그는 전쟁에서 누군가에 의해 죽임을 당했다. ② 그 창문은 Frank에 의해 깨졌다. ③ 프랑스어는 프랑스에서 사람들에 의해 말해진다. ④ 이 책은 Pitt 씨에 의해 번역되었다. ⑤ 저녁 식사는 아이들에 의해 준비되었다.
어휘 | war 전쟁　translate 번역하다　prepare 준비하다

2 해설 | 조동사가 쓰인 능동태 문장을 수동태 문장으로 바꿔야 하므로 능동태의 목적어를 수동태의 주어로, 동사는 「조동사+be+과거분사」로, 주어는 「by+목적격」으로 바꿔 쓸 수 있다.
해석 | 내 친구가 나에게 선물을 보낼 것이다. → 선물이 내 친구에 의해 나에게 보내질 것이다.

1 ③　　**2** ④, ⑤　　**3** ②, ④　　**4** ⑤　　**5** city / cities
6 (1) The bridge was built in 1486 (by them).
(2) Your life can be changed by this book.

1 해설 | 첫 번째 문장은 「as+형용사(부사)의 원급+as」의 원급 비교 구문이고, 빈칸에는 be동사의 보어가 와야 하므로 형용사의 원급 cold가 와야 한다. 두 번째 문장은 비교급을 수식하는 부사 much가 쓰인 것으로 보아 「형용사(부사)의 비교급+than」의 형태가 되어야 하므로 cold의 비교급인 colder가 와야 한다. 따라서 답은 ③이 적절하다.
해석 | • 내 손은 얼음처럼 차갑다.
• 오늘은 어제보다 훨씬 더 춥다.

2 해설 | ④ 「as+형용사(부사)의 원급+as」의 원급 비교에서는 비교하는 대상의 격이 같아야 하므로, Owen을 Owen's나 Owen's bicycle로 고쳐야 한다. ⑤ '가능한 한 ~하게'라는 의미의 「as+형용사(부사)의 원급+as+주어+can」에서 시제가 현재이면 can을, 과거이면 could를 써야 한다. 문장의 시제가 과거이므로 can을 could로 고쳐야 한다.
해석 | ① 내 머리는 너의 것만큼 길다. ② 영국은 캐나다만큼 크지는 않다. ③ 스페인어는 프랑스어만큼 재미있다.
어휘 | comic book 만화책

3 해설 | 비교급 앞에 '훨씬'이라는 의미의 부사 much, even, still, far, a lot 등을 써서 비교급을 강조할 수 있으므로 much는 ②, ④와 바꿔 쓸 수 있다.
해석 | 그는 내가 생각했던 것보다 훨씬 더 빨리 이야기했다.

4 해설 | '…하면 할수록, 더 ~하다.'라는 의미는 「The+비교급 …, the+비교급 ~.」으로 표현할 수 있으므로 ⑤가 정답이다.
어휘 | go up 올라가다　fresh 신선한

5 해설 | '가장 ~한 …들 중 하나'라는 의미는 「one of the+최상급+복수 명사」로 써야 하므로 city를 cities로 고쳐야 한다.
해석 | 서울은 세계에서 가장 아름다운 도시들 중 하나이다.

6 해설 | (1) 능동태를 수동태로 바꿀 때, 능동태의 목적어는 수동태의 주어로, 동사는 「be동사+과거분사」로, 주어는 「by+목적격」으로 쓴다. 단, 행위자가 일반적인 사람일 경우에는 생략이 가능하다.
(2) 조동사가 있는 수동태 문장은 「주어+조동사+be+과거분사(+by+목적격) ~.」로 쓴다.

해석 | (1) 그들은 1486년에 그 다리를 지었다. → <u>그 다리는 1486년에 (그들에 의해) 지어졌다.</u>
(2) 이 책은 너의 삶을 바꿀 수 있다. → <u>너의 삶은 이 책에 의해 바뀔 수 있다.</u>
어휘 | bridge 다리

2주 3일 필수 체크 전략 ❶   pp. 50~53

전략 1 [필수 예제]

해설 | 조동사가 쓰인 수동태 부정문에서 not은 조동사와 be 사이에 와야 한다. 따라서 not의 위치로는 ②가 알맞다.
해석 | 칼은 아이들이 만지게 해서는 <u>안 된다.</u>

[확인 문제]

1 ④   2 (1) This story should not be forgotten.
(2) Was the monkey put in the cage by the zookeeper?

1 해설 | 조동사가 쓰인 문장의 수동태는 조동사를 주어의 앞으로 보낸다. 의문사는 항상 문장의 맨 앞에 와야 하므로 답은 ④가 알맞다.
해석 | 그는 언제 새 앨범을 발매하나요? ④ 언제 새 앨범이 그에 의해 발매되나요?
어휘 | release (앨범 등을) 발매하다, 내다

2 해설 | (1) 조동사 수동태의 부정문은 not을 조동사와 be 사이에 쓴다.
(2) 의문사가 없는 수동태의 의문문은 「Be동사+주어+과거분사(+by+목적격) ~?」로 써야 하고, 주어가 3인칭 단수이므로 Was로 문장을 시작해야 한다.
해석 | (1) 이 이야기는 잊혀져서는 안 된다.
(2) 그 원숭이는 사육사에 의해 우리에 갇혔나요?
어휘 | cage 우리 zookeeper 동물원 사육사

전략 2 [필수 예제]

해설 | 수동태에서 전치사 by 이외의 전치사를 쓰는 경우 중 '~로 가득 차다'라는 의미는 be filled with로, '~에 관심이 있다'라는 의미는 be interested in으로 쓴다.
해석 | • 그 책장은 책으로 가득 차 있다.

• 너는 영어 소설 동아리에 관심이 있니?
어휘 | bookshelf 책장 novel 소설

[확인 문제]

1 ④   2 is covered with

1 해설 | ④ '~에 만족하다'라고 표현할 때 be satisfied with로 써야 한다.
해설 | ① 그들은 부상에 대해 걱정하고 있다. ② James는 열심히 일하는 것으로 유명하다. ③ 나는 똑같은 국을 먹는 것에 싫증이 난다. ④ 너는 시험 결과에 만족하니? ⑤ 나는 그의 새 영화에 실망했다.
어휘 | injury 부상 result 결과

2 해설 | 지붕이 눈에 덮인 모습이므로 '~로 덮여 있다'라는 표현 be covered with를 이용한다. 주어가 3인칭 단수이고 현재 상황을 묘사해야 하므로 is covered with로 써야 한다.
해석 | 봐! 지붕이 눈으로 덮여 있어.

전략 3 [필수 예제]

해설 | 주어진 문장은 '현재 돈이 전혀 없어서 그 셔츠를 살 수 없다'라는 의미이므로 현재 사실과 반대되는 상황을 가정하는 가정법 과거인 「If+주어+동사의 과거형 ~, 주어+조동사의 과거형+동사원형 .....」으로 문장을 바꿔 쓴 ③이 답이 된다.
해석 | 나는 돈이 전혀 없기 때문에 저 셔츠를 살 수 없다. ③ 만약 내가 돈이 있다면, 나는 저 셔츠를 살 수 있을 텐데.

[확인 문제]

1 ⑤   2 were here with me / would not feel lonely

1 해설 | ⑤ 지구가 평평하다는 것은 불가능한 일이므로 가정법 과거를 써야 한다. 따라서 if절의 be동사 is를 were로 고쳐야 한다.
해석 | ① 만약 내게 개가 있다면, 나는 그것과 산책을 갈 텐데. ② 만약 네가 복권에 당첨 된다면, 너는 무엇을 할 거니? ③ 만약 네가 그 책을 읽는다면, 너는 그 질문에 답을 할 수 있을 텐데. ④ 만약 네가 아프지 않다면, 나는 너를 콘서트에 초대할 텐데.
어휘 | lottery 복권 invite 초대하다 flat 평평한

2 해설 | 현재 네가 나와 함께 여기에 있지 않아서 나는 외롭다는 말은 '네가 나와 함께 여기에 있다면, 나는 외롭지 않을 텐데.'라는 가정법 과거로 바꿔 표현할 수 있다.

해석 | 네가 나와 함께 여기에 있지 않아서 나는 외롭다. → 만약 네가 나와 함께 여기에 있다면, 나는 외롭지 않을 텐데.

어휘 | lonely 외로운

전략 4 　필수 예제

해설 | 현재 사실과 반대되는 상황이 일어나길 바랄 때 「I wish+주어+동사의 과거형 ~.」으로 표현하므로 빈칸에는 speak의 과거형인 ② spoke가 알맞다.

해석 | 나는 프랑스어를 전혀 말할 수 없다. 내가 프랑스어를 하면 좋을 텐데.

어휘 | French 프랑스어(의), 프랑스의

확인 문제

1 ① 　**2** (1) lived (2) receive〔will receive〕 (3) got

1 해설 | I wish 가정법 과거는 실현 가능성이 거의 없는 일에 대한 바람을 나타낼 때 쓴다. 따라서 같은 의미의 문장으로 현재 백만 달러가 없어서 아쉽다는 의미의 ①이 알맞다.

해석 | 나에게 백만 달러가 있으면 좋을 텐데. ① 나에게 백만 달러가 없어서 유감이다.

2 해설 | (1) I wish 가정법 과거이므로 동사의 과거형을 쓰고, 의미상 네가 이 근처에 살면 좋겠다는 내용이 되어야 하므로 빈칸에 live의 과거형 lived를 쓴다.

(2) I hope로 시작하고 다음에 더 좋은 성적을 받고 싶다는 의미이므로 receive를 현재 시제나 미래 시제로 쓴다.

(3) I wish 가정법 과거이므로 동사의 과거형을 쓰고, 의미상 더 따뜻해지면 좋겠다는 흐름이 알맞으므로 「get+비교급」을 이용하여 빈칸에 get의 과거형 got을 쓴다.

해석 | (1) 너는 너무 멀리 산다. 네가 이 근처에 살면 좋을 텐데.

(2) 나는 다음에 더 좋은 성적을 받길 바란다.

(3) 이 방은 너무 춥다. 방이 더 따뜻하면 좋을 텐데.

어휘 | far away 멀리 떨어진　grade 성적　warm 따뜻한

2주 3일 필수 체크 전략 ❷　　pp. 54~55

1 (1) He was not impressed by my letter. (2) Was he impressed by my letter?　**2** ①　**3** ⑤　**4** it were not raining, I would go out　**5** ⑤　**6** you were here

1 해설 | 수동태의 부정문은 「주어+be동사+not+과거분사(+by+목적격) ~.」의 어순으로 쓰고, be동사가 쓰인 의문사가 없는 수동태의 의문문은 「Be동사+주어+과거분사(+by+목적격) ~?」의 어순으로 써야 한다.

해석 | 그는 내 편지로 인해 감동 받았다.

(1) 그는 내 편지로 인해 감동 받지 않았다.

(2) 그는 내 편지로 인해 감동 받았니?

어휘 | impress 감동을 주다

2 해설 | ① 의문사가 있는 수동태의 의문문은 「의문사+be동사+주어+과거분사(+by+목적격) ~?」의 어순으로 써야 한다. 주어가 3인칭 단수인 the table이므로 그 앞에 is나 was를 써야 한다.

해석 | ② 이 시는 너에 의해 쓰여졌니? ③ 누가 경찰에 의해 의심을 받니? ④ 이 설정은 나중에 바뀔 수 없다. ⑤ 이 음식은 우리 엄마에 의해 요리되지 않았다.

어휘 | poem 시　suspect 의심하다　setting 설정

3 해설 | 첫 번째 문장은 '~로 만들어지다'라는 의미의 be made from이 되어야 하고, 두 번째 문장은 '~에 대해 걱정하다'라는 의미의 be worried about이 되어야 하므로 답은 ⑤가 적절하다.

해석 | • 와인은 포도로 만들어진다.

• 나는 지구 온난화에 대해 매우 걱정한다.

어휘 | grape 포도　global warming 지구 온난화

4 해설 | '비가 내리고 있어서 나는 밖에 나가지 않을 것이다.'라는 말은 '만약 비가 내리고 있지 않다면, 나는 밖에 나갈 텐데.'라는 가정법 과거 문장으로 바꿔 쓸 수 있다. 따라서 「If+주어+동사의 과거형 ~, 주어+조동사의 과거형+동사원형 .....」의 형태로 문장을 바꿔 쓰는 것이 옳다.

해석 | 비가 내리고 있어서 나는 밖에 나가지 않을 것이다. → 만약 비가 내리고 있지 않다면, 나는 밖에 나갈 텐데.

어휘 | go out 외출하다

5 해설 | 가정법 과거는 「If+주어+동사의 과거형 ~, 주어+조동

사의 과거형+동사원형 .....」의 형태로 쓰므로 ⑤가 알맞다.

어휘 | country 시골

6 해설 | 현재 사실과 반대되는 상황이나 실현 가능성이 거의 없는 일에 대한 바람을 나타낼 때 I wish 가정법 과거를 쓴다. 형태는 「I wish+주어+동사의 과거형 ~.」으로 쓰므로, you were here가 적절하다.

해석 | A: 파리는 어때? 좋아? B: 정말 좋아! 네가 나와 함께 여기에 있으면 좋을 텐데.

2주 4일 교과서 대표 전략 ❶   pp. 56~59

1 ②   **2** ①, ④   **3** ②   **4** ⑤   **5** ④   **6** Jessie is one of the kindest students I've ever met.   **7** ⑤
8 ③   **9** ②, ⑤   **10** ②   **11** ③   **12** ④   **13** ②
14 I were not busy   **15** ⑤   **16** (1) were (2) knew

1 해설 | Kay의 어머니가 Kay의 아버지보다 나이가 더 적으므로 형용사 old를 이용하여 「as+형용사(부사)의 원급+as」의 원급 비교 구문의 부정문을 쓴 ②가 알맞다.

해석 | Kay의 아버지는 46세이다. 그녀의 어머니는 43세이다. → Kay의 어머니는 그녀의 아버지 만큼 늙지 않았다.

2 해설 | '가능한 한 ~하게'라는 의미는 「as+형용사(부사)의 원급+as possible」 또는 「as+형용사(부사)의 원급+as+주어+can(could)」으로 쓸 수 있으므로 ①, ④가 알맞다. ⑤는 you가 아니라 we가 되어야 옳다.

어휘 | sunshine 햇빛

3 해설 | ② 비행기는 버스보다 크므로 smaller가 아닌 bigger를 써야 한다.

해석 | ① 자동차는 버스만큼 크지 않다. ② 비행기는 버스보다 더 작다. ③ 비행기는 자동차만큼 작지 않다. ④ 자동차는 셋 중에서 가장 작다. ⑤ 비행기는 셋 중에서 가장 크다.

4 해설 | 첫 번째 문장의 빈칸에는 형용사의 원급(smart)을 수식하는 것이므로 very나 so가, 두 번째 문장의 빈칸에는 비교급(more expensive)을 강조하는 것이므로 비교급을 강조하는 부사 much, far, still, even, a lot 중 하나가 들어가는 것이 적절하므로, 답은 ⑤가 알맞다.

해석 | • Gray 씨는 매우 똑똑한 여성이다.

• 이 호텔은 저 호텔보다 훨씬 더 비싸다.

5 해설 | 주어진 문장은 '네가 더 많이 가지면 가질수록, 너는 다른 사람들을 더 많이 도와야 한다.'라는 의미로, '…하면 할수록, 더 ~하다.'라는 의미의 「The+비교급 …, the+비교급 ~.」으로 바꿔 쓸 수 있다. 따라서 ④가 답이 된다.

해석 | 네가 더 많이 가지면 가질수록, 너는 다른 사람들을 더 많이 도와야 한다.

6 해설 | '가장 ~한 …들 중 하나'라는 의미는 「one of the+최상급+복수 명사」를 쓰므로, student를 복수형 students로 고쳐야 한다.

해석 | Jessie는 내가 만난 가장 친절한 학생들 중 하나이다.

7 해설 | 소년의 말에서 주어 They가 '트와일라잇'이라는 책들을 가리키므로, 동사는 '쓰여졌다'라는 의미의 수동태가 되어야 하고, 시제가 과거이므로 「be동사의 과거형+과거분사」의 형태로 쓰인 ⑤가 알맞다.

해석 | 여: 누가 '트와일라잇' 시리즈를 썼니?

남: 그것들은 Stephenie Meyer에 의해 쓰여졌어.

8 해설 | 첫 번째 문장에서는 주어 Jack이 선물을 보냈으므로 능동태를, 두 번째 문장에서는 꽃이 심겨졌기 때문에 수동태를, 세 번째 문장에서는 개가 나를 뒤따라온 것이므로 수동태를 써야 하므로 답은 ③이 알맞다.

해석 | • Jack은 나에게 선물을 보냈다.

• 그 꽃들은 우리 엄마에 의해 심겨졌다.

• 어떤 개가 나를 뒤따라왔다.

어휘 | follow 따라가다(오다)

9 해설 | 수동태 문장에서 「by+목적격」으로 나타내는 행위자가 일반적인 사람이거나 정확히 알 수 없는 경우 생략하기도 하므로, ②, ⑤의 밑줄 친 부분은 생략할 수 있다.

해석 | ① 내 지갑이 Jill에 의해 발견되었다. ② 그 문은 누군가에 의해 부서졌다. ③ 이 영화는 내 친구에 의해 만들어졌다. ④ 이 차는 전기에 의해 움직여질 수 있다. ⑤ 교통법규는 모두에 의해 지켜져야 한다.

어휘 | wallet 지갑 electricity 전기 traffic rule 교통법규, 교통 규칙

10 해설 | 조동사를 포함한 수동태의 의문문은 「조동사+주어+be+과거분사(+by+목적격) ~?」로 써야 하므로 ②가 적절하다. ④는 주어와 목적격이 서로 바뀌어야 옳다.

해석 | 개미는 코끼리를 죽일 수 있을까? ② 코끼리는 개미에 의해 죽임을 당할 수 있을까?

11 해설 | ③ 의문사가 있는 수동태의 의문문은 「의문사+be동사+주어+과거분사(+by+목적격) ~?」로 쓰므로 What is this thing called in English?로 고쳐야 한다. ⑤는 Should I fix the car?를 수동태로 바꾼 문장이다.

해석 | ① 그 노래는 대중들에게 사랑받지 못했다. ② 이 그림들은 너에 의해 그려졌니? ④ 저 병은 재활용되지 않았다. ⑤ 그 차는 나에 의해 고쳐져야 하나요?

어휘 | public 대중 recycle 재활용하다

12 해설 | ④는 '~에 싫증이 나다'라는 의미가 되기 위해 전치사 of를 쓰고, 나머지는 모두 전치사 with를 쓴다.

해석 | ① 우리는 그녀의 승리에 기쁘다. ② 나는 오늘 저녁 식사에 만족한다. ③ 병이 신선한 물로 가득 차 있다. ④ 나는 항상 같은 음식을 먹는 데 싫증이 난다. ⑤ 그 책상은 먼지로 덮여 있었다.

어휘 | victory 승리 fresh 신선한 dust 먼지

13 해설 | 첫 번째 문장은 '~로 유명하다'라는 의미로 전치사 for를, 두 번째 문장은 '~에게 알려져 있다'라는 의미로 to를, 세 번째 문장은 '~로서 알려지다'라는 의미로 as를 써야 하므로 답은 ②가 알맞다.

해석 | • 런던은 빅벤으로 유명하다.
• 이 노래는 이 음악가의 팬들에게도 잘 알려져 있지 않다.
• Tang 씨는 부자로 알려져 있다.

14 해설 | B는 A를 도와주고 싶으나 지금 나가야 해서 도와줄 수 없는 상황이므로, 빈칸에는 현재 상황과 반대되는 일을 가정하는 가정법 과거를 써야 한다. busy를 이용하여 if 가정법 과거를 써야 하므로 동사는 were를 써야 한다. 따라서 4단어라는 규칙에 맞게 I were not busy로 써야 옳다.

해석 | A: 너는 지금 나를 도와줄 수 있니? B: 그러고 싶지만, 안 돼. 나는 지금 나가야 하거든. 만약 내가 바쁘지 않다면, 너를 도울 수 있을 텐데.

15 해설 | 저곳은 좋은 호텔이 아니라고 했으므로, '내가 너라면 거기에 머무르지 않을 텐데'라는 의미로 가정법 과거를 쓸 수 있다. 가정법 과거에서 if절에는 동사의 과거형, 주절에는 「조동사의 과거형+동사원형」을 쓰므로 ⑤가 적절하다.

해석 | 저곳은 좋은 호텔이 아니야. 만약 내가 너라면, 거기에 머무르지 않을 텐데.

16 해설 | '~라면 좋을 텐데'라는 의미로 현재 실현 가능성이 거의 없는 일에 대한 바람을 나타낼 때 I wish 가정법 과거를 쓴다. I wish 이하 절의 동사는 과거형으로 써야 하므로 (1)은

were, (2)는 knew를 써야 한다.

해석 | (1) 지금 매우 더운데, 나는 이런 날씨를 싫어한다. 날씨가 덥지 않으면 좋을 텐데.
(2) 나는 하나에게 전화를 해야 하는데, 그녀의 전화번호를 모른다. 내가 그녀의 전화번호를 알면 좋을 텐데.

2주 4일 교과서 대표 전략 ❷ pp. 60~61

> **1** ①, ④ **2** (1) smaller than (2) the biggest **3** ③
> **4** ④ **5** ④ **6** will not be invited to the party by Penny **7** ② **8** ③ **9** ④ **10** it (today) were Friday

1 해설 | 「as+형용사(부사)의 원급+as」의 원급 비교에서는 as와 as 사이에 형용사나 부사의 원급을 써야 하므로 ①, ④가 알맞다.

해석 | 오늘은 어제만큼 춥다(덥다).

2 해설 | (1) 금성이 지구보다 더 작으므로 비교급 smaller than을, (2) 목성은 '우리 태양계에서 가장 큰 행성이다'라는 의미가 되어야 하므로 the biggest가 들어가야 알맞다.

해석 | (1) 금성은 지구보다 더 작다.
(2) 목성은 우리 태양계에서 가장 큰 행성이다.

어휘 | Venus 금성 Jupiter 목성 planet 행성 solar system 태양계

3 해설 | 밑줄 친 부분은 비교급이므로 형용사나 부사의 원급을 강조하는 ③은 쓸 수 없다.

해석 | 이 방은 저 방보다 더 어둡다.

4 해설 | '가장 ~한 …들 중 하나'라는 의미는 「one of the+최상급+복수 명사」로 쓰므로 ④가 알맞다.

5 해설 | ④ 수동태는 「be동사+과거분사」의 형태로 써야 하므로 steal의 과거분사형인 stolen을 써야 한다. 따라서 was stole이 아니라 was stolen이 알맞다. ② 능동태의 주어가 일반적인 사람이므로 수동태에서는 「by+목적격」을 생략할 수 있다.

해석 | ① Kevin은 이 사진을 찍었다. → 이 사진은 Kevin에 의해 찍혔다. ② 사람들은 숟가락을 만드는 데 은을 사용한다. → 은은 숟가락을 만드는 데 사용된다. ③ 콜럼버스는 미국을 발견했다. → 미국은 콜럼버스에 의해 발견됐다. ⑤ Sara는

잘못된 주소로 그 편지를 보냈다. → 그 편지는 Sara에 의해 잘못된 주소로 보내졌다.

어휘 | discover 발견하다 steal 훔치다 address 주소

6 **해설 |** 조동사를 포함한 문장의 수동태는 「주어+조동사+be+과거분사(+by+목적격) ~.」로 쓰고, 부정문의 경우 not을 조동사와 be 사이에 쓴다.

해석 | Penny는 Sam을 파티에 초대하지 않을 것이다. → Sam은 Penny에 의해 파티에 초대되지 않을 것이다.

7 **해설 |** ② 의문사가 있는 수동태의 의문문은 「의문사+be동사+주어+과거분사(+by+목적격) ~?」의 어순으로 써야 한다.

해석 | ① 이 컴퓨터는 어디에서 고쳐질 수 있나요? ③ 이 의자는 내 방으로 옮겨질 수 있나요? ④ 그 일은 내일까지 완료되어야 한다. ⑤ 간식은 극장에서 허락되지 않는다.

어휘 | fix 고치다 allow 허락하다

8 **해설 |** '~로 가득 차다'는 be filled with를, '~에 놀라다'는 be surprised at을 쓰므로, 답은 ③이 알맞다.

해석 | • 그녀의 눈은 눈물로 가득 찼다.
• 그녀는 어떤 것에도 절대 놀라지 않는다.

어휘 | tear 눈물

9 **해설 |** 현재 사실과 반대되는 상황을 가정하는 가정법 과거는 「If+주어+동사의 과거형 ~, 주어+조동사의 과거형+동사원형 ....」이므로 ④가 적절하다.

해석 | 네가 여기에 살지 않아서, 나는 너를 자주 볼 수 없다. ④ 만약 네가 여기 산다면, 나는 너를 자주 볼 수 있을 텐데.

10 **해설 |** 오늘이 수요일인데 금요일이길 바란다는 내용으로, 실현 가능성이 없는 상황을 바라고 있으므로 I wish 가정법 과거를 써야 한다. 「I wish+주어+동사의 과거형 ~.」에서 동사가 be동사일 때 were를 써야 한다.

해석 | A: 아직도 수요일이라니 믿을 수 없어. B: 그러게, 오늘이 금요일이라면 좋을 텐데.

2주 누구나 합격 전략

pp. 62~63

1 ④	**2** (1) faster than (2) the fastest	**3** ② **4** ①
5 ⑤	**6** ③ **7** ④ **8** ②, ④ **9** ⑤	**10** I wish I were

1 **해설 |** 첫 번째 문장은 「as+형용사(부사)의 원급+as」의 원급 비교이고, 동사 play를 수식하는 부사가 필요하므로 부사의 원급인 well이 들어가야 한다. 두 번째 문장은 than이 쓰인 것으로 보아 비교급 문장이고 동사 sings를 수식하는 부사가 필요하므로 부사 well의 비교급인 better가 들어가야 한다.

해석 | • 나는 너만큼 피아노를 잘 칠 수 있다.
• Tom은 Jessie보다 노래를 더 잘 부른다.

2 **해설 |** (1) Dave는 Nathan보다 더 빠르므로 빈칸에 비교급인 faster than을 쓴다.
(2) Gary가 셋 중에서 가장 빠르므로 빈칸에는 최상급인 the fastest를 쓴다.

해석 | (1) Dave는 Nathan보다 더 빠르다.
(2) Gary는 셋 중에서 가장 빠르다.

3 **해설 |** '…하면 할수록, 더 ~하다.'라는 의미는 「The+비교급 ..., the+비교급 ~.」으로 쓰므로 ②가 적절하다. ⑤는 The wiser와 the older의 위치를 바꿔야 한다.

어휘 | wise 현명한

4 **해설 |** ①의 far는 '멀리'라는 의미의 부사이고, 나머지는 모두 '훨씬'이라는 의미의 비교급을 수식하는 부사로 쓰였다.

해석 | ① Mary는 학교에서 멀리 산다.
② Jones 씨는 나의 아빠보다 훨씬 더 연세가 많으시다.
③ 러시아어는 영어보다 훨씬 더 어렵다.
④ 내 요리가 그녀의 요리보다 훨씬 더 엉망인가요?
⑤ 버스를 타는 것이 택시를 타는 것보다 훨씬 더 저렴하다.

5 **해설 |** 첫 번째 빈칸은 한글이 '창제되었다'라는 의미의 과거 시제 수동태 was invented를, 두 번째 빈칸은 세종대왕이 '발명했다'라는 의미의 과거 시제 능동태 invented를, 세 번째 빈칸은 중국 문자가 한국인들에 의해 '사용되었다'라는 의미로 과거 시제 수동태인 were used를 써야 하므로 답은 ⑤가 알맞다.

해석 | 한글은 1443년에 창제되었다. 세종대왕은 사람들이 읽고 쓰는 것을 돕기 위해 그것을 발명했다. 한글의 창제 전, 중국 문자가 한국 사람들에 의해 사용되었다.

어휘 | invention 창제, 발명 Chinese characters 한자

6 **해설 |** 의문사가 없는 수동태의 의문문은 「Be동사+주어+과거분사(+by+목적격) ~?」의 어순으로 써야 하며, 시제가 과거이고 주어가 3인칭 단수이므로 ③이 알맞다.

해석 | 지붕이 폭풍우에 의해 손상되었다. ③ 지붕이 폭풍우에 의해 손상되었니?

어휘 | roof 지붕 damage 손상을 주다 storm 폭풍우

7 해설 | ⓐ ~에 의해 만들어지다: be made by ⓑ ~에 싫증이 나다: be tired of ⓒ ~로 만들어지다(재료의 형태만 변한 경우): be made of ⓓ ~에 관심이 있다: be interested in

해석 | ⓐ 이 영화는 우리 학교 영화 동아리에 의해 만들어졌다. ⓑ 나는 줄 서서 기다리는 것에 싫증이 난다. ⓒ 우리집에 있는 의자들은 오크 나무로 만들어졌다. ⓓ 그녀는 어떤 스포츠에도 관심이 없다.

어휘 | wait in line 줄을 서서 기다리다 oak tree 오크 나무

8 해설 | 주어진 우리말은 현재 사실과 반대되거나 실현 불가능한 일을 가정하므로 if 가정법 과거로 쓰인 ④가 답이 된다. 또한 '내가 키가 크지 않아서, 농구를 잘할 수 없다.'라는 사실을 나타내는 의미이므로 ②도 답이 된다.

9 해설 | 가정법 과거는 「If+주어+동사의 과거형 ~, 주어+조동사의 과거형+동사원형 .....」의 어순이다. 이때 주절이 의문사가 있는 의문문일 때 「의문사+조동사의 과거형+주어+동사원형+if+주어+동사의 과거형 ~?」의 어순으로 써야 한다. 따라서 ⑤는 What would you do if you were in my position?이 되어야 옳다.

해석 | ① 우리는 차가 없다. 만약 우리가 차를 가지고 있다면, 우리는 더 많이 여행할 수 있을 텐데.
② 나는 진실을 모른다. 만약 내가 진실을 안다면, 너에게 말해줄 텐데.
③ 나는 도시에 산다. 만약 내가 시골에 산다면, 나는 개를 키울 텐데.
④ 지금 날씨가 좋다. 만약 눈이 온다면, 나는 눈사람을 만들 텐데.

어휘 | countryside 시골 raise 기르다, 키우다 position 입장

10 해설 | 실현 가능성이 거의 없는 일에 대한 바람이나 소망을 나타낼 때 「I wish+주어+동사의 과거형 ~.」의 I wish 가정법 과거를 쓰므로 빈칸에는 I wish I were를 쓰는 것이 자연스럽다.

해석 | 내가 더 훌륭한 낚시꾼이라면 좋을 텐데.

어휘 | fisherman 낚시꾼

---

1 (1) smaller than / the smallest (2) heavier than / the heaviest (3) as old as / the oldest **2** (1) the best concert I have ever been (2) one of the most talented people (3) the more I like her

3

Name	Age	Job	Income ($)
Alex	25	writer	2 million
Julia	40	pro-gamer	3 million
Junho	35	vet	1.5 million
Molly	50	teacher	1 million

4 (1) was painted by Leonardo da Vinchi (2) was written by Shakespeare (3) was invented by King Sejong **5** 〈Step 1〉 be disappointed at〔with〕 / be based on / be satisfied with 〈Step 2〉 (1) satisfied with (2) disappointed at〔with〕 (3) based on
6 (1) will be held (2) is held (3) is hosted (4) can be sent **7** I'll stop / I would stop **8** (1) I would bring this umbrella (2) had a key / would〔could〕 enter the house (3) were cheaper / would〔could〕 buy it

---

1 해설 | 원급 비교의 표현은 「as+형용사〔부사〕의 원급+as」로, 비교급은 「형용사〔부사〕의 비교급+than」으로, 최상급은 「the+형용사〔부사〕의 최상급(+단수 명사)+in〔of〕 ....」으로 표현한다.

해석 | (1) Ben은 Chris보다 더 작다. Mona는 셋 중에서 가장 작다.
(2) Chris는 Mona보다 더 무겁다. Ben이 셋 중에서 가장 무겁다.
(3) Ben은 Mona와 나이가 같다. Chris가 셋 중에 가장 나이가 많다.

어휘 | height 키 weight 몸무게 age 나이 heavy 무거운

2 해설 | (1) (주어가) …한 중에 가장 ~한: the+최상급+단수 명사(+that)+주어+have(+ever)+과거분사
(2) 가장 ~한 …들 중 하나: one of the+최상급+복수 명사
(3) …하면 할수록, 더 ~하다.: The+비교급 ..., the+비교급 ~.

해석 | Sue: Ariana Grande의 콘서트는 어땠니? Lily: 내가

2주 • 비교 / 수동태 / 가정법 **45**

가본 것 중에 가장 멋진 콘서트였어. Sue: 좋았겠네! Lily: 내 생각에 그녀는 내가 본 가장 재능 있는 사람들 중 하나야. Sue: 나도 동의해. 그녀가 노래하는 것을 들으면 들을수록, 나는 그녀가 더 좋아져.

어휘 | talented 재능 있는

3 **해설 |** 〈힌트 1〉에서 프로게이머가 가장 많이 버는 사람이라고 했으므로 Julia가 프로게이머이고, 〈힌트 5〉에서 가장 적게 버는 사람이 교사라고 했으므로 Molly가 교사, 준호가 수의사임을 알 수 있다. 〈힌트 2〉에서 Molly는 Alex보다 나이가 두 배 더 많으므로 Alex가 25세, Molly가 50세이다. 〈힌트 3〉에서 가장 어린 사람이 두 번째로 연봉이 높다고 했으므로 Alex의 연봉이 200만 달러임을 알 수 있다. 〈힌트 4〉에서 준호가 Julia보다 더 어리다고 했으므로 준호는 35세, Julia는 40세임을 알 수 있다.

해석 | 〈정보〉• 그들의 나이는 25, 35, 40, 50세이다.

• 그들의 직업은 수의사, 교사, 작가 그리고 프로게이머이다. • 그들의 연간 소득은 100만 달러, 150만 달러, 200만 달러, 300만 달러이다. 〈힌트 1〉 프로게이머가 가장 많이 번다. 〈힌트 2〉 Molly는 Alex보다 나이가 두 배 더 많다. 〈힌트 3〉 가장 어린 사람이 연봉이 두 번째로 높다. 〈힌트 4〉 준호가 Julia보다 더 어리다. 〈힌트 5〉 가장 적게 버는 사람은 교사이다.

어휘 | vet 수의사 annual 연간의 income 수입 earn 벌다 salary 급여

4 **해설 |** A의 단어는 행위자이고 B는 동사, C는 주어이다. C를 주어로 하는 수동태 문장으로, B의 단어는 「be동사+과거분사」로 고쳐 쓰고, A의 단어는 「by+목적격(행위자)」의 목적격 자리에 쓴다.

해석 | 〈보기〉 '자유의 여신상'은 한 프랑스 남자에 의해 만들어졌다. (1) '모나리자'는 레오나르도 다 빈치에 의해 그려졌다. (2) '로미오와 줄리엣'은 셰익스피어에 의해 쓰여졌다. (3) '한글'은 세종대왕에 의해 창제되었다.

어휘 | the Statue of Liberty 자유의 여신상

5 **해설 |** (1) A의 영화의 소감을 묻는 질문에 B가 영화가 좋았고 감독을 아주 좋아한다고 했으므로, 항상 그의 영화에 '만족한다'라는 의미로 satisfied with를, (2) 감독의 영화를 좋아하지만 but이라고 했으므로 이번 영화에는 '실망했다'라는 의미로 disappointed at(with)을, (3) 실제 이야기에 '근거를 둔다'라는 의미로 based on을 쓰는 것이 알맞다.

해석 | A: 영화 어땠니? B: 좋았어! 나는 그 감독을 아주 좋아

해. 나는 항상 그의 영화가 만족스러워. 너는 어땠니? A: 나도 그의 영화를 좋아하지만, 이번 영화에는 실망했어. B: 아, 왜? A: 그것은 실화를 기반으로 했지만, 그렇게 흥미롭진 않았어. B: 그렇구나. 나에게는 그 영화가 내가 본 최고의 영화들 중 하나였어.

어휘 | director 감독 all the time 항상 exciting 흥미진진한

6 **해설 |** 수동태 동사의 기본 형태는 「be동사+과거분사」이고, 조동사가 쓰인 수동태의 동사는 「조동사+be+과거분사」의 형태로 쓴다.

해석 | 겨울 바다 수영 축제에 등록하세요!

국제 겨울 바다 펭귄 수영 축제가 1월 1일 제주 중문 색달 해수욕장에서 열릴 것이다. 그 축제는 매년 열리고 서귀포시에 의해 주관된다. 그것은 오전 10시에 시작하고 참가자들은 자신의 수영복과 수건을 가져와야 한다. 당신은 웹 사이트에서 지원서를 다운 받을 수 있다. 지원서는 이메일(pengswim@geegle.com)을 통해 보낼 수 있다. 겨울 바다에서 수영하고 즐거운 시간을 보내라!

7 **해설 |** John의 두 번째 말은 가정법 과거 문장이므로 「If+주어+동사의 과거형 ~, 주어+조동사의 과거형+동사원형 ……」의 어순이 되어야 한다. 따라서 주절에 있는 조동사 will을 과거형인 would로 고쳐야 한다.

해석 | Mike: 나는 동아리 회원들이 마음에 들지 않아.

John: 왜 그런 말을 하는 거야?

Mike: 거기 있는 사람들은 정말 부정적이야.

John: 음 …, 내가 너라면, 나는 동아리 가는 것을 그만둘 텐데.

Mike: 그래, 그래야겠어.

어휘 | negative 부정적인

8 **해설 |** 현재 사실과 반대되는 상황을 가정할 때 가정법 과거를 쓴다. 형태는 「If+주어+동사의 과거형 ~, 주어+조동사의 과거형+동사원형 ……」을 쓰고, if절에 be동사가 올 경우 원칙적으로 were를 쓴다.

해석 | (1) 만약 내가 너라면, 이 우산을 가지고 갈 텐데. (2) 만약 우리에게 열쇠가 있다면, 우리는 집에 들어갈 (수 있을) 텐데. (3) 만약 그것이 더 저렴하다면, 제가 그것을 살 (수 있을) 텐데요.

어휘 | enter 들어가다 cheap (가격이) 싼, 저렴한

1 ❶ which ❷ who ❸ Although ❹ What ❺ but also
  ❻ who ❼ if
2 ❶ was canceled ❷ as hard as ❸ much
  ❹ satisfied with ❺ had

1 **해설** | ❶ 선행사(movie)가 사물이고 빈칸 이하 절에 목적어
가 없으므로 목적격 관계대명사 which가 알맞다. ❷ 선행사
(a man)가 사람이고 빈칸 이하 절에 주어가 없으므로 주격
관계대명사 who가 알맞다. ❸ 양보의 의미를 나타내는
although(비록 ~이지만)가 알맞다. ❹ 앞에 선행사가 없으
므로 '~하는 것'이라는 의미의 선행사를 포함하는 관계대명사
what이 알맞다. ❺ not only A but also B: A뿐만 아니라
B도 ❻ 선행사(anyone)가 사람이고 빈칸 이하 절에 주어가
없으므로 주격 관계대명사 who가 알맞다. ❼ '~인지 어떤지'
라는 의미로 명사절을 이끄는 접속사 if가 알맞다.
해석 | 어제 나는 내 여동생이 추천했던 공상 과학 영화를 봤
다. 그 영화는 화성에 혼자 남겨진 남자에 관한 이야기이다.
비록 그는 엄청난 곤경에 처하지만 결코 포기하지 않는다. 화
성에서 생존하기 위해 그는 감자를 재배하고 물을 생산한다.
결국 그는 안전하게 지구로 돌아온다. 영화에서 내게 가장 인
상적이었던 것은 그의 용기였다. 나는 이 영화가 우주여행 팬
들 뿐만이 아니라 독특하고 흥미진진한 이야기를 찾는 누구에
게라도 좋은 영화라고 믿는다. ↳ (ID) superhero22: 그것
은 훌륭한 영화 같아. 나는 화성에서 감자를 재배하는 것이 가
능한지 어떤지 궁금해!
어휘 | sci-fi(= science fiction) movie 공상 과학 영화
recommend 추천하다 get left 버림받다 alone 혼자
Mars 화성 be in trouble 곤경에 처하다 give up 포기하
다 survive 생존하다 in the end 결국 return 돌아오다
safely 안전하게 impress 깊은 인상을 주다 courage 용
기 unique 독특한 possible 가능한

2 **해설** | ❶ 주어가 동작의 영향을 받거나 어떤 일의 대상이 되
는 경우 수동태인 「be동사+과거분사」로 나타낸다. 주어가 3
인칭 단수이고 시제가 과거이므로 be동사는 was로 쓴다. ❷
원급 비교는 「as+형용사(부사)의 원급+as」로 나타내며 '…만
큼 ~한(하게)'이라는 의미를 가진다. ❸ 뒤에 비교급 lower가
있으므로 '훨씬'이라는 의미로 비교급을 강조하는 much가

알맞다. ❹ be satisfied with: ~에 만족하다 ❺ 가정법 과거
는 현재 사실과 반대되는 상황이나 실현 가능성이 거의 없는
일을 가정할 때 쓰며, 형태는 「If+주어+동사의 과거형 ~, 주어
+조동사의 과거형+동사원형 ….」이다.
어휘 | cancel 취소하다 low 낮은 subject 과목 skip 빼
먹다, 거르다

1 (1) who (that) is standing (2) who (that) is sitting
(3) which (that) is lying 2 (1) that (2) if (whether)
3 (1) Before (2) because (3) While (4) Since (5) After
(6) Although 4 (1) Both Tim and Lily (2) Neither
Tim nor Lily (3) Not Tim but Lily 5 (1) as
expensive as (2) more expensive than (3) the
cheapest 6 (1) Stacy (2) When was this letter
sent by him? 7 (1) was built (2) was named (3)
was introduced (4) criticized 8 (1) If you
exercised, you would be healthy. (2) If this soup
were not too salty, it would taste good. (3) I knew
people here

1 **해설** | (1)과 (2)는 선행사가 사람이므로 관계대명사 who나
that을, (3)은 선행사가 동물이므로 관계대명사 which나
that을 쓴다. 선행사가 모두 단수 명사이므로 관계대명사 뒤
의 be동사를 is로 쓰고 동사는 현재분사 형태로 고쳐 쓴다.
해석 | 저는 저희 가족을 여러분에게 소개하겠습니다. 소파 뒤
에 서 있는 남성은 저희 아빠입니다. 그는 엔지니어입니다. 제
옆에 앉아 있는 여성은 저희 엄마입니다. 그녀는 교사입니다.
바닥에 누워 있는 고양이는 저희 집 애완동물 나비입니다. 그
것은 3살입니다. 저는 저희 가족과 함께 있어 매우 행복합니
다.
어휘 | introduce 소개하다 floor 바닥

2 **해설** | (1) think의 목적어를 이끄는 명사절 접속사가 와야 하
고, 명사절이 완전한 형태이기 때문에 접속사 that을 써야 한
다.
(2) '내일 날씨가 맑을 것인지 어떤지 궁금하다'라는 의미가 되
어야 하므로 접속사 if나 whether가 알맞다.
해석 | (1) A: 설탕이 어디 있지? B: 내 생각에 그것은 선반 위
에 있어.

(2) 나는 내일 날씨가 맑을 것인지 어떤지 궁금하다.

어휘 | shelf 선반 sunny 맑은, 화창한

3 **해설 |** (1) 수족관에 가기 전에 표를 샀으므로 before를, (2) 표 값이 더 저렴하기 때문에 온라인으로 샀다는 의미이므로 because를, (3) 수족관을 돌아다니는 동안 친구를 만났으므로 while을, (4) 지난해 이래로 만나지 못했다는 의미이므로 since를, (5) 돌고래 쇼를 본 이후에 함께 저녁을 먹으러 갔으므로 after를, (6) 비록 오랫동안 서로 만나지 못했어도 여전히 가깝게 느껴졌다는 의미이므로 although가 적절하다.

해설 | 2022년 7월 7일. 날씨 맑음. 오늘 나는 수족관에 갔다. 그곳을 방문하기 이전에, 나는 티켓을 사야 했다. 온라인으로 사는 것이 더 저렴했기 때문에 나는 온라인으로 표를 구매했다. 그곳을 둘러보는 동안, 나는 내 친구 Jane을 우연히 만났다. 지난해 이래로 우리는 서로 보지 못해서 나는 매우 기뻤다. 돌고래 쇼를 본 이후에 우리는 나가서 함께 저녁을 먹었다. 비록 우리는 오랫동안 서로 만나지 못했지만, 나는 여전히 그녀와 가깝게 느껴졌다.

어휘 | aquarium 수족관 come across 우연히 만나다 for a long time 오랫동안 feel close 가까움을 느끼다

4 **해설 |** (1) Tim과 Lily 모두 15살이라고 했고 be동사가 복수형이므로 Both Tim and Lily로, (2) Tim과 Lily는 둘 다 안경을 끼지 않는다고 했으므로 Neither Tim nor Lily로, (3) Lily만 스포츠를 좋아한다고 대답했으므로 Not Tim but Lily로 써야 한다.

해설 | (1) Tim과 Lily는 둘 다 15살이다.

(2) Tim도 Lily도 안경을 끼지 않는다.

(3) Tim이 아니라 Lily가 스포츠에 관심이 있다.

5 **해설 |** (1) 치킨 샌드위치와 불고기 샌드위치의 가격이 같으므로 원급 비교를 이용하여 as expensive as를, (2) A세트가 B세트보다 더 비싸므로 비교급을 이용하여 more expensive than을, (3) 콜라가 가장 저렴하므로 최상급을 이용하여 the cheapest를 써야 한다.

해설 | (1) 치킨 샌드위치는 불고기 샌드위치만큼 비싸다.

(2) A세트는 B세트보다 더 비싸다.

(3) 콜라가 메뉴 중에서 가장 저렴하다.

어휘 | tuna 참치

6 **해설 |** 의문사가 있는 수동태의 의문문은 「의문사+be동사+주어+과거분사(+by+목적격) ~?」의 어순으로 써야 하므로

Stacy가 수동태로 바꿔 쓴 문장에서 was sent this letter를 was this letter sent로 고쳐야 한다.

해석 | 〈Paul〉 우리는 우리 아빠의 차를 세차했다. → 우리 아빠의 차는 우리에 의해 세차되었다. 〈Amy〉 벌들은 너를 쏠 수 있다. → 너는 벌들에 의해 쏘일 수 있다. 〈Max〉 네가 이 이야기를 썼니? → 이 이야기는 너에 의해 쓰였니? 〈Kevin〉 그녀는 그 사진을 찍지 않았다. → 그 사진은 그녀에 의해 찍히지 않았다.

어휘 | bee 벌 sting 쏘다, 찌르다(-stung-stung)

7 **해설 |** (1), (2), (3) 모두 주어가 에펠탑으로, 동사의 행위를 당하므로 동사를 수동태인 「be동사+과거분사」로 써야 한다. (4)는 사람들이 에펠탑을 비판했다는 의미가 되어야 알맞고, 능동의 의미이므로 동사를 능동태로 써야 한다.

해석 | 8월 12일, 파리로의 여행, 특히 에펠탑은 환상적이었다. 그것은 1889년에 지어졌다. 그것은 건축가 구스타프 에펠의 이름을 딴 것이었다. 그것이 처음 소개되었을 때, 일부 사람들은 그것을 비판했다. 왜냐하면 그들은 그것이 못생긴 고철 짐승이라고 생각했기 때문이다. 이제 모든 사람들이 그것을 사랑한다. 나는 에펠탑이 세계에서 가장 멋진 탑들 중 하나라고 생각한다.

어휘 | criticize 비판하다 fantastic 환상적인 especially 특히 name after ~의 이름을 따다 architect 건축가 ugly 못생긴 iron 쇠, 철 beast 짐승, 야수

8 **해설 |** (1), (2) 모두 현재 사실과 반대되는 상황을 가정하는 가정법 과거인 「If+주어+동사의 과거형 ~, 주어+조동사의 과거형+동사원형 ....」으로 바꿔 쓸 수 있다.

(3) 실현 가능성이 거의 없는 일에 대한 바람을 나타낼 때 I wish 뒤에 가정법 과거를 쓰므로 빈칸에는 동사의 과거형을 이용한 문장을 쓴다.

해석 | (1) 네가 운동을 하지 않아서, 너는 건강하지 않다. → 네가 운동을 한다면, 너는 건강할 텐데.

(2) 이 국이 너무 짜서, 맛이 없다. → 이 국이 너무 짜지 않다면, 맛이 있을 텐데.

(3) 내가 여기에 있는 사람들을 몰라서, 나는 외롭다. → 내가 여기 있는 사람들을 알면 좋을 텐데.

어휘 | healthy 건강한 salty 짠, 소금이 든 lonely 외로운

③ Jake가 만든 케이크를 봐!

④ 나는 그가 소문을 퍼뜨린 것을 알고 있었다.

⑤ 이곳이 너희 부모님이 졸업하신 대학교니?

어휘 | spread 퍼뜨리다 rumor 소문 graduate 졸업하다

적중 예상 전략 | ❶   pp. 74~77

1 ④   2 ②   3 ⑤   4 ④   5 ①, ②, ③   6 ②

7 ⑤   8 ③   9 ③, ④   10 ⑤   11 ④   12 ②, ③

13 ⑤   14 ④   15 ①   16 (1) are / is (2) that /

what   17 (1) I know the girl who〔that〕 is very

smart. (2) Where is the painting which〔that〕 John

gave to me?   18 where my glasses are   19 after

/ Before   20 Neither / nor

1 **해설 |** 첫 번째 문장의 선행사 a friend는 사람이고 빈칸 이하 절에 주어가 없으므로 주격 관계대명사 who나 that이, 두 번째 문장의 선행사 the doll은 사물이고 빈칸 이하 절에 목적어가 없으므로 목적격 관계대명사 which나 that이 와야 한다. 따라서 답은 ④가 알맞다.

해석 | • 나는 캐나다에 사는 친구가 있다.

• 이것은 네 사촌이 너에게 준 그 인형이니?

어휘 | doll 인형 cousin 사촌

2 **해설 |** 문장 전체의 동사가 are이므로 빈칸은 선행사이자 주어인 The doctors and nurses를 꾸며주는 관계사절을 이끄는 주격 관계대명사가 와야 한다. 선행사가 사람이고 복수명사이므로 who work, 혹은 that work가 와야 하므로 선택지 중 ②가 답이 된다.

해석 | 이 병원에서 일하는 의사들과 간호사들은 매우 친절하다.

3 **해설 |** ⑤는 주격 관계대명사 that으로 생략할 수 없다. 나머지는 모두 목적격 관계대명사이므로 생략이 가능하다.

해석 | ① 이것이 네가 찾고 있던 시계니?

② 그가 말한 모든 것은 거짓말이었다.

③ Sera가 입고 있는 드레스는 멋져 보인다.

④ 우리는 우리가 항상 방문해 왔던 호텔에 머물렀다.

⑤ 나는 긍정적이고 밝은 사람을 좋아한다.

어휘 | lie 거짓말 positive 긍정적인 bright 밝은

4 **해설 |** ④의 밑줄 친 that은 동사 knew의 목적어인 명사절을 이끄는 접속사이다. 나머지는 모두 목적격 관계대명사이다.

해석 | ① 주호는 그가 지하철에서 잃어버렸던 가방을 찾을 수 없다.

② 내가 어제 만났던 그 소녀는 멕시코 출신이다.

5 **해설 |** 두 문장을 한 문장으로 연결할 때 공통되는 부분이 목적어일 때 목적격 관계대명사로 연결한다. 이때 관계사절의 목적어는 생략한다. 사람이 선행사일 때는 who, whom, that을 쓰며, 목적격 관계대명사는 생략이 가능하다. 따라서 이에 해당되는 답은 ①, ②, ③이다.

해석 | 저 사람은 그 남자이다. 나는 버스 안에서 그를 보았다.

① ② ③ 저 사람은 내가 버스 안에서 본 그 남자이다.

6 **해설 |** ③은 '나는 Kate가 올지 안 올지 궁금하다.'라는 의미로 빈칸에는 동사 wonder의 목적어를 이끄는 명사절 접속사 if나 whether가 와야 한다. ①, ②, ⑤는 선행사를 포함하는 관계대명사 what이 와야 하고, ④는 간접의문문에 쓰인 의문사 what이 온다.

해석 | ① 이게 바로 내가 원하는 것이다.

② 너는 그녀가 말한 것을 이해했니?

③ 나는 Kate가 올지 안 올지 궁금하다.

④ 우리는 그의 이름이 무엇인지 모른다.

⑤ 네가 해야 할 일은 더 많이 운동하는 것이다.

어휘 | exactly 정확히, 꼭 exercise 운동하다

7 **해설 |** ⑤의 빈칸은 완전한 문장을 이끄는 명사절 접속사 that이 와야 한다. ①, ②, ④는 빈칸 다음에 오는 절이 불완전하므로 선행사를 포함하는 관계대명사 what을 쓰는 것이 알맞다. ③은 간접의문문에 쓰인 의문사 what이 온다.

해석 | ① 내가 정말 원하는 것은 시간이다.

② 그가 나에게 말해준 것은 비밀이다.

③ 너는 이 단어가 무슨 의미인지 아니?

④ 저것이 네가 찾고 있던 것이니?

⑤ 그녀가 상을 받은 것이 놀랍다.

어휘 | secret 비밀 win a prize 상을 타다

8 **해설 |** ③에서 if가 명사절을 이끌 때는 '~인지 어떤지'라는 의미를 가진다. ①, ②, ④, ⑤에서 if가 조건절을 이끌 때는 '만약 ~라면'이라는 의미를 가지고, 미래의 의미이더라도 현재 시제로 쓴다.

해석 | ① 만약 내일 비가 온다면, 나는 집에 머물 것이다.

② 만약 당신이 일을 끝내면, 집에 갈 수 있다.

③ 그녀가 집에 돌아올지 어떨지 나는 모른다.

④ 만약 날씨가 좋다면, 나는 소풍을 갈 것이다.

⑤ 만약 네가 수업 시간에 잠을 잔다면, 너의 선생님은 화가 날 것이다.

어휘 | go on a picnic 소풍을 가다 in class 수업 시간에

9 해설 | 나의 언니는 아침을 먹고 나서 이를 닦는다고 했으므로, 언니는 아침을 먹고 난 후 이를 닦는다는 의미의 ③과 이를 닦기 전에 아침을 먹는다는 의미의 ④가 답이 된다.

해석 | 나의 언니는 아침을 먹는다. 그러고 나서 그녀는 이를 닦는다. ③ 나의 언니는 아침을 먹고 난 후 이를 닦는다. ④ 나의 언니는 이를 닦기 전에 아침을 먹는다.

어휘 | brush one's teeth 이를 닦다

10 해설 | ⑤는 동사 know의 목적어인 간접의문문을 이끄는 '언제'라는 의미의 의문사 when이다. 나머지는 모두 '~할 때'라는 의미의 부사절을 이끄는 접속사로 쓰였다.

해석 | ① 네가 집에 도착하면, 나에게 전화해 줘.

② 그들이 그 소식을 들었을 때 그들은 놀랐다.

③ 네가 나를 필요로 할 때 나는 너를 위해 거기에 있어 줄게.

④ 그는 연설을 할 때, 그의 목소리를 제어할 수 없다.

⑤ 나는 그의 생일이 언제인지 알고 싶다.

어휘 | make a speech 연설하다 control 제어하다

11 해설 | 첫 번째 문장의 빈칸에는 '~ 때문에, ~이므로'라는 이유를 나타내는 접속사가 들어가야 하고, 두 번째 문장의 빈칸에는 '~ 이래로'라는 시간을 나타내는 접속사가 들어가야 한다. 따라서 답은 ④가 알맞다.

해석 | • 우리는 배가 고팠기 때문에 음식을 좀 주문했다.

• 나는 10살 이래로 인천에서 살고 있다.

12 해설 | '만약 ~하지 않는다면'이라는 의미의 조건을 나타내는 부사절 접속사는 if ~ not이나 unless를 써야 한다. unless에 부정의 의미가 내포되어 있으므로 부정어 not을 따로 쓰지 않는다. 조건의 부사절에서는 미래의 의미이더라도 현재 시제를 쓰므로 ②, ③이 적절하다.

13 해설 | 빈칸 뒤에 3인칭 단수 동사 has가 쓰였다. 「either A or B」와 「neither A nor B」는 동사를 B에 일치시키므로, B가 Jane으로 3인칭 단수가 쓰인 ③이 답이 된다. 「both A and B」는 복수 동사를 쓴다.

해석 | 너나 Jane 중 하나가 집을 청소해야 한다.

14 해설 | 첫 번째 문장은 앞, 뒤 절이 서로 대조되는 내용이고 빈칸이 절을 이끌고 있으므로 부사절을 이끄는 접속사 Although가, 두 번째 문장은 대조되는 내용이지만 빈칸 다음에 명사구가 왔으므로 전치사 despite가, 세 번째 문장은 주절에 대한 이유를 설명하고 빈칸 뒤에 명사구가 왔으므로 전치사 Because of가 와야 한다.

해석 | • 비록 그녀는 열심히 달렸지만, 버스를 잡아타지 못했다.

• 바보 같은 이야기에도 불구하고 우리는 그 영화를 즐겼다.

• 위층에서의 소음 때문에 나는 전혀 잠을 잘 수 없었다.

어휘 | catch the bus 버스를 잡다 silly 멍청한 upstairs 위층

15 해설 | 첫 번째 문장은 'A뿐만 아니라 B도'라는 의미의 「not only A but also B」, 두 번째 문장은 'A와 B 둘 다'라는 의미의 「both A and B」, 세 번째 문장은 'A와 B 둘 다 아닌'이라는 의미로 「neither A nor B」가 와야 하므로 ① or가 들어갈 곳은 없다.

해석 | • 그는 야구뿐만 아니라 농구도 잘한다.

• 나는 Jamie와 Chris 둘 다 10년 이상 알고 지내왔다.

• 그와 그의 아버지 둘 다 한국어를 못한다.

16 해설 | (1) 선행사 The man이 단수 명사이므로 관계사절의 동사도 단수 동사인 is가 되어야 한다.

(2) tell의 목적어 자리에 온 명사절에서, 동사 did의 목적어가 없이 불완전하므로 that을 선행사를 포함하는 관계대명사인 what으로 바꾸어야 한다.

해석 | (1) 파란색 바지를 입고 있는 남자는 비행사이다.

(2) 봄 방학 동안 네가 한 일을 나에게 말해 줄래?

어휘 | spring break 봄 방학

17 해설 | (1) 사람인 the girl을 선행사로 하여 주격 관계대명사 who나 that을 써서 문장을 연결한다. 이때 관계사절의 주어인 She는 생략한다.

(2) 사물인 the painting을 선행사로 하여 목적격 관계대명사 which나 that을 써서 문장을 연결한다. 이때 관계사절의 목적어인 the painting은 생략한다.

해석 | (1) 나는 그 소녀를 안다. 그녀는 매우 똑똑하다. → 나는 매우 똑똑한 그 소녀를 안다.

(2) 그 그림은 어디 있니? John이 내게 그 그림을 주었다. → John이 내게 준 그 그림은 어디 있니?

18 해설 | know의 목적어 역할을 하는 명사절이 와야 한다. 말풍선 속의 의문문을 명사절 역할을 하는 간접의문문의 어순인 「의문사+주어+동사」로 고쳐 쓴다. 따라서 빈칸에는 where my glasses are가 알맞다.

해석 | A: 엄마, 제 안경이 어디 있는지 아세요? B: 탁자 위에 있잖니!

19 해설 | 그림에서 8시에 아침을 먹은 후 8시 반에 학교에 가고 있으므로, 첫 번째 빈칸에는 after를, 4시에 숙제를 하고 4시 반에 컴퓨터 게임을 하고 있으므로, 두 번째 빈칸에는 Before를 써야 한다.

해석 | 지민이는 7시 반에 일어났다. 그녀는 아침을 먹은 후에 학교에 갔다. 그녀는 컴퓨터 게임을 하기 전에 숙제를 했다.

20 해설 | 지나도 민호도 둘 다 테니스를 못 친다고 했고, 동사가 can play로 긍정이므로 빈칸에는 'A와 B 둘 다 아닌'이라는 부정의 의미가 포함된 상관접속사 「neither A nor B」가 들어가야 한다.

해석 | 지나는 테니스를 치지 못한다. 민호도 테니스를 치지 못한다. → 지나도 민호도 둘 다 테니스를 치지 못한다.

적중 예상 전략 | ❷
pp. 78~81

1 ③　2 ②　3 ④　4 ③　5 ⑤　6 ①, ④　7 ④
8 ④　9 ③　10 ①　11 ②　12 ④　13 ④
14 ③　15 (1) not as (so) high as (2) higher than (3) the highest　16 The more you practice, the better you can play it.　17 (1) is locked (2) is not allowed　18 (1) You will be supported by us all the time. (2) When was this tree planted by you?　19 if the weather were better　20 (1) If it were not very cold, we could play outside. (2) If I knew Chinese, I could talk with her.

1 해설 | 그림에서 세진이와 재민이의 키가 165cm로 같으므로 「as+형용사(부사)의 원급+as」의 원급 비교 구문으로 써야 한다.

해석 | 세진이는 재민이 만큼 키가 크다.

2 해설 | 〈보기〉에서 '돈이 건강만큼 중요하지는 않다.'라고 했으므로, 비교급을 써서 '건강이 돈보다 더 중요하다.'라고 바꿔 표현할 수 있다. 따라서 「비교급+than」으로 쓰되, important의 비교급은 「more+원급」의 형태로 써야 하므로 답은 ②이다.

해석 | 〈보기〉 돈은 건강만큼 중요하지는 않다. ② 건강은 돈보다 더 중요하다.

3 해설 | ④는 '많이'라는 의미의 부사이고, 나머지는 '훨씬'이라는 의미로 비교급을 강조하는 부사이다.

해석 | ① 당신은 훨씬 더 큰 바지가 있나요?
② 너는 어제보다 훨씬 더 행복해 보인다.
③ 네 영어 실력은 네가 더 많이 연습할수록 훨씬 더 나아진다.
④ 너는 네가 원하는 만큼 많이 먹을 수 있다.
⑤ 그 차는 내가 생각했던 것보다 훨씬 더 비쌌다.

4 해설 | Lily의 가방이 Sam의 가방보다 작긴 하지만 무게는 같으므로 ③이 잘못된 문장이다.

해석 | ① Sam의 가방은 Lily의 가방만큼 무겁다.
② Lily의 가방은 Paul의 가방만큼 크지 않다.
③ Lily의 가방은 Sam의 가방보다 더 가볍다.
④ Paul의 가방은 Lily의 가방보다 더 무겁다.
⑤ Paul의 가방이 셋 중에서 가장 크다.

5 해설 | ⓐ 비교급을 강조하는 부사로 very가 아니라 much, still, far, a lot, even 등이 와야 한다. ⓒ '가장 ~한 …들 중 하나'라고 표현할 때 「one of the+최상급+복수 명사」를 쓰므로 student를 students로 바꾸어야 한다.

해석 | ⓑ 세상에서 가장 긴 강은 무엇인가요? ⓓ 가능한 한 빨리 나에게 전화해 주세요.

어휘 | popular 인기 있는　volleyball 배구　quickly 빨리

6 해설 | '가능한 한 ~하게'라는 의미는 「as+형용사(부사)의 원급+as possible」 또는 「as+형용사(부사)의 원급+as+주어+can(could)」으로 쓴다. 시제가 현재이므로 답은 ①, ④가 알맞다.

7 해설 | ⓑ '전화기는 꺼놓아야 한다'라는 수동의 의미이므로 조동사를 포함한 수동태인 「주어+조동사+be+과거분사(+by+목적격) ~.」로 써야 한다. should turn → should be turned ⓓ 조동사를 포함한 수동태 의문문은 「조동사+주어+be+과거분사(+by+목적격) ~?」로 써야 한다. Will be the package ~? → Will the package be ~?

해석 | ⓐ 그 벌레는 새에 의해 먹혔다. ⓒ 그 노래는 그녀에 의해 불러지지 않았다.

어휘 | worm 벌레 turn off 끄다 package 소포 deliver 배달하다

8 해설 | '~되어질 것이다'라는 미래의 의미를 가진 수동태이므로 미래의 조동사 will을 이용한 수동태 문장인 「주어+will+be+과거분사(+by+목적격) ~.」의 어순으로 쓴 ④가 알맞다.

9 해설 | ③ 일반동사 부정문의 수동태는 「주어+be동사+not+과거분사(+by+목적격) ~.」의 형태가 되어야 한다. 따라서 The room was not cleaned by the children.이 되어야 옳다.

해석 | ① 시끄러운 소리가 나를 깨웠다. → 나는 시끄러운 소리에 의해 깨어났다.

② 폭풍우가 그 집을 손상시켰다. → 그 집은 폭풍우에 의해 손상되었다.

④ 네가 이 장난감을 아기에게 건넸니? → 이 장난감은 너에 의해 아기에게 건네졌니?

⑤ 그는 그 책을 어디서 발견했니? → 그 책은 그에 의해 어디서 발견됐니?

어휘 | wake up (잠에서) 깨다 damage 손상을 주다 storm 폭풍우

10 해설 | 첫 번째 문장은 '~로 덮여 있다'라는 의미가 되기 위해서 be covered with, 두 번째 문장은 '~로 유명하다'라는 의미가 되기 위해서 be known for, 세 번째 문장은 '~에 대해 걱정하다'라는 의미가 되기 위해서 be worried about, 네 번째 문장은 '~에 관심이 있다'라는 의미가 되기 위해서 be interested in을 쓰므로 ① from이 들어갈 곳은 없다.

해석 | • 탁자가 먼지로 덮여 있다.

• 이 식당은 맛있는 파스타로 유명하다.

• 나는 조부모님의 건강이 걱정된다.

• 너는 어떤 스포츠에 관심이 있니?

어휘 | dust 먼지

11 해설 | 첫 번째 문장은 '~로서 알려지다'라는 의미의 be

known as가, 두 번째 문장은 '~로 만들어지다'라는 의미의 be made of가, 세 번째 문장은 '~에 싫증이 나다'라는 의미의 be tired of가 되도록 한다.

해석 | • 스컹크는 냄새 나는 동물로 알려져 있다.

• 이 코트는 가짜 털로 만들어졌다.

• 나는 똑같은 노래를 듣는 것에 싫증이 난다.

어휘 | smelly 냄새 나는 fake 가짜의 fur 털, 모피

12 해설 | 현재 사실과 반대되는 상황을 가정할 때 가정법 과거를 쓴다. 형태는 「If+주어+동사의 과거형 ~, 주어+조동사의 과거형+동사원형 .....」으로 쓰므로 ④가 알맞다.

해석 | 나는 자전거가 없어서 너에게 그것을 빌려줄 수 없다. ④ 내가 자전거가 있다면, 나는 그것을 너에게 빌려줄 텐데.

어휘 | lend 빌려주다

13 해설 | 현재 사실에 반대되는 상황을 가정할 때 가정법 과거인 「If+주어+동사의 과거형 ~, 주어+조동사의 과거형+동사원형 .....」으로 쓰므로 ④의 will을 would로 고쳐야 한다.

14 해설 | ③에서 I wish 가정법 과거는 「I wish+주어+동사의 과거형 ~.」으로 써야 하므로 can played는 「조동사의 과거형+동사원형」인 could play로 고쳐야 한다.

해석 | ① 그가 우리와 함께 여기에 있으면 좋을 텐데.

② 만약 내가 너라면, 도움을 요청할 텐데.

④ 만약 네가 우주에 있다면, 너는 무엇을 할 거니?

⑤ 만약 내가 숙제를 끝내면, 너와 함께 외출할 수 있을 텐데.

어휘 | ask for 요청하다 space 우주, 공간 go out 나가다, 외출하다

15 해설 | (1) 설악산은 다른 두 개의 산보다 높지 않으므로 원급 비교를 쓰되, 앞에 부정어 not을 쓴다. 즉 「not+as(so)+형용사(부사)의 원급+as」로 문장을 완성한다.

(2) 한라산이 설악산보다 더 높으므로 「형용사(부사)의 비교급+than」의 형태인 비교급을 쓴다.

(3) 백두산이 셋 중 가장 높으므로 「the+형용사(부사)의 최상급(+단수 명사)+in(of) .....」의 형태인 최상급을 쓴다.

해석 | (1) 설악산은 나머지 두 산들만큼 높지 않다.

(2) 한라산은 설악산보다 더 높다.

(3) 백두산은 셋 중 가장 높은 산이다.

16 해설 | '…하면 할수록, 더 ~하다.'라는 의미는 「The+비교급 ~, the+비교급 .....」으로 표현한다.

17 **해설 |** (1) 문이 '잠겨 있다'라는 의미의 수동태 문장이 되어야 하므로 동사는 「be동사+과거분사」형태인 is locked로 써야 한다.

(2) 여기서 사진 찍는 것은 '허락되지 않는다'라는 의미의 수동태 부정문이 되어야 하고, 주어가 동명사 Taking이므로 is not allowed로 써야 한다.

해석 | (1) 문이 잠겨 있다.

(2) 여기서 사진 찍는 것은 허락되지 않는다.

어휘 | lock 잠그다 allow 허락하다

18 **해설 |** (1) 조동사를 포함한 문장의 수동태는 「주어+조동사+be+과거분사(+by+목적격) ~.」로 쓴다.

(2) 의문사가 있는 문장의 수동태는 「의문사+be동사+주어+과거분사(+by+목적격) ~?」로 쓴다.

해석 | (1) 우리는 너를 항상 지지할 것이다. → 너는 항상 우리에 의해 지지 받을 것이다.

(2) 너는 언제 이 나무를 심었니? → 이 나무는 언제 너에 의해 심겨졌니?

어휘 | support 지지하다 all the time 항상 plant 심다

19 **해설 |** 그림에서 제주도에 비가 오고 있으므로, 현재 사실과 반대되는 상황을 가정하는 가정법 과거를 써서 if the weather were better로 쓸 수 있다. 가정법 과거에서 if절에 be동사가 오면 원칙적으로 주어에 상관없이 were을 써야 함에 유의한다.

해석 | A: 제주도에서의 너의 여행을 즐기고 있니? B: 나쁘진 않지만, 만약 날씨가 더 좋다면, 나는 여행을 더 즐길 수 있을 텐데 말이지.

어휘 | trip 여행 weather 날씨

20 **해설 |** 현재 사실과 반대되는 상황을 가정하는 가정법 과거는 「If+주어+동사의 과거형 ~, 주어+조동사의 과거형+동사원형 .....」으로 써야 한다.

해석 | (1) 매우 추워서 우리는 밖에서 놀 수 없다. → 만약 그다지 춥지 않다면, 우리는 밖에서 놀 수 있을 텐데.

(2) 나는 중국어를 몰라서 그녀와 대화할 수 없다. → 만약 내가 중국어를 안다면, 나는 그녀와 대화할 수 있을 텐데.